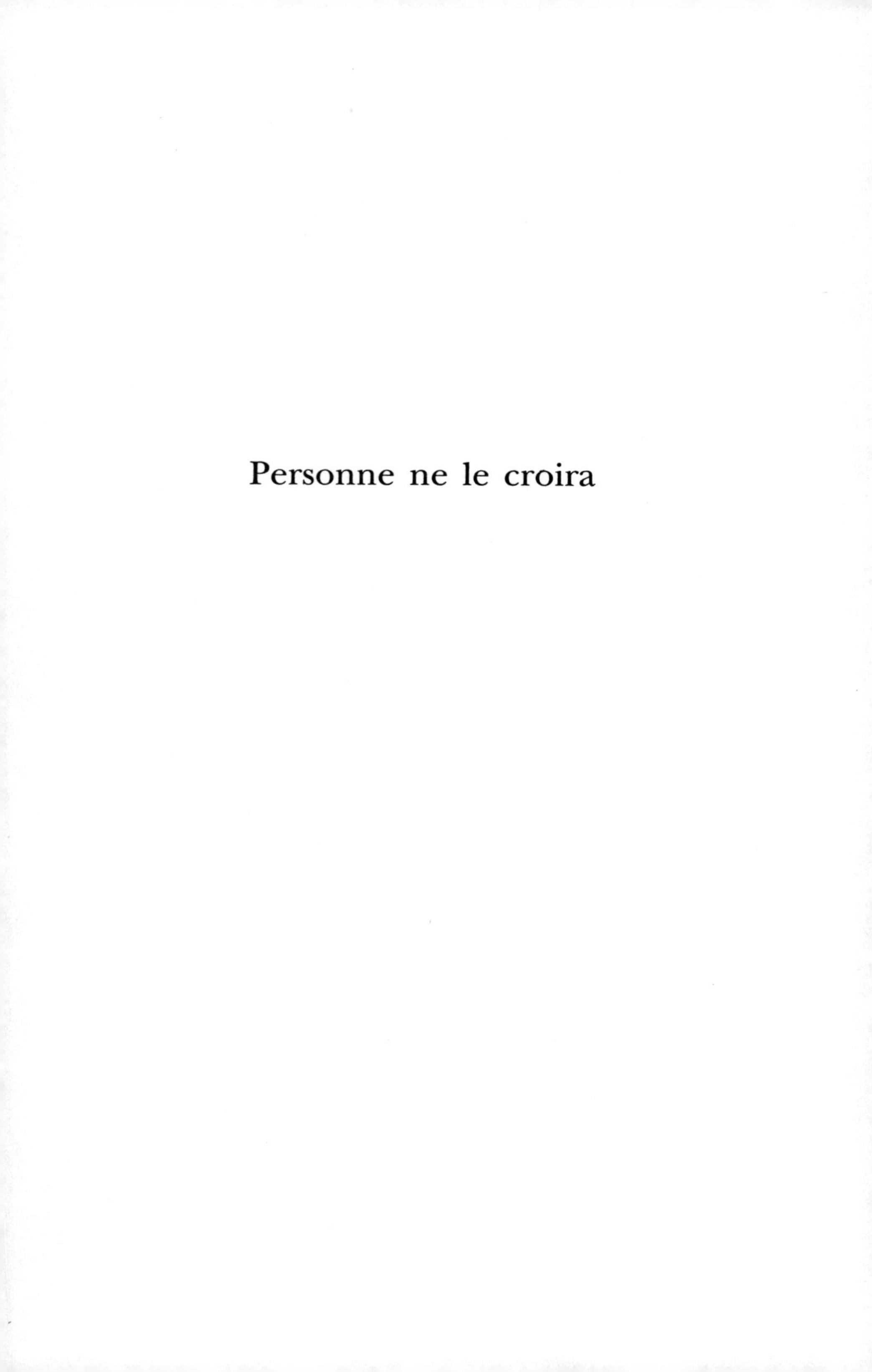

Personne ne le croira

Patricia MacDonald

Personne ne le croira

ROMAN

Traduit de l'anglais (États-Unis)
par Nicole Hibert

Albin Michel

COLLECTION « SPÉCIAL SUSPENSE »

Édition originale parue sous le titre :
I SEE YOU
chez Severn House Publishers Ltd. en 2014
en Grande-Bretagne et aux États-Unis

À Lorene Cary

1

LA LUMIÈRE GRISÂTRE du crépuscule, à travers les vitres crasseuses de la Maison des Vétérans, traçait sur le sol des arabesques délavées. Des hommes à la mine triste, assis en cercle sur des chaises pliantes, écoutaient attentivement Titus, un colosse noir en T-shirt et survêtement sombres, leur raconter sa plongée dans la dépression et les pensées suicidaires.

– Le toubib du Département des anciens combattants disait que je souffrais d'un trouble de stress post-traumatique. Moi, tout ce que je sais, c'est que j'avais plus envie de vivre.

Ses mains nouées formaient un poing énorme, des larmes coulaient sur sa figure ravinée.

– Et maintenant ?

Hannah Wickes, qui se tenait un peu à l'écart, regarda l'animateur du groupe de parole qui avait posé la question. Il observait avec gravité la tête baissée et le cou tatoué du vétéran en souffrance. Celui-ci poussa un lourd soupir.

– J'sais pas trop.

– Mais tu es toujours là. Tu nous parles.

Le dénommé Titus hocha la tête et leva les yeux vers l'animateur qui lui sourit. Malgré son visage grêlé de cicatrices de brûlures, son expression était empreinte d'une extrême douceur.

– Et nous devons continuer à parler, ajouta-t-il. Tous autant que nous sommes. On se retrouve la semaine prochaine. Je veux te revoir, Titus.

– Je serai là.

– Très bien. À présent, je cède la parole à Anna, qui a des informations pour vous.

Hannah, bouleversée par la douleur du vétéran, qu'elle ne comprenait que trop, se ressaisit et s'efforça de prendre un ton officiel :

– Beaucoup d'entre vous se plaignent d'avoir des difficultés à obtenir les allocations auxquelles ils ont droit. Nous organisons un atelier, ce samedi à dix heures. Apportez vos formulaires administratifs. On essaiera de vous aider à débrouiller tout ça. Des étudiants de la fac, des petits génies en informatique, vous expliqueront comment vous repérer dans les sites de l'administration. Il faut que chacun de vous touche les aides promises par le gouvernement.

Des murmures d'approbation saluèrent cette déclaration.

– Bon, écoutez-moi, reprit Frank Petrusa, l'animateur. Si cet atelier vous intéresse, vous trouverez d'autres renseignements dans les documents qui sont là, sur le bureau. Je vous donne rendez-vous mercredi prochain, puisque je ne serai pas là vendredi, j'ai une réunion à Washington.

Les hommes échangèrent des high five, se souhaitèrent une bonne semaine, et sortirent de la salle. Certains prirent les documents que Hannah avait mis à leur disposition.

Frank Petrusa resta auprès de Titus, lui parlant à voix basse, sa main artificielle posée sur l'épaule du colosse. Hannah, qui les observait, songea comme souvent qu'elle avait de la chance de travailler ici. Cela lui permettait de prendre du recul. Car elle avait parfois failli sombrer dans le désespoir durant l'année qui venait de s'écouler. Elle avait postulé à un emploi à la Maison des Vétérans, une association à but non lucratif de West Philadelphia, qui s'occupait des anciens combattants et de leurs proches. Elle y avait été reçue par le père Luke, lui-même vétéran et prêtre défroqué, mais qui utilisait toujours son titre religieux. Lorsqu'il l'avait interrogée sur ses références, elle avait demandé si elle pouvait lui confier quelque chose sous le sceau du secret, et comme il acquiesçait, elle lui avait avoué vivre dans la clandestinité. Elle avait néanmoins été engagée, et adoptée par cette famille pétrie de compassion qu'était la Maison des Vétérans.

– Hé, Anna, attendez ! dit une voix bourrue.

Hannah se retourna et vit Frank Petrusa qui approchait. En sweat, pantalon de treillis et rangers, il se grattait son moignon. Il avait perdu sa main gauche en Irak, à cause d'une mine, et portait une prothèse qui semblait le gêner en permanence. Hannah s'émerveillait de la bonté qui émanait pourtant de lui, malgré les séquelles de ses terribles blessures.

– Vous êtes étonnant, lui dit-elle. Vous savez comment parler à ces hommes.

– Je comprends ce qu'ils ressentent, je suis passé par là moi aussi, répondit-il simplement. Dites, je voulais juste m'assurer que vous viendriez ce soir fêter l'anniversaire du père Luke.

– Oui, avec grand plaisir. Au fait, quel est le nom du restaurant ? J'ai reçu l'invitation, mais…

– Le Haricot noir, à l'angle de la 56e et de Walnut.

C'était le soixantième anniversaire du père Luke, et la soirée était organisée par son compagnon, Spencer White, un comptable quinquagénaire et bedonnant.

Les deux hommes vivaient en couple, discrètement, depuis des années. Ils vouaient leur vie à la Maison des Vétérans, le père Luke en tant que salarié et Spencer comme bénévole. La fête serait simple, mais très spéciale pour Hannah et Adam qui sortaient rarement.

– Je viens avec Alan, mon mari, dit-elle. Je veux vous le présenter à tous.

– J'ai hâte de le rencontrer, je commençais à me demander s'il existait vraiment, rétorqua Frank.

– Il existe, je vous le certifie, plaisanta-t-elle.

– Et où travaille-t-il ?

– Il travaille pour Brigade Geek, une société de maintenance informatique. Il dépanne les clients à domicile.

Elle ne précisa pas que, pour un homme qui était auparavant directeur informatique d'une compagnie de télécommunications, gagner sa vie de cette façon n'était pas facile. Mais, vu leur situation, Adam s'estimait heureux d'avoir un emploi stable.

– Oh, alors il pourra peut-être m'aider. J'ai des problèmes avec mon vieil ordinateur.

– Oui, sans doute.

– Bon, à ce soir donc.

Agitant sa main artificielle, Frank se dirigea vers la cuisine donnant sur l'arrière de la bâtisse. Hannah, elle, alla du côté de la garderie.

C'était la pièce la plus gaie de l'hôtel particulier délabré, qui menaçait ruine. Les familles des vétérans qui avaient trouvé en ce lieu un peu de répit avaient donné, en témoignage de reconnaissance, des lits d'enfant, des livres et des jouets bariolés. Deux des bénévoles de l'Université de Pennsylvanie, qui travaillaient là le week-end, avaient enrôlé leurs camarades des Beaux-Arts pour peindre une fresque murale.

Hannah s'arrêta sur le seuil de la pièce. Sydney, installée à une petite table avec deux autres enfants, jouait à la bataille. La responsable, Kiyanna Brooks, une ravissante jeune femme à la peau brune, qui portait des lunettes cerclées de métal et de longues tresses africaines savamment coiffées, lui fit signe de ne pas bouger. Hannah acquiesça, les yeux rivés sur Sydney.

Depuis un an, elle observait Sydney sans relâche, comme un médecin surveille un patient transplanté, guettant les signes de rejet de cette nouvelle vie qu'ils avaient greffée sur son univers d'avant. On la connaissait à présent sous le nom de Cindy, ce à quoi elle s'était très vite habituée.

Hannah, Sydney et Adam vivaient non loin de la Maison des Vétérans, dans une « brownstone » appartenant à Mamie Revere, une vieille femme noire. Mamie occupait le rez-de-chaussée et le premier étage, les Wickes – qui se faisaient maintenant appeler Whitman – habitaient au second un appartement exigu et dépourvu du confort moderne, mais assez lumineux. Hannah déplorait souvent l'absence de climatisation et de lave-vaisselle. Ce qui ne servait à rien, car il n'y avait pas de solution. Leur logement n'était simplement pas conçu pour les équipements dont rêvait Hannah, et leur situation financière, délicate depuis qu'ils avaient quitté le Tennessee, ne le leur permettait de toute façon pas. À cela aussi, il fallait s'habituer.

Si la petite Sydney ne se plaisait pas dans cette ville, et dans son nouveau foyer, elle n'en disait rien à Hannah et Adam. Le matin, elle allait à la crèche du quartier, puis elle passait l'après-midi à la garderie de la Maison des Vétérans pendant que Hannah recevait les anciens combattants et leurs proches en mal de conseils.

– Bataille ! claironna Sydney.

L'un de ses adversaires, un petit garçon, abattit sur la table ses cartes trop grandes pour ses menottes, et se déclara vainqueur.

– C'est pas juste, protesta Sydney.

Hannah intervint avant qu'une dispute n'éclate.

– Viens, Cindy, dit-elle en prenant la fillette par la main. Il est temps de retrouver Mamie. Tu sais que tu passes la soirée avec elle.

– Et vous, vous allez où ?

– À une fête donnée pour le père Luke.

Sydney prit un air de martyre.

– Je veux aller à une fête, moi !

– Tu auras la tienne avec Mamie.

Et de fait, lorsque deux heures plus tard Hannah descendit au rez-de-chaussée, le hall de la demeure victorienne embaumait. Dans les appartements de Mamie traînaient souvent des odeurs de poulet en cocotte et de pot-pourri à la lavande, masquant des relents de moisi, de vieux meubles et de papier peint défraîchi. Mais ce soir, malgré les fenêtres ouvertes pour aérer, ça sentait bon le caramel et le sucre.

– Mamie, on est là ! cria Hannah, sur le seuil du salon. Je veux que tu sois gentille avec Mamie, dit-elle à Sydney. Et que tu sois sage.

– Oui. Je suis gentille.

Hannah lui planta un baiser sur la joue en ébouriffant ses cheveux blonds et soyeux.

– C'est vrai.

Mamie, qui s'affairait dans les profondeurs de la maison, apparut et ordonna aussitôt à Sydney de se déchausser et de la suivre à la cuisine.

– Ça sent le gâteau, déclara la fillette.

– Gagné, rétorqua la vieille dame. On en mangera un morceau après le dîner. Il faut d'abord qu'il refroidisse.

– Je ne sais pas comment vous remercier, Mamie, dit Hannah. Je vous ai noté les coordonnées du restaurant où nous serons. Le Haricot noir. Et vous avez mon numéro de portable, au cas où.

– On y mange bien, dans ce restaurant. Leurs beignets à la farine de maïs sont légers comme des plumes !

– Bon, il ne faudrait pas que nous soyons en retard.

Elle appela Sydney pour lui dire au revoir, mais la petite avait déjà filé dans la cuisine.

– Ne vous faites aucun souci, dit Mamie.

Hannah acquiesça en souriant. L'angoisse, malheureusement, la tenaillait sans relâche.

– Descends, chéri ! cria-t-elle à Adam. Il faut y aller.

Elle entendit le cliquetis des clés tandis qu'il verrouillait la porte au second, puis il la rejoignit.

– Où est Syd… Cindy ?

– Chez Mamie, dans la cuisine. Elles démoulent un gâteau.

– Parfait, dit Adam avec un sourire. Tout ira bien.

Hannah hocha lentement la tête. Ils traversèrent le hall, où Mamie avait accroché ses photos de famille. La plus grande était un portrait de son fils aîné, Isaiah, membre du conseil municipal de Philadelphie depuis des lustres. Mamie était naturellement fière de lui, mais Hannah regrettait qu'il ne consacre pas plus de temps à sa mère. La maison se dégradait inexorablement, ce que le conseiller Revere ne semblait pas remarquer. Adam passait la majeure partie de son temps libre à faire du bricolage pour la vieille dame.

Elle sortit et huma l'air frisquet de cette soirée d'automne, où flottait le parfum complexe de la ville. Quand ils s'étaient installés ici, elle s'était d'abord sentie submergée par cette cacophonie d'odeurs et de bruits. À présent, au bout d'un an, il lui arrivait de l'apprécier – sans doute parce qu'il lui semblait qu'à Philadelphie, ils pourraient être en sécurité.

– Quelle belle soirée, dit Adam.

Lui avait eu plus de facilités à s'adapter. Son travail l'amenait à circuler à travers la ville, il en saisissait l'esprit mieux que Hannah. Et il acceptait mieux qu'elle ce qu'ils avaient fait, même si c'était elle qui en avait eu l'idée. Ils l'avaient fait parce qu'il le fallait. Sans regarder en arrière.

– C'est bizarre de porter de nouveau une cravate, dit-il.

– Je suis certaine que le père Luke appréciera.

Dans la société pour laquelle Adam travaillait, il n'y avait pas de code vestimentaire. En réalité, comme il était le plus vieux de l'équipe, il s'habillait de façon décontractée pour mieux s'intégrer. Les responsables de Brigade Geek avaient hésité à l'engager, à cause de son âge. Pour le tester, ils lui avaient confié un ordinateur infesté de virus, et il avait réussi à le nettoyer et réparer en un temps record. On l'avait alors embauché, sans lui poser de questions sur son passé. Les jeunes avaient cette grâce-là, disait-il à Hannah. Ils se fichaient de votre curriculum vitæ. Ils vivaient dans le présent. Le supérieur d'Adam avait vingt-cinq ans et les cheveux rouges. À cela aussi, Adam s'était adapté.

Ils descendirent les marches du perron de la grande maison délabrée.

– Où allons-nous ? demanda Adam.

– Cinquante-sixième Rue, ce n'est pas loin, on y va à pied.

Une jeune femme dépenaillée, en pantalon de camouflage et veste en toile noire de crasse, était assise sur un muret devant la maison. Elle tenait une bouteille dans un sac en papier kraft et buvait au goulot. Ses cheveux noirs étaient coupés en brosse, des cernes creusaient ses yeux chassieux.

Adam lui jeta un regard réprobateur, mais Hannah lui sourit.

– Bonsoir, Dominga.

– Salut, m'ame Anna, répondit-elle timidement en se passant la main dans les cheveux.

– Une amie à toi ? demanda Adam, goguenard, tandis qu'ils s'éloignaient.

– C'est une ancienne militaire, elle souffre de Syndrome de stress post-traumatique. Elle vient quelquefois au centre participer au groupe de parole.

– J'ai l'impression qu'elle souffre aussi d'alcoolisme.

– C'est comme ça qu'elle se soigne, dit pensivement Hannah. Pour essayer d'oublier.

– Eh bien, je crois que ce soir je vais moi aussi me soigner un peu. La semaine a été longue.

Hannah lui prit la main. Du moment qu'elle avait Adam et Sydney près d'elle, quelles que soient les contingences, la vie avait encore un sens.

– Je n'y vois pas d'inconvénient, dit-elle. Voilà, nous y sommes.

Ils étaient effectivement devant la modeste vitrine du Haricot noir. Une guirlande de lampions ourlait l'auvent rayé, on entendait des rires.

Une odeur de cuisine mijotée et réconfortante chatouillait les narines.

– Ah, vous êtes là !

Hannah sourit à Frank Petrusa qui approchait, bras dessus bras dessous avec Kiyanna Brooks. Hanna s'efforça de dissimuler sa surprise – elle ne se doutait pas que l'animateur et la responsable de la garderie étaient en couple. Ils ne le criaient assurément pas sur les toits. Mais en principe Hannah s'abstenait de questionner les gens sur leur vie privée, de crainte de devoir dévoiler la sienne.

– Frank ! Kiyanna… Permettez-moi de vous présenter… Alan, mon mari.

Avec son beau sourire éclatant, Kiyanna tendit à ce dernier une main fine.

– Enchantée de vous connaître. Nous commencions à nous demander si nous aurions un jour le plaisir de vous rencontrer.

– Tout le plaisir est pour moi, déclara chaleureusement Adam. C'est vous qui dirigez la garderie, n'est-ce pas ?

– Mais oui. J'aime beaucoup votre Cindy. C'est une petite fille très intelligente.

– C'est notre… merci, bredouilla Adam.

– Et voici Frank, dit Kiyanna.

– Frank Petrusa, précisa celui-ci en tendant à Adam sa main valide.

– Frank anime le groupe de parole, expliqua Hannah.

– Ma femme dit le plus grand bien de vous, commenta aimablement Adam.

– Et de vous aussi, rétorqua Frank de sa voix bourrue.

– Heureux de l'apprendre, plaisanta Adam en regardant Hannah avec tendresse.

Kiyanna se mit à rire.

– Il nous faut trinquer à tout ça ! Entrons.

Une sensation qu'elle n'avait pas éprouvée depuis très longtemps envahit Hannah. Une soirée de fête s'annonçait. Des amitiés se nouaient. Il lui semblait presque être chez elle.

– Oui, entrons, dit-elle.

Mamie leur avait concocté un gratin de macaronis servi avec de la compote de pommes. Sydney mangea de bon cœur, ce qui ne l'empêcha pas de s'attaquer avec appétit à sa part de gâteau.

– T'en manges pas, toi, du gâteau ?

– Pas tout de suite, dit Mamie en se massant le diaphragme. Je me sens un peu... J'ai du mal à digérer.

Sydney termina son dessert et, avec précaution, prit son assiette. Elle dut se hausser sur la pointe des pieds pour la poser sur la paillasse de l'évier. Puis elle se retourna vers Mamie.

– Et maintenant, je peux regarder la télé ?

– Bien sûr.

Mamie se redressa avec difficulté, jeta un coup d'œil à la vaisselle sale.

– Je la ferai plus tard, dit-elle d'un ton penaud.

Sydney, qui s'était précipitée au salon, tripotait déjà la télécommande.

– Attends, donne-moi ça, dit Mamie en la lui prenant des mains pour la pointer vers l'écran. Allons bon... qu'est-ce qu'il a donc, ce machin ?

– Je sais faire, moi.

– Oui, sans doute mieux que moi.

Soudain, Mamie ferma les yeux et laissa échapper la télécommande qui tomba bruyamment sur le plancher usé, à côté du tapis persan.

Sydney s'empressa de la ramasser.

– C'est tombé, Mamie.

Elle la tendit à la vieille dame, recula brusquement, effrayée. Mamie faisait une horrible grimace, elle pressait les mains sur sa poitrine, son teint chocolat avait viré au gris.

– Oh, Seigneur, souffla-t-elle. Ça ne va pas...

Et elle s'écroula sur le sol.

Sydney se mit à pleurer. Prudemment, elle s'approcha.

– Mamie ? balbutia-t-elle.

Pas de réaction.

– Réveille-toi, la supplia Sydney en lui secouant l'épaule de sa main potelée.

Mais la vieille dame ne bougea pas.

– Mamie ! s'écria la fillette qui éclata en sanglots.

2

DOMINGA SOMMEILLAIT. La bouteille vide de Night Train*, toujours dans son sac en papier, avait glissé et atterri sur l'herbe sèche au pied du muret. Dominga se réveillait en sursaut à tout bout de champ, se redressait, puis le brouillard l'engloutissait de nouveau. Elle rêvait. Le rêve familier – elle était de retour là-bas, au bivouac, dans la chaleur et la poussière du désert. Des inconnus l'entouraient, elle ne voyait les copains nulle part. Partout où elle regardait, il n'y avait que des types mutilés et ensanglantés. Il fallait pourchasser l'ennemi, elle le savait bien, mais ses bras et ses jambes lui refusaient tout service. Elle était comme paralysée. Le sergent gueulait, et elle ne comprenait rien à ce qu'il disait.

Quelqu'un du campement se mit à sangloter. Il lui sembla que c'était un enfant. Elle devait le trouver, ce gosse, lui porter secours. Mais où était-il ? De nouveau, elle se réveilla en sursaut. Émerger de son rêve n'interrompit pas les sanglots. Elle les entendait toujours. Frénétiques, ils provenaient de la maison derrière elle.

---

* Night Train Express : vin californien bon marché, à forte teneur en alcool, connu pour provoquer rapidement l'ébriété. (*Toutes les notes sont de la traductrice.*)

Dominga battit des paupières pour s'obliger à garder les yeux ouverts. Les gémissements stridents de l'enfant lui vrillaient les nerfs. Elle se mit debout, chancelante.

C'était une petite fille qui pleurait ainsi. Elle avait besoin d'aide.

Contrairement à ce qui lui arrivait dans son rêve, son entraînement, si lointain aujourd'hui, lui revenait – une foule de procédures à respecter. Elle rassembla ses esprits puis, titubant encore un peu, se dirigea vers le perron. Elle gravit les marches avec circonspection, s'arrêta. L'enfant sanglotait toujours.

Elle regarda par le bow-window de la vieille maison, cligna des yeux car la lumière était allumée dans la pièce. Au travers du voilage, elle vit une petite fille blonde, par terre, blottie contre une femme noire aux cheveux gris, vêtue d'une robe jonquille. L'enfant lui criait : Mamie, Mamie !

Dominga eut pitié d'elle. Se sentir abandonnée, elle savait ce que c'était. Elle connaissait cette solitude depuis toujours ou presque.

– Hé, petite ! dit-elle, aussi doucement que possible, pour ne pas effrayer davantage la fillette. Tout va bien, je vais t'aider, tout va bien.

La gamine leva le nez, intriguée par cette voix qui lui parvenait par la fenêtre. Elle cessa un instant de sangloter.

– Écoute-moi, dit Dominga. Tu sais ouvrir la porte ?

Le regard de l'enfant s'emplit de terreur.

– Nooooon..., gémit-elle.

La fillette n'était de toute façon pas assez grande pour atteindre la clé de la porte et la tourner dans la serrure. Quant à la femme étendue sur le sol, elle ne bougeait plus. Elle était peut-être morte.

Dominga aurait pu téléphoner, mais elle utilisait des cartes prépayées qu'elle achetait à la bodega, or elle avait épuisé ses unités. Elle devait prendre une décision, vite. En un sens, ça faisait du bien. L'adrénaline lui fouettait le sang, elle avait les idées claires.

Elle hésita encore un instant, puis se lança.

Vivre dans ce quartier, dans la rue, lui avait appris à avoir toujours une arme à portée de main. En l'occurrence un cran d'arrêt. Elle l'extirpa de la poche zippée de sa veste, déploya la lame et fendit la moustiquaire. À deux mains, elle élargit la brèche pour pouvoir passer – elle était trapue.

– J'arrive, *chica* ! N'aie pas peur.

Elle enjamba le rebord de la fenêtre, avisa un téléphone posé sur un guéridon près du canapé. Elle saisit le combiné et composa le 911.

– S'agit-il d'une urgence ? interrogea l'opératrice.

Dominga expliqua qu'il y avait une vieille dame sans connaissance par terre.

– Vérifiez son pouls, lui conseilla son interlocutrice.

Mais Dominga avait anticipé. À quatre pattes, elle s'était approchée de la femme prostrée et lui avait saisi le poignet.

– Le pouls est faible, dit-elle. Mais elle est vivante.

L'opératrice récita une adresse, demanda si c'était exact.

– Ben… je sais pas, répondit Dominga, déconcertée. J'ai entendu une enfant crier, alors je suis entrée. C'est à l'angle de la 50e et de Chestnut.

– Je vous ai donné l'adresse correspondant à la ligne téléphonique d'où émane votre appel.

– Ça devait être ça, acquiesça Dominga. L'opératrice lui déclara que les secours étaient en route.

– En attendant…, dit-elle.

– Je sais quoi faire, coupa Dominga d'un ton abrupt. Je suis militaire, j'ai fait l'Irak. Dites-leur juste de se grouiller.

– Ma… mie, hoqueta la petite.

– N'aie pas peur, répéta Dominga qui positionna la tête de la vieille dame en sorte que la gorge et la bouche soient dégagées, et commença le massage cardiaque. Elle va s'en sortir, Mamie.

Sans se douter du drame qui se déroulait chez Mme Revere, Hannah et Adam firent honneur au buffet roboratif dressé pour l'anniversaire du père Luke.

Ils burent deux ou trois verres, ils dansèrent. Après leur dernière danse, quand main dans la main ils regagnèrent la table qu'ils partageaient avec Frank et Kiyanna, celle-ci adressa à Hannah un sourire complice.

– Vous êtes mignons, tous les deux.

– Merci.

– Vous êtes mariés depuis longtemps ?

– Une éternité, dit Hannah, éludant la question.

– Et Cindy est votre seule enfant ?

Hannah remua sa paille, puis la glissa entre ses lèvres, comme si toute cette opération exigeait une totale concentration.

– Oui.

Kiyanna hocha la tête ; elle ne voulait pas se montrer indiscrète, mais à l'évidence elle était curieuse.

– Nous allions renoncer à l'espoir d'avoir un enfant, quand elle est arrivée, expliqua Hannah.

– C'est une adorable petite fille.

– Merci.

Hannah voulait changer de sujet, mais elle craignait d'être impolie envers Kiyanna qui était si gentille avec Sydney depuis que la fillette fréquentait la garderie.

– Et vous ? demanda-t-elle avec un coup d'œil en direction de Frank qui se servait une part de gâteau au buffet des desserts. Vous êtes… ensemble, tous les deux ?

– Oui, soupira Kiyanna en regardant Frank. On est ensemble, oui.

– Au travail, vous êtes très…

– Professionnels. On essaie de ne pas précipiter le mouvement.

– Entre vous, c'est du sérieux ?

– Je crois, oui, répondit Kiyanna avec un sourire embarrassé.

– Vous faites un beau couple.

– Frank était marié quand il est parti en Irak. Et quand il est rentré, sa femme s'était trouvé quelqu'un d'autre. Il a encore du mal à faire confiance.

– C'est essentiel, la confiance.

– J'essaie de le convaincre de se laisser aller.

– Je l'ai vu travailler avec les vétérans. Il a un cœur d'or.

– Je sais. Moi aussi, il faut que j'y croie. Mais vous et votre mari, vous paraissez très unis.

Hannah tourna les yeux vers son époux, qui discutait avec le frêle père Luke et son imposant compagnon, l'organisateur de la soirée, Spencer White.

– Alan et moi, nous en avons vu des vertes et des pas mûres, dit-elle.

Un moment après, Adam suggéra de rentrer. Sydney les attendait. Hannah et lui prirent congé des convives.

À cette heure-ci, le silence régnait dans les rues, parfois troublé par l'écho d'une radio, d'une discussion animée, ou par le vrombissement d'une moto qui passait. Les bruits de la ville. Hannah n'aurait pas cru qu'elle aimerait un jour vivre dans une grande ville. Pourtant cela lui plaisait, même s'ils avaient au départ choisi de s'installer ici parce qu'ils pouvaient y rester anonymes.

– Tu as passé une bonne soirée ? dit-elle à Adam.

– Oui. J'aime bien tes collègues, ils ont l'air gentils.

– C'est vrai. Moi aussi, je les aime bien.

– Ça me plaît de sortir avec toi, comme avant.

– Je vois ce que tu veux dire, fit-elle avec un sourire contrit. Je me suis presque sentie coupable de m'amuser.

– Notre vie va peut-être retrouver enfin un semblant de normalité.

– Et les gens de Brigade Geek, tu penses qu'ils donneront aussi une fête dans les bureaux ?

– Le réel, ce n'est pas trop leur truc. Ils préfèrent faire la fête avec leurs avatars. Pas besoin de se pomponner.

Hannah éclata de rire, serrant plus fort la main d'Adam. Ils tournèrent le coin de la rue.

– Adam, regarde ! s'exclama-t-elle.

Une ambulance. Les gyrophares de voitures de police.

– On dirait que c'est chez nous, dit Hannah.

– Attends…

Mais Hannah s'élançait déjà. À chaque pas, il lui paraissait de plus en plus évident que les véhicules stationnaient devant la maison de Mamie Revere. Seigneur, par pitié, faites que Sydney n'ait rien.

Elle n'aurait jamais dû la laisser, elle n'aurait pas dû sortir.

Elle était essoufflée quand elle atteignit la demeure. Dans son dos, les pas d'Adam résonnaient sur le trottoir. Elle se précipita vers les policiers, vit le hayon levé de l'ambulance. Agrippant un agent par la manche, elle bredouilla :

– Ma fille… Qu'est-ce qui s'est passé ? Où est-elle ?

Il la dévisagea gravement.

– Vous êtes la maman de la petite fille ?

– Oui… Où est-elle ? répéta Hannah, les yeux embués. Elle va bien ? Que s'est-il passé ?

– Elle va bien, elle est là, dans cette voiture de patrouille. Hé, Mike ! cria-t-il. La mère de la gamine est là.

Hannah s'appuya lourdement contre un véhicule. Elle sentit Adam derrière elle, à bout de souffle. Elle chercha sa main.

– Elle va bien, murmura-t-elle.

Brusquement, les policiers s'écartèrent, livrant passage à une collègue qui s'approcha avec Sydney.

Hannah tomba à genoux, les bras grands ouverts. Sydney courut s'y jeter.

– Mom, Mom !

Hannah huma ses cheveux, jamais elle n'avait respiré de parfum plus doux. Et ces petits bras noués autour de son cou… il n'existait rien de meilleur.

– Ça va ? murmura-t-elle en l'étreignant.

Sydney hocha la tête.

– Mamie, elle est tombée. Elle était malade, et elle est tombée, dit-elle, solennelle.

– Oh, mon Dieu… Mais comment… Qu'est-ce qui lui est arrivé ?

Adam lui toucha l'épaule.

– Lève-toi, chuchota-t-il. Il ne faut pas rester là.

Son ton insistant surprit Hannah. Soudain, elle entendit une voix claironner :

– Madame Whitman, monsieur Whitman !

Isaiah Revere, le fils aîné de Mamie, fonçait sur eux. Ils s'étaient rencontrés à plusieurs reprises au cours des derniers mois, lorsqu'il rendait visite à sa mère. Il allait sur ses soixante ans, il était chauve. Ce soir il portait un élégant manteau marron glacé, une cravate et des chaussures acajou en poulain.

Hannah se redressa et lui serra la main.

– Bonsoir, monsieur Revere. Comment va Mamie ? Elle va se rétablir ? Que s'est-il passé ?

Il n'y avait que les politiciens pour afficher ainsi une expression éternellement aimable. À cet instant, on referma le hayon de l'ambulance et la sirène retentit.

– Ils pensent qu'elle a eu une attaque, mais il faut faire des examens. Je vais la rejoindre à l'hôpital. Je veux d'abord féliciter votre petit ange, votre Cindy. Elle a été très courageuse. Pas vrai, ma chérie ?

Sydney, blottie dans les bras de Hannah, regarda le conseiller municipal droit dans les yeux.

– Mamie, elle est tombée. Elle est malade.

– Eh oui, dit Isaiah Revere dans un sourire. Mais ça va aller mieux. Les docteurs vont la soigner.

– Mais que s'est-il passé ? répéta Hannah. Qui l'a trouvée ? ajouta-t-elle, balayant du regard les voitures de police et l'ambulance qui démarrait. Cindy est trop jeune pour alerter les secours.

– En fait, c'est cette jeune dame qu'il faut remercier, répondit Isaiah.

Il montra une femme à l'allure masculine, qui s'entretenait avec un policier. Hannah reconnut aussitôt la vétérane qu'ils avaient vue, assise sur le muret, en partant au restaurant.

– Venez, s'il vous plaît, l'interpella Isaiah Revere. Voici les parents de la fillette.

– Dominga ? articula Hannah.

Celle-ci, intimidée, hocha la tête.

– Salut…

– Vous vous connaissez ? s'étonna le conseiller.

– Oui, je travaille à la Maison des Vétérans. Une assocation qui vient en aide aux anciens combattants.

– Mlle Flores a entendu votre fille crier. En s'approchant, elle a vu ma mère étendue par terre. Elle n'a fait ni une ni deux, elle est passée par la fenêtre.

Hannah sentit Adam lui serrer le bras.

– Allons-y, murmura-t-il. Il faut rentrer.

Elle lui en voulut d'être si discourtois. Elle tenait à féliciter Dominga.

– Je ne sais pas comment vous remercier, Dominga.

– J'ai fait ce qu'il fallait, c'est tout.

Tout à coup, une lumière éblouissante aveugla Hannah.

– Conseiller Revere ? Nous avons bien reçu votre appel. Une question pour les infos de Channel 10. Votre mère est souffrante, n'est-ce pas ? Pouvez-vous nous en dire plus ?

Sydney leva une main potelée pour se protéger les yeux. Hannah se figea, comprenant trop tard pourquoi Adam était si pressé de s'éclipser.

– Merci d'être là, déclara Isaiah Revere dans le micro que lui tendait l'accorte journaliste. Ma mère a effectivement été conduite à l'hôpital, je m'en vais de ce pas la rejoindre. Mais je tiens à dire qu'elle serait certainement morte sans l'intervention de cette jeune femme, Dominga Flores, qui est entrée chez elle par la fenêtre pour alerter les secours. Ma mère était seule dans la maison avec cette petite fille qu'elle gardait pour la soirée.

Le caméraman pivota pour filmer Hannah qui tenait Sydney dans ses bras.

Hannah se détourna, autant que possible. Son cœur cognait.

– Mlle Flores a fait l'Irak, elle a lourdement pâti de cette guerre. Je crois comprendre que la vie n'est pas rose pour elle. Pas de travail, pas de logement. Pourtant, quand ma mère s'est trouvée dans une situation désespérée, Mlle Flores a réagi comme la combattante qu'elle est. Elle s'est conduite héroïquement.

Hannah entendit Adam ravaler un gémissement. Elle était paralysée, piégée par cette lumière aveuglante, mise à nu par la caméra.

Des reporters d'autres chaînes de télé débarquaient les uns après les autres, alertés eux aussi par le conseiller. N'importe qui d'autre se serait rué à l'hôpital ou aurait pris place dans l'ambulance. Pas Isaiah Revere, pour rien au monde un politicien ne laisserait passer une occasion de glaner quelques voix supplémentaires.

Hannah avait la nausée, elle était au bord du malaise. Mais on parlait de la jeune femme qui avait secouru sa petite Sydney, elle ne pouvait pas tourner les talons et s'enfuir.

– Avant de partir pour l'hôpital, je voudrais juste ajouter que l'attitude de Mlle Flores nous rappelle à tous combien nous avons été ingrats à l'égard de nos vétérans. Il sont pourtant toujours là pour nous, chaque fois qu'il le faut.

Dominga paraissait gênée, mais fière. Hannah, l'estomac noué, se força à sourire. Peut-être qu'on ne verrait pas ce reportage. Ce n'étaient que les actualités locales. Demain on n'en parlerait plus. Pourquoi y prêterait-on attention à l'autre bout du pays ?

– Que ressentez-vous, madame ? lui demanda la journaliste.

– De la gratitude. Une immense gratitude, balbutia Hannah.

Mais elle en était malade, elle aurait voulu que la terre s'ouvre sous ses pieds et les avale, Adam, Sydney et elle. Qu'ils disparaissent sans laisser de trace, et qu'on ne les retrouve jamais.

3

Dix-huit mois plus tôt

HANNAH WICKES enfonça le déplantoir dans le sol et creusa un trou peu profond.

– À toi, dit-elle à la fillette accroupie à côté d'elle. Tu as ta fleur ?

Sydney hocha solennellement la tête et tendit à sa grand-mère la motte où se dressait une impatiente rouge.

– Non, c'est toi qui le fais, dit Hannah.

Souriante, elle s'essuya le front d'un revers de main, tandis que Sydney plaçait précautionneusement le jeune plant dans le trou.

– Ensuite on tapote...

Docile, Sydney combla le creux et aplatit la terre avec ses petites mains.

– Et maintenant, à boire..

L'enfant saisit l'arrosoir en plastique et le renversa sur l'impatiente.

– Doucement ! dit Hannah en riant. Pas trop.

Sydney se redressa et se tourna vers la terrasse qui courait le long de la maison, sur la façade arrière.

– Maman ! s'écria-t-elle. Regarde, j'ai planté une patiente !

– Une impatiente, rectifia Hannah en lui donnant un baiser.

Lisa, la fille de Hannah, était installée sous le parasol fiché au centre de la table de jardin, afin de protéger sa peau claire du soleil. Elle avait tiré sa chevelure noire, une masse de boucles indisciplinées, en une queue de cheval retenue par un lacet de chaussure. Elle griffonnait des notes sur un carnet posé à côté de son ordinateur.

Elle jeta un coup d'œil à sa fille, remonta sur son nez ses étroites lunettes à monture noire.

– Formidable, Sydney.

– Viens voir !

– Oui, une minute.

– Maman a du travail, chuchota Hannah à la fillette. Il faut beaucoup étudier pour être docteur.

– Ça va, maman, soupira Lisa, toujours concentrée sur son écran et ses notes. J'arrive. Je termine juste ce chapitre.

– Très bien, ma chérie. Termine ton chapitre.

– Bon, d'accord...

Lisa se leva, enfila ses tongs en plastique et les rejoignit. Elle s'accroupit près de Sydney.

– Voyons voir ça.

La fillette pointa le doigt vers la fleur qu'elle venait de planter.

– Regarde, c'est moi qui l'ai fait.

Lisa hocha la tête d'un air admiratif.

– Et tu l'as très bien fait. Maman t'aime.

Un grand sourire fendit le visage de Sydney.

– Tu peux en planter une, de fleur.

– Pas maintenant, chérie. Je n'ai pas le temps.

Les yeux noirs de Sydney perdirent brusquement leur éclat. Hannah faillit dire à sa fille de faire une pause. Mais il valait mieux ne pas s'en mêler. Lisa s'absorbait totalement dans son travail, elle ne s'accordait pas une minute de répit. Elle ne se maquillait pas, s'habillait sans la moindre coquetterie. Aujourd'hui, par exemple, elle portait une chemise informe et un short en jean, ce qui ne mettait guère en valeur sa minceur.

Ils avaient proposé de lui payer des lentilles de contact, mais Lisa disait n'avoir pas non plus le temps de prendre rendez-vous chez l'opticien. Les lunettes lui convenaient parfaitement.

Lisa regagna la terrasse, se retourna pour envoyer un baiser à Sydney. Celle-ci eut une hésitation, puis porta la main à sa bouche. Sa gaieté retrouvée, elle se remit à creuser la terre, tandis que Lisa se rasseyait sous le parasol. Hannah les observait l'une et l'autre, songeant que, dans son enfance, Lisa n'aurait pas été aussi conciliante.

Lisa avait toujours été une forte tête, audacieuse jusqu'à la témérité. À seize ans, elle leur avait annoncé qu'elle était enceinte. Elle voulait garder le bébé, tout en refusant de révéler qui était le père. Hannah avait craint qu'un étudiant n'ait abusé d'elle. Lisa était brillante, très en avance, et beaucoup plus jeune que ses camarades. Elle était physiquement assez quelconque et n'avait quasiment aucune expérience avec les garçons.

Mais Lisa n'avait pas été agressée, elle l'affirmait, et voulait avoir son enfant. Adam considérait que, dans ces conditions, leur fille devrait s'en occuper seule. Ce à quoi Hannah avait gentiment rétorqué qu'elle-même avait tout juste dix-huit ans quand elle était tombée enceinte de Lisa. Ce n'était pas pareil, maugréait Adam. En dépit de leur jeunesse, eux étaient prêts à assumer leurs responsabilités.

Mais Adam était plus déçu que fâché, Hannah le savait bien. Il avait fondé de grands espoirs sur leur fille unique. À quatre ans, elle connaissait ses tables de multiplication et possédait un QI remarquable. Adam voyait les perspectives d'avenir de Lisa, enceinte et célibataire, s'évanouir dans les brumes de la maternité.

Il avait tort de s'inquiéter. Car malgré sa grossesse puis la naissance de Sydney, Lisa n'avait rien changé à ses projets. Le bac à quinze ans, la licence à dix-huit et l'entrée à la fac de médecine de Vanderbilt, chez eux à Nashville. Lisa était boursière et touchait diverses indemnités, mais elle avait des journées épuisantes, des horaires irréguliers. Elle avait encore besoin de l'aide de ses parents. Hannah laissait Sydney chez sa nounou quelques heures par jour, puisqu'elle travaillait à mi-temps pour les services sociaux ; le reste du temps, elle s'occupait donc de sa petite-fille.

Sydney la tira par la chemise.

– Je veux une autre patiente.

– Je vais te chercher ça.

Hannah se releva et se dirigea vers la table de pique-nique sur laquelle elle avait posé la barquette de plants. Elle aperçut alors Rayanne Dollard, sa voisine, de l'autre côté de la haie qui séparait leurs jardins. Agitant la main, elle s'approcha pour lui dire bonjour.

Elles étaient voisines depuis des années. Lorsque Lisa et Jamie, le fils de Rayanne et Chet, étaient petits, ils avaient ménagé un passage dans la haie pour aller d'une maison à l'autre. Lisa était un garçon manqué, elle débordait d'énergie. Jamie, quoique l'aîné des deux, était timoré et se soumettait de bon gré à la volonté de Lisa. Leur amitié avait duré jusqu'au collège, période où il avait commencé à se passionner pour les courses de stock-car, tandis qu'elle se consacrait aux mangas et à la lecture de livres en allemand. Le fossé entre eux s'était creusé – c'était triste mais inévitable. Pendant leurs années de lycée, ils avaient cessé de se fréquenter et se contentaient de se saluer par-dessus la haie. À présent, Jamie travaillait pour une compagnie d'exploitation forestière dans l'Oregon. Il avait récemment annoncé à ses parents qu'il s'était fiancé.

– Comment vas-tu ? demanda Hannah à son amie.

– Oh… bien.

– Je ne te crois pas, tu as l'air angoissée.

– C'est vrai, je m'inquiète pour Chet. Il n'est pas dans son assiette, je le trouve très fatigué.

– Il a fait un check-up ?

Rayanne leva les yeux au ciel.

– Les hommes et les médecins… tu sais ce que c'est.

– Oh oui, je sais.

– Et ton docteur à toi, il tient le coup ? dit Rayanne, montrant Lisa de la tête.

– Ça n'a pas été facile. La fac de médecine, c'est déjà dur, alors en plus perdre Troy… Tout cela l'a beaucoup ébranlée.

Troy Petty, le premier véritable petit ami de Lisa, était infirmier à l'hôpital. Il vivait dans un bungalow au bord du lac J. Percy Priest. Quand il avait commencé à sortir avec Lisa, Hannah et Adam n'avaient pas vu ça d'un bon œil mais s'étaient contraints à ne rien dire. Ce séduisant jeune homme de vingt-six ans était beaucoup plus mûr que leur fille qui, malgré ses diplômes et son statut d'étudiante en deuxième année d'internat de médecine*, n'avait guère d'expérience de la vie. Mais Lisa avait l'esprit de contradiction, ses parents étaient bien placés pour le savoir – exprimer leurs objections n'aurait abouti qu'à la pousser dans les bras de Troy. Heureuse-

* Aux États-Unis, les études de médecine se font en quatre ans dans une école de médecine, après l'obtention d'une licence.

ment, même s'il n'avait pas une intelligence supérieure ni une situation mirobolante, Troy était un gentleman. Hannah et Adam l'appréciaient, et Sydney l'aimait bien.

Mais deux semaines auparavant, alors qu'il était seul chez lui, une fuite de gaz due à un chauffe-eau défectueux avait fait exploser sa petite maison de pêcheur. Troy avait été tué dans l'explosion. Par chance, Lisa et Sydney n'étaient pas avec lui à ce moment-là.

– Quel malheur, soupira Rayanne. Un garçon si jeune et gentil. Vous espériez sans doute que ce soit sérieux, entre eux.

– Nous voulons le bonheur de Lisa, évidemment. Or ils avaient l'air d'être heureux ensemble. Mais de là à se marier... on n'y a jamais cru. Lisa n'a que vingt ans. Et nous ne sommes pas pressés de la voir quitter le nid. Sydney et elle nous manqueraient terriblement.

– Tu tiens à cette petite comme à la prunelle de tes yeux, dit Rayanne, montrant Sydney.

– Oui... Je ne m'imagine plus sans elle.

– Je ne sais pas comment Lisa a réussi à se rendre disponible pour une relation amoureuse, dit Rayanne, admirative.

– C'est vrai qu'elle a un emploi du temps infernal. Je crois qu'il lui faudra un moment pour se remettre de la mort de Troy. Elle n'en parle pas, mais elle est bouleversée. Heureusement qu'elle est jeune. Elle a toute la vie pour rencontrer quelqu'un d'autre.

– Ça lui arrivera, j'en suis certaine.

À cet instant, Hannah entendit une voix familière dans la maison :

– Il n'y a personne ?

– Oh, Adam est rentré. Bon, j'espère que Chet va se requinquer, ma chérie.

Elle prit la main de son amie, par-dessus la haie, la serra doucement, puis tourna les talons.

– On est dans le jardin ! cria-t-elle à son mari.

Celui-ci apparut sur la terrasse, en bras de chemise, la cravate desserrée.

– Comment vont mes filles ?

– Salut, papa, dit Lisa qui se leva vivement pour embrasser son père.

– Pop ! s'écria Sydney. J'ai planté une patiente !

– Vraiment ? Mais c'est magnifique, dit-il, contemplant d'un air extasié les fleurs rouges de guingois dans la terre meuble.

Adam enlaça sa femme, tandis que Lisa revenait à son ordinateur et ses notes.

– Je vois que vous avez été très occupées, toutes les deux.

– Oui, notre Sydney est une vraie petite jardinière.

– Tu travailles drôlement bien, dit Adam, se baissant pour être au niveau de la fillette. Est-ce que, par hasard, tu aurais un baiser pour ton vieux grand-père ?

Sydney lui noua fougueusement les bras autour du cou, laissant l'empreinte de ses menottes terreuses sur la chemise à carreaux Tattersall. Hannah eut un sourire attendri. Quoique grand-père, Adam gardait une allure juvénile. On voyait des fils gris dans ses cheveux, et depuis quelque temps il avait de plus en plus souvent ses lunettes sur le nez, mais dans l'ensemble c'était toujours le robuste *linebacker* qu'elle avait connu lors de son premier jour à l'université. Et il lui faisait toujours battre le cœur quand il lui déposait, comme maintenant, un baiser sur la nuque.

– Ton voyage s'est bien passé ? demanda-t-elle.

Adam était directeur informatique de la compagnie de télécommunications locale, ce qui l'obligeait à se tenir au courant des dernières innovations et à se déplacer plusieurs jours par mois pour rencontrer concepteurs et programmeurs.

– Très bien. Il fait encore un froid de loup à Chicago, dit-il en frissonnant ostensiblement.

Hannah passa le bras autour de sa taille.

– Je suis contente que tu sois rentré.

– J'ai vu que tu bavardais avec Rayanne ?

– Chet n'est pas en forme, elle se fait du souci.

– Je l'ai vu l'autre jour, et j'ai effectivement trouvé qu'il se traînait. J'espère qu'il ne couve pas quelque chose.

– Je l'espère aussi. Rayanne essaie de le convaincre de faire un check-up.

– Et notre fille, comment va-t-elle ?

– Un peu mieux, je crois. Elle s'est reposée : vu son planning, ce n'est pas du luxe.

– Elle a besoin de se détendre. Bon, je vais m'offrir une bière pour fêter mon retour. Tu en veux une ?

– Pas tout de suite, je vais d'abord me nettoyer.

– Moi, j'en prendrai une, dit Lisa.

Elle ne détournait pas les yeux de son écran, mais à l'évidence elle n'avait pas perdu une miette de leur conversation.

Voyant qu'Adam allait refuser, Hannah lui fit les gros yeux. Lisa n'avait que vingt ans, donc pas encore l'âge légal pour consommer de l'alcool, mais comment croire qu'une étudiante en médecine ne buvait pas un verre de temps à autre ?

– OK, deux bières, ça marche ! Je reviens.

Adam disparut dans la cuisine, Hannah s'assit à la table de pique-nique, sous un grand arbre. L'après-midi touchait à sa fin, les ombres s'étiraient dans le jardin. Sydney continuait à creuser, elle était couverte de terre de la tête aux pieds. Hannah lui donnerait son bain avant le dîner, dès qu'elle aurait mis son ragoût au four. Elle n'avait pas le cœur de demander à Lisa de s'occuper de sa fille. Entre son travail et la mort de

Troy, ces derniers temps Lisa semblait accablée. Elle avait du mal à garder le cap, songea Hannah.

– Il est l'heure de rentrer et de se laver, choupette, dit-elle à sa petite-fille.

– Nan, protesta Sydney. Des patientes, encore !

À cet instant, Adam reparut sur la terrasse. Mais il n'apportait pas les bières. Un policier en uniforme et un homme en costume de ville le suivaient.

Adam baissa les yeux sur Lisa. Celle-ci dut sentir son regard, car elle leva la tête et chaussa ses lunettes à monture noire.

– Ces messieurs désirent te parler, lui dit Adam. Ils sont de la police.

Lisa referma son ordinateur et posa les mains dessus.

– Ils veulent me parler ? Mais de quoi ?

– De Troy, répondit Adam.

La jeune femme prit un air perplexe.

– À quel propos ?

L'homme en costume s'avança. Il avait une moustache broussailleuse, le front en sueur.

– Mademoiselle Wickes ? Inspecteur Hammond. Vous vous souvenez peut-être de moi ? Nous nous sommes parlé, quand j'ai interrogé le personnel de l'hôpital après l'explosion.

Lisa fit non de la tête, avec agacement, puis se ravisa :

– Ah oui, en effet.

– Vous êtes la dernière personne à avoir vu M. Petty vivant.

– Il semble que oui. Je n'ai pas passé la nuit là-bas, heureusement pour moi. Comme j'avais cours le lendemain matin aux aurores, je ne suis pas restée. Sinon, je ne serais pas là aujourd'hui pour vous parler.

– Donc vous dites que vous étiez avec M. Petty ce soir-là, mais que vous êtes partie avant l'explosion.

– Manifestement, oui. Si j'avais été là quand ça a sauté, je serais morte.

– Vous vous êtes quittés en bons termes ?

– Oui, pourquoi ?

– Pas de dispute, d'altercation ?

Derrière les verres épais de ses lunettes, les yeux de Lisa se plissèrent.

– Pourquoi cette question ?

– Vous vous êtes disputés ? insista l'inspecteur Hammond.

– Je ne sais pas... Peut-être que nous avons eu... des mots. Et alors ?

– Des mots à quel sujet ?

– Je ne me rappelle pas, répondit Lisa avec défiance. Quelle importance, de toute façon ?

– Nous avons reçu les résultats du labo. Il semblerait que l'explosion ne soit pas accidentelle.

Lisa se leva et contourna la table.

– Quoi ? Vous pensez qu'il a provoqué cette explosion ? Mais c'est ridicule. Pourquoi aurait-il fait ça ?

– Ce n'est pas à ça que nous pensons.

– Alors là, je ne comprends pas.

Hammond, impassible, la dévisagea.

– D'après le rapport du coroner, M. Petty était probablement inconscient lorsque sa maison a explosé.

– Quand je l'ai quitté, je vous garantis qu'il était éveillé.

– Nous avons considéré que vous saviez peut-être ce qui s'est passé, poursuivit l'inspecteur.

Lisa le regarda fixement, les bras croisés sur sa chemise trop grande.

– Comment le saurais-je ?

– Une petite minute ! intervint Adam. C'est absurde, comment pouvez-vous dire une chose pareille ? Lisa n'a rien à voir avec cette explosion.

L'inspecteur Hammond continuait à scruter le visage de Lisa.

– Troy Petty venait de recevoir son chèque de salaire. Chèque qui a été encaissé en espèces. Endossé et encaissé. Quelques heures après l'explosion de son domicile. Pour un mort, c'est fortiche.

Lisa pâlit mais ne détourna pas les yeux.

– Effectivement, dit-elle.

– Nous avons les images de vidéosurveillance de l'agence bancaire où le chèque a été remis. Et devinez qui l'a encaissé...

Sans répondre, Lisa pointa le menton d'un air de défi.

– Attendez, dit Hannah qui ne comprenait rien mais que l'expression sévère de l'inspecteur affolait. Qu'est-ce que vous racontez ? Lisa n'a rien à voir là-dedans.

L'inspecteur Hammond adressa un signe au policier en uniforme. Celui-ci saisit les menottes accrochées à son ceinturon.

– Vous êtes en état d'arrestation pour vol et suspicion de meurtre sur la personne de Troy Petty. Vous avez le droit de garder le silence et de...

– Attendez ! s'écria Hannah. Adam, empêche-les. Ils ne peuvent pas faire ça, dis-le-leur !

Sydney, en entendant la panique dans la voix de sa grand-mère, fondit en larmes.

Lisa darda sur les policiers un regard méprisant.

– ... et de consulter un avocat. Si vous n'en avez pas les moyens, il vous sera...

– Vous commettez une grave erreur ! tonna Adam. Ma fille est une étudiante brillante. Lisa, ne dis pas un mot. Je contacte un avocat !

L'inspecteur Hammond considéra Adam d'un air presque compatissant. Puis, secouant la tête, il suivit une Lisa menottée, que l'autre policier emmenait jusqu'à la voiture de patrouille stationnée dans l'allée.

4

ADAM PASSA plusieurs coups de fil avant de tomber sur Marjorie Fox, une avocate réputée d'un grand cabinet de Nashville. Celle-ci leur dit de la rejoindre immédiatement au tribunal.

Hébétée, comme si elle se débattait en plein cauchemar, Hannah appela Rayanne à l'aide. Celle-ci accepta aussitôt de s'occuper de Sydney, pendant qu'ils seraient en ville.

Au palais de justice, Hannah et Adam prirent place dans la salle d'audience et assistèrent, atterrés, à la comparution de Lisa qui, assistée de Marjorie Fox, se déclara « non coupable ». La caution fut fixée, et Marjorie leur indiqua un garant de caution judiciaire à contacter. Ils durent accepter que leur maison constitue le dépôt de garantie – ils n'avaient pas le choix.

Sydney, quand ils rentrèrent, avait dîné. Elle était en pyjama. Hannah la prit sur ses genoux et resta là, tremblante, à tenir ce petit corps qui la réchauffait. Rayanne voulait tout savoir, mais Hannah soupira :

– Pas maintenant, Ray, je ne peux pas.

– Bien sûr, je comprends.

Rayanne s'éclipsa sur la pointe des pieds, les laissant attendre seuls le retour de leur fille. Ils subissaient le contrecoup. Hannah avait l'impression que la terre s'était brutalement arrêtée de tourner. Aussi longtemps qu'elle vivrait, elle reverrait Lisa – sa fille si brillante, si déterminée – qu'on emmenait, menottes aux poignets. Elle avait aussi à l'esprit une autre image, indélébile : Lisa au tribunal, vêtue de la jupe et du sweat que sa mère lui avait apportés. Lisa, droite comme un i, arrogante, écoutant un greffier indifférent énoncer les chefs d'accusation de vol et homicide volontaire.

Le téléphone sonna. Adam alla répondre. Il revint en disant :

– C'était Marjorie Fox. La caution est payée. Elles seront là dans un moment.

– Adam... Je n'arrive pas à y croire.

– Moi non plus. Hé, grande fille, ce n'est pas l'heure d'aller au dodo ?

– Je veux maman, dit Sydney.

– Elle sera bientôt là, la rassura Hannah.

Adam soupira mais s'inclina, comprenant qu'ils devaient permettre à Sydney d'attendre sa mère. Elle aussi avait assisté à l'arrestation de Lisa. Elle avait besoin de la voir rentrer à la maison.

Adam alluma la télévision, chercha une chaîne de dessins animés, puis fit signe à Hannah de le suivre. À contrecœur, elle installa sa petite-fille sur le canapé, au milieu des coussins.

Elle rejoignit son mari dans la cuisine.

– Marjorie a dit autre chose ? demanda-t-elle à voix basse.

– Seulement qu'elle la ramenait à la maison.

– Je n'y comprends rien. C'est insensé.

– Apparemment, elle a bel et bien encaissé ce chèque, Hannah.

– Je sais... Je n'y comprends rien, répéta-t-elle. Il y a forcément une explication.

– Et d'après maître Fox, ils ont la preuve que l'explosion n'était pas un accident.

– Et alors ? Tu sais bien que Lisa est incapable de faire une chose pareille.

– Moi, je le sais. Mais pas la police. Tout ce qu'ils savent, c'est qu'elle était là-bas quelques instants avant l'explosion. Et qu'elle a encaissé le chèque.

– C'est inouï, Adam ! Tu parles comme si tu pensais qu'ils n'ont peut-être pas tort, que ça s'est passé comme ils le prétendent.

– Non, rétorqua-t-il d'un air buté. Mais tu connais Lisa. Elle agit parfois sans réfléchir…

Certes, Lisa avait toujours été fantasque, imprévisible, et toujours la première à faire des bêtises. Mais elle était aussi une jeune fille studieuse qui avait décroché ses diplômes avec mention.

– Tu veux dire qu'il lui est arrivé d'emprunter le vélo d'un copain, ou les boucles d'oreilles d'une copine, et d'oublier de les rendre ? Ou de faire l'école buissonnière ? Enfin, voyons, ce sont des bêtises de gamine, ça n'a rien d'anormal.

– Enceinte à seize ans, ajouta-t-il.

– Ce n'est pas un crime, Adam.

– Il me semble quelquefois qu'on lui trouve sans arrêt des excuses.

Hannah eut l'impression que ses genoux se dérobaient sous elle.

– Mais qu'est-ce que tu racontes ? C'était une enfant extraordinaire, tu le sais mieux que quiconque. Toujours la plus jeune de sa classe. Et la plus brillante. Or le premier de la classe, on le déteste. Je suis sûre que la plupart du temps elle se sentait exclue.

– Même les enfants extraordinaires doivent respecter les règles.

– Mais on les lui a apprises, les règles ! Ce n'est pas parce qu'elle était... un peu particulière... Tu ne penses tout de même pas qu'elle aurait...

– Non, je ne le pense pas ! se récria-t-il. Pas du tout.

– J'espère bien.

– Je suis tellement... outré. Comment est-ce possible ? Comment les policiers ont-ils pu commettre une telle erreur ?

Hannah enveloppa son mari d'un regard tendre. Il avait les larmes aux yeux. Cet homme avait voué son existence à sa famille. Se garer sur une place de stationnement interdit, c'était sans doute le pire délit qu'il ait jamais commis. Il était complètement perdu dans le dédale du crime.

– Je sais ce que tu ressens, dit Hannah en lui prenant le bras. Je ressens la même chose.

Adam s'essuya les yeux.

– Il y a forcément une explication, répéta-t-elle.

À ce moment, ils entendirent la porte d'entrée s'ouvrir et Sydney s'exclamer :

– Maman !

Ils se précipitèrent au salon. Lisa, à genoux, étreignait la fillette. Marjorie Fox les observait, immobile, tenant à deux mains la poignée de son attaché-case.

– Lisa, dit Hannah qui s'avança vers sa fille.

Mais celle-ci fit non de la tête, le regard rivé sur Sydney.

– C'est l'heure d'aller au lit, dit-elle calmement. Je vais coucher Sydney, ajouta-t-elle en se relevant. Marjorie, vous leur expliquez ?

– D'accord.

Sydney embrassa ses grands-parents et, gaiement, se lova dans les bras robustes de sa mère qui l'emporta dans sa chambre.

Hannah invita l'avocate à s'asseoir. Elle se sentait empotée.

– Voulez-vous boire quelque chose ? proposa-t-elle.

Marjorie Fox frisait la quarantaine. Brune et très attirante, elle avait la mâchoire volontaire, les yeux noirs et pénétrants.

– Non merci.

Adam éteignit la télévision et s'assit dans le deuxième fauteuil. Hannah prit place sur le canapé.

– Tout s'est bien passé avec le garant de caution, commença l'avocate. Mais il y a certaines conditions à respecter, comme je l'ai expliqué à Lisa. Elle peut continuer à suivre ses cours et assurer ses gardes à l'hôpital. En dehors de ça, elle doit rester ici. Pas d'alcool. Pas de sorties en boîte. Elle a l'obligation de se présenter aux audiences, etc.

– Elle le fera, déclara Adam d'un ton ferme.

– Je ne comprends pas, se plaignit Hannah. Pourquoi pensent-ils que Lisa est impliquée dans ce drame affreux ?

– Eh bien, je n'ai pas encore étudié le dossier. J'aurai les rapports dans les prochains jours, et je serai alors en mesure de vous en dire plus. Mais j'ai eu un bref entretien avec le procureur. Pour cette histoire de chèque, ils ont une preuve irréfutable : les images de vidéosurveillance.

Hannah se sentit rougir. Que sa fille ait commis un tel acte l'emplissait de honte.

– Comment l'explique-t-elle ?

– Il vous faudra le lui demander. Tout ce qu'elle me dit est couvert par le secret professionnel.

– Même si c'est nous qui payons la note, fit remarquer Adam avec colère.

Marjorie Fox ne cilla pas.

– En effet.

– Et le…

Hannah s'interrompit, incapable de prononcer les mots.

– … la mort de Troy ?

– Eh bien, on a la certitude que ce n'était pas un accident. M. Petty a reçu un coup et était inconscient avant l'explosion.

– Ça ne signifie pas que Lisa en est responsable ! protesta Hannah.

– En effet.

– Et à part ça ? demanda Adam.

– J'en saurai plus demain. Je vais mettre mes enquêteurs sur cette affaire, immédiatement. Il nous faudra découvrir si Troy Petty avait des ennemis. Ou un casier judiciaire. Mais il y a nécessairement quelqu'un qui avait un mobile pour faire sauter sa maison, un coupable plus plausible que sa petite amie étudiante en médecine.

– Absolument, approuva Hannah.

– Dans l'immédiat, je considère que le dossier n'est fondé que sur des présomptions, ajouta l'avocate d'un ton rassurant.

Lisa les rejoignit. Elle avait remis son jean habituel, attaché en queue de cheval ses cheveux frisés, ternes et tout emmêlés. Elle n'avait pas une once de maquillage sur la figure et, derrière ses lunettes, ses yeux gris paraissaient éteints.

– Sydney va bien ? demanda Hannah.

Lisa hocha la tête et s'assit à l'autre bout du canapé.

– J'ai expliqué à vos parents ce qui va se passer maintenant. Vous connaissez les conditions de la liberté sous caution. N'enfreignez pas les règles.

– Sûrement pas, répondit Lisa en frissonnant. Une soirée en prison, ça m'a suffi.

– Bien, rétorqua Marjorie Fox. Il faut que je file. On se reparle demain.

Adam et Hannah lui serrèrent la main et la remercièrent. Adam la raccompagna à la porte. Hannah, elle, se rassit à côté de sa fille. Elle aurait voulu la prendre dans ses bras, mais Lisa avait toujours coupé court aux effusions, qui la mettaient mal à l'aise. Hannah se contenta de lui tapoter la main.

– Ça va ?

Lisa haussa les épaules.

– Pas vraiment, non. Tout ça est complètement dingue.

– Maître Fox semble penser que leur dossier n'est pas très solide.

– Va savoir… Je ne vois pas ce qu'ils cherchent à prouver ni pourquoi ils se focalisent sur moi.

Adam reprit place dans son fauteuil, frotta les paumes de ses mains l'une contre l'autre.

– Vas-y, papa, soupira Lisa. Dis ce que tu penses.

– D'accord, je vais te le dire. Pourquoi diable as-tu encaissé le chèque de Troy ?

– C'est vraiment tout ce que tu veux savoir ? ricana Lisa. Je m'attendais à ce que tu m'accuses de meurtre.

– Ne t'avise pas de prononcer ce mot, Lisa, la rabroua Hannah. Jamais nous ne penserions une chose pareille. Et ton père remue ciel et terre pour t'aider.

Lisa hocha la tête.

– Désolée.

– Alors, ce chèque ? dit Adam.

– Il me devait de l'argent. C'est aussi simple que ça. Il a endossé le chèque et il me l'a remis. Je suis allée dare-dare à l'agence près de l'hôpital, où ils acceptent de nous donner du liquide contre nos chèques de salaire. Je voulais récupérer mon dû tout de suite, au cas où il changerait d'avis.

– Tu n'arrives déjà pas à joindre les deux bouts et tu prêtes de l'argent ?

Lisa ferma les yeux, soupira de nouveau.

– Tu me réponds ? s'énerva Adam.

– Écoute, je lui ai filé ce fric parce qu'il en avait vraiment besoin. À mon avis, il avait tapé pas mal de gens. Seulement moi, je voulais qu'il me rembourse. Alors j'ai pris le chèque et je l'ai encaissé. Comme tu le dis très justement, je n'ai pas les moyens de dépanner les gens. Je me suis mise en colère, je le reconnais, et j'ai exigé qu'il me rende ce qu'il me devait.

– Et c'est tout ?

– C'est tout.

– Tu l'as expliqué à la police.

– Oui, mais j'ai eu l'impression que cela ne leur faisait ni chaud ni froid.

– Et tu ignores ce qui a provoqué l'explosion ?

– Tu rigoles ? s'indigna Lisa. Comment je le saurais ? Franchement, papa, je te remercie.

– Je veux te croire, Lisa. Plus que tu ne l'imagines. Mais on n'arrête pas les gens sans raison.

– Et pourtant si, rétorqua Lisa d'un ton écœuré. D'accord ? J'aurais dû me douter que tu ne me croirais pas. Tu clames partout que je suis en fac de médecine, que je suis ta petite fille chérie. Mais au premier pépin, tu t'en prends à…

– Un pépin ? s'exclama Adam. C'est un peu plus grave que ça !

– Désolée de ne pas dire ce que tu veux que je dise ! Note que, venant de toi, j'aurais dû m'y attendre.

Hannah gardait un silence navré. Entre Adam et Lisa, c'était depuis toujours la guerre froide. À l'adolescence, elle était entrée en rébellion contre son père et la discipline qu'il tentait de lui imposer. Ce conflit entre eux semblait insoluble.

– Maman…

Hannah entendit l'appel étouffé de Sydney, dans sa chambre au bout du couloir. Lisa l'entendit aussi.

– J'y vais, dit-elle plus calmement. De toute façon, je suis vannée. Je vais me coucher.

Adam s'obligea à respirer profondément, mais quand il reprit la parole, sa voix tremblait. En réalité, tout son corps tremblait. Hannah en fut touchée. Il était exigeant envers Lisa, en effet, mais pas plus qu'envers lui-même.

– Lisa… excuse-moi, je suis bouleversé, et peut-être injuste.

– Tu es injuste. Ce qui ne me surprend pas. Mais je n'ai pas à me justifier devant toi. Bonne nuit, maman.

– Bonne nuit, ma chérie. Essaie de dormir, dit Hannah en lui prenant le bras.

Lisa se pencha et, gauchement, l'embrassa sur la tempe.

– À demain, dit-elle sans adresser un regard à son père.

Quand elle eut disparu, Hanna se tourna vers son mari.

– Qu'est-ce que tu as, Adam ? C'est maintenant qu'elle a besoin de nous, il faut la soutenir. Tu en es conscient, n'est-ce pas ?

– Évidemment.

– Alors pourquoi te conduis-tu de cette manière ?

Il cacha son visage dans ses mains.

– Je ne sais pas.

– Tu ne peux donc pas être là pour elle ?

– J'ai peur, gémit-il. J'ai tellement peur. Notre fille… arrêtée, accusée de meurtre…

– Ce n'est qu'une grossière méprise. Tout va rentrer dans l'ordre. D'ici là, nous devons être forts. Pour Lisa et pour Sydney.

– Oui, tu as raison. Je ferai de mon mieux, je te le promets.

Hannah le regarda longuement, cet homme dont elle était tombée amoureuse à dix-huit ans. Il était si gentil, et il leur était tellement dévoué. Lisa avait le don de le faire sortir de ses gonds, pourtant il serait volontiers allé lui décrocher la lune.

Hannah se leva du canapé et s'approcha de lui. Elle aussi avait peur, mais pour l'instant, c'était Adam qui avait le plus besoin de réconfort. Elle s'assit sur l'accoudoir du fauteuil et frictionna le dos de son mari.

– Je sais que tu tiendras parole, lui dit-elle doucement. Tu tiens toujours parole.

5

LA DATE DU PROCÈS approchant, une paix précaire régnait à la maison. Lisa assistait à ses cours et assurait ses gardes à l'hôpital. Elle voyait fréquemment Marjorie Fox, mais ne répétait pas à ses parents ce qu'elles se disaient. L'affaire faisait encore la une. Chaque jour paraissait un article illustré d'une photo de Lisa, l'air sombre et stressée, assortie du portrait en médaillon de Troy avec ses cheveux blonds qui lui tombaient sur le front et ses biceps saillant sous sa blouse d'infirmier. La victime. Si les journalistes n'avaient pas grand-chose de nouveau à raconter, ils n'étaient jamais à court de clichés. Les photographes ne lâchaient pas Lisa d'une semelle.

Adam passait des heures à faire les comptes et chercher à qui emprunter l'argent nécessaire pour payer les honoraires exorbitants de l'avocate. Après trois soirées consécutives à le regarder se débattre ainsi, Hannah lui dit :

– Demain, je vais rendre visite à ma mère. J'emmènerai Sydney.

– Je devine ce que tu as en tête, mais non. On se débrouillera.

– Ma décision est prise. Elle a les moyens de nous aider, tu le sais bien.

– La question n'est pas là. Tu as horreur de lui demander quoi que ce soit. Je ne veux pas que tu te forces à faire ça.

– C'est pour Lisa. J'irai la voir et, s'il le faut, je la supplierai.

– Tu y seras obligée, je te préviens. Je regrette que nous soyons contraints de la mêler à ça.

– Elle n'a pas besoin de cet argent, pour elle ce n'est pas un sacrifice. D'ailleurs, ajouta Hannah avec un sourire amer, elle adore me voir ramper devant elle.

– J'espère que Lisa t'en sera reconnaissante, soupira Adam.

– C'est ma seule enfant, dit tranquillement Hannah. Que ne ferais-je pas pour elle ?

Pamela, la mère de Hannah, ne raffolait pas des enfants, mais de temps en temps elle voulait qu'on lui amène Sydney. Et Hannah se disait que la fillette ne manquerait pas d'agacer son arrière-grand-mère, ce qui abrégerait la visite.

Hannah expliqua à Sydney, tout en lui mettant sa couche-culotte et une robe légère, qu'elles allaient chez grand-mère Pam. Celle-ci vivait dans une maison de retraite médicalisée, elle y occupait un appartement donnant sur une terrasse fermée où Sydney pourrait jouer au soleil. Hannah emporta donc un panier de jouets. Elles partirent après le petit déjeuner, et vingt minutes après, arrivèrent à La Véranda, une résidence ombragée et superbement entretenue.

Les aides-soignantes, vêtues de blouses fleuries aux couleurs gaies, firent des mamours à Sydney, tandis que Hannah et la petite traversaient les élégantes et lumineuses pièces communes.

À soixante-dix ans, Pamela souffrait de sarcopénie et ne pouvait plus vivre seule, or pour elle il était hors de question d'habiter chez Hannah et Adam. Elle avait eu quatre maris et avait divorcé des trois premiers – le troisième étant le père de Hannah. Chacun de ses mariages l'avait considérablement enrichie. De son quatrième époux, qui était décédé, elle avait hérité un substantiel patrimoine qui, cumulé avec son portefeuille d'actions, lui assurait des revenus plus que confortables.

Si Hannah se réjouissait que sa mère soit financièrement à l'abri, elle avait toujours émis des réserves sur sa turbulente vie amoureuse. Son propre mariage, précoce, avait sans doute été précipité par son désir d'échapper au chaos que Pamela semait sur son passage. À présent, Pamela était seule, mais elle parlait souvent d'un des veufs de la résidence qui faisait partie de son groupe de bridge. Un signe que Hannah connaissait bien. Le mari numéro cinq était en route.

Sydney dans les bras, Hannah frappa à la porte de l'appartement et l'ouvrit.

– C'est nous, maman.

Pamela, ses cheveux blond clair généreusement laqués, arborait un impeccable tailleur-pantalon en lin vert menthe. Elle rémunérait une blanchisseuse pour entrenir minutieusement ses vêtements. Elle qui naguère adorait les escarpins portait maintenant des sandales blanches pour pieds sensibles.

Elle fit rouler son fauteuil jusqu'à Hannah et lui tendit une joue à la peau toujours douce. Hannah se prépara mentalement à humer le parfum fleuri de sa mère et son haleine qui sentait le médicament.

Sydney, elle, se tortilla pour échapper au baiser de son arrière-grand-mère et courut vers la terrasse. Lors de leur dernière visite, elle avait assisté à une querelle entre un merlebleu et un écureuil. Sans doute espérait-elle qu'ils l'attendaient dehors.

Hannah lui ouvrit la porte-fenêtre et posa sur les dalles le panier de jouets.

– Ne touche pas aux pots de fleurs ! ordonna Pamela.

Sydney s'installa sur la terrasse, tandis que Hannah plaçait sur le comptoir de la kitchenette une boîte de chocolats pralinés.

– Je t'ai apporté les chocolats que tu aimes.

– Je ne peux plus en manger.

Hannah s'assit dans un fauteuil, près de la porte-fenêtre, pour pouvoir surveiller la fillette.

– Tu n'auras qu'à les offrir à tes partenaires de bridge.

– Oh, ils n'en mangeront pas non plus. Nous sommes tous au régime. Sauf Christina Shelton. Son mari, c'était Jock Shelton, le sénateur. Je te l'avais dit ?

– Oui, tu l'as mentionné.

Pamela s'enorgueillissait de vivre sous le même toit que la veuve d'un sénateur. Et plus encore d'appartenir au groupe de dames adeptes du bridge.

– Eh bien, dans ce cas, tu n'auras qu'à les offrir à Christina.

– Ah, mais elle n'est plus avec nous, elle est en soins de longue durée. Depuis qu'elle s'est cassé la hanche. Je ne sais d'ailleurs pas pourquoi on la garde si longtemps.

Hannah ne le savait pas non plus et s'en moquait éperdument.

– Alors comment vas-tu, maman ?

– Pour être franche, depuis quelque temps, je me sens passablement harcelée. Partout où je vais, je tombe sur une télé qui braille, et je dois répondre à la sempiternelle question : n'est-ce pas votre petite-fille qu'on accuse d'avoir tué cet homme ?

Pamela secoua la tête.

– Ce Troy Petty était bien gentil, mais il ne convenait pas du tout à Lisa. Quand elle a commencé à sortir avec lui, je le lui ai bien dit : qui se ressemble s'assemble. Mais naturellement, tu as approuvé cette déplorable relation. Comment as-tu pu la laisser fréquenter un garçon comme lui, qui n'était pas d'un bon milieu ?

Malgré ses mariages successifs, Pamela se considérait comme l'arbitre des convenances sociales. Hannah poussa un soupir.

– Elle est adulte, maman. Elle vit sa vie. Elle prend ses décisions.

– Allons donc, Hannah. C'est une vraie gamine. Elle habite toujours chez toi, comme une écolière. Pourquoi n'aurais-tu pas ton mot à dire sur ce qu'elle fait, les gens qu'elle voit ?

Hannah compta jusqu'à dix.

– Pour entrer en fac de médecine, elle avait besoin de nous, d'accord ? Elle ne pouvait pas tout assumer, ses études et le bébé. Et nous avons naturellement accepté de l'aider.

– Eh bien, vous ne lui avez pas rendu service. Si tu veux mon avis, vous auriez dû la laisser se débrouiller quand elle est tombée enceinte. Ça lui aurait servi de leçon.

– J'espérais que tu lui accorderais le bénéfice du doute, maman.

– Comprends-moi bien… Lisa est une fille brillante. Quand ce procès sera terminé, elle retombera sur ses pieds. Tu verras.

Hannah prit sa respiration.

– Oui, mais avant ça, il faudra l'aider encore. Nous essayons de résoudre le problème, mais son avocate coûte une fortune.

Pamela eut un mouvement de recul.

– Ah, nous voilà dans le vif du sujet. Je me demandais justement ce qui me vaut l'honneur de ta visite.

– Tu es injuste, maman. À t'entendre, je viens te voir uniquement quand j'attends quelque chose de toi. Ce n'est pas vrai.

– Tu coupes les cheveux en quatre.

Hannah ne riposta pas, faisant comme souvent le gros dos sous le regard dédaigneux de sa mère. En réalité, elle avait une envie folle de s'en aller, mais l'image d'Adam épluchant leurs comptes avec angoisse la vissa à son siège.

– Combien, cette fois-ci ? soupira Pamela.

On l'aurait crue assiégée en permanence par une Hannah en mal d'argent. Inutile de lui rappeler que, depuis leur mariage, ils ne l'avaient mise à contribution que deux fois et l'avaient toujours intégralement remboursée.

Hannah garda le silence. Elle se leva, chercha dans son sac la convention d'honoraires de Marjorie Fox, qu'elle posa sur l'écritoire blanche. Pamela fit rouler son fauteuil jusqu'au petit secrétaire.

– Il n'est pas nécessaire de donner cet argent tout de suite.

– Finissons-en, dit sévèrement Pamela.

– Nous te rembourserons dès que possible.

Reniflant, Pamela remplit un chèque qu'elle agita ensuite sous le nez de Hannah, la contraignant à le lui prendre des doigts.

Hannah regarda le montant, une somme rondelette.

– Merci, maman, dit-elle en pliant le chèque qu'elle glissa dans son portefeuille.

À cet instant, un cri retentit sur la terrasse. Sydney, mal assurée sur ses petites jambes potelées, avait voulu attraper un écureuil. Elle était tombée et s'était écorché les genoux. Hannah se précipita pour la relever.

– Ne pleure pas. Oh, je suis désolée. Tout va bien, Mom va arranger ça.

Serrant la fillette contre sa poitrine, elle se dirigea vers la salle de bains immaculée, à l'autre bout de l'appartement.

– Qu'est-ce qu'il y a ? demanda Pamela en la rejoignant.

– Elle s'est fait mal. Tu as des pansements ?

– Sur l'étagère à côté du lavabo.

Hannah assit la petite sur le rebord du lavabo et, saisissant un gant de toilette d'un blanc neigeux, nettoya le genou qui saignait.

– Ce gant sera fichu, prédit Pamela.

– Je t'en apporterai d'autres.

– Tu la dorlotes trop.

Hannah ferma les yeux, compta de nouveau jusqu'à dix. Puis, avec douceur, elle appliqua le pansement sur la plaie.

– C'est ce qu'on fait avec les bébés, maman. On les dorlote.

6

LE JEUDI, Lisa avait généralement sa soirée libre, et Hannah travaillait toujours tard. Lorsqu'Adam était en déplacement, comme ce soir, cela ne la dérangeait pas. Il fallait bien que quelqu'un reçoive les mères salariées qui ne pouvaient venir dans la journée. Ce jeudi-là, donc, Hannah était de service. Le Dr Fleischer, la psychiatre qui évaluait les familles dont Hannah s'occupait, toqua à sa porte.

– Bonsoir, Hannah. Vous tenez le coup ?

Hannah haussa les épaules. Feindre d'ignorer à quoi son interlocutrice faisait allusion aurait été stupide.

– Tant bien que mal. Le procès commence dans deux semaines.

Mince et séduisante, Jackie Fleischer allait sur ses soixante ans. Elle était récemment arrivée à Nashville, après des années passées dans le New Jersey. Souvent vêtue de vestes et de pantalons chinois, elle paraissait exotique aux yeux des autres membres de l'équipe. Hannah avait très envie de la connaître mieux. Peut-être même de s'en faire une amie, pourquoi pas.

– J'ai lu les journaux, bien sûr, dit Jackie Fleischer. Comment va votre fille ?

– C'est très dur pour elle. Entre les réflexions sarcastiques et ce que les gens chuchotent dans son dos… Mais elle fait la sourde oreille, elle travaille. Les études de médecine réclament une totale concentration. Elle est en deuxième année d'internat, dit fièrement Hannah, sur la défensive.

Le Dr Fleischer frissonna.

– Ça remonte à longtemps, mais je me rappelle comme j'étais sous pression quand je préparais mon doctorat.

– Elle refuse que ce procès la fasse dérailler. D'autant plus qu'elle est innocente.

– Évidemment. Et comment va sa petite fille ?

Hannah hésita, tournant le regard vers la photo de Sydney posée sur son bureau.

– Ça va. Pour elle aussi, malgré tout, c'est dur. Elle ne comprend pas ce qui se passe, mais elle sent la tension.

– Elle ressemble beaucoup à sa mère ? demanda négligemment le Dr Fleischer.

Hannah allait acquiescer, puis elle réfléchit. Sydney ressemblait-elle à sa mère ? Elle était calme, sage, le petit ange que Lisa n'avait jamais été. Sydney s'épanouissait comme un bouton de rose, alors que Lisa était fougueuse, capricieuse, toujours en mouvement. Mais à l'époque Hannah était jeune, capable de suivre la cadence. Si sa petite-fille avait ressemblé à Lisa, aurait-elle pu faire face ?

– Sydney est beaucoup plus… paisible que sa mère ne l'était au même âge.

– C'est fou ce que les enfants peuvent être différents de leurs parents, n'est-ce pas ?

– Vous êtes bien placée pour le savoir.

– Oui, ça m'évite le chômage, plaisanta le Dr Fleischer.

Le téléphone sonnait. Quand Hannah décrocha, la psychiatre sortit de la pièce, agitant les doigts en guise d'au revoir.

– Votre rendez-vous est arrivé, annonça la réceptionniste.

Hannah entendit, en fond sonore, les ordres que, d'une voix stridente, une femme lançait à un petit garçon qui ripostait obstinément et bruyamment.

– Faites-la entrer.

Avec tous les événements qui bouleversaient son existence, Hannah avait parfois du mal à s'intéresser aux problèmes des familles – essentiellement des femmes et des enfants – qu'elle recevait. Mais dès qu'elle se mettait au travail, elle se plongeait malgré elle dans ces vies fracassées qu'on lui livrait. Ce soir, elle entreprit d'expliquer comment l'école prendrait en charge un enfant souffrant d'un trouble du déficit de l'attention à une jeune mère qui regardait avec désespoir son fils tournicoter dans le bureau en poussant des cris, sans pouvoir s'empêcher de toucher le moindre objet à sa portée La jeune femme était décharnée, elle avait les yeux terriblement cernés et il lui manquait plusieurs dents. Dépendance à la méthamphétamine, pensa Hannah, qui se gardait pourtant de tirer des conclusions hâtives. Cependant, après vingt ans dans les services sociaux, certaines évidences s'imposaient. Quoi qu'il en soit, elle s'efforçait de ne pas juger trop sévèrement les gens. La vie n'était pas simple pour une mère célibataire, surtout quand son enfant avait des besoins spécifiques.

– Marcus ! Si tu t'assieds pas tout de suite, je t'attrape et je te punis !

– Ce n'est pas vraiment la solution, Shelby Rose. Il ne peut pas se contrôler.

La jeune mère, à peine sortie de l'enfance, tourna vers Hannah un regard effrayé.

– Eh ben, moi, je peux plus le supporter. Il la ferme jamais.

Le téléphone sonna de nouveau. Hannah s'excusa et décrocha.

– Hannah Wickes...

– Madame Wickes, chuchota Deverise, la réceptionniste, je sais que vous êtes en entretien, mais j'ai quelqu'un en ligne qui veut absolument vous parler.

– De qui s'agit-il ?

– Une certaine Mme Granger.

La nounou de Sydney. Le cœur de Hannah se mit à cogner.

– Bien, merci. Je dois prendre cet appel, Shelby Rose, dit-elle calmement.

La jeune femme la dévisagea d'un air découragé.

– Et c'est tout ?

– Il vous faut contacter l'école pour la prise en charge du traitement de Marcus. Et vous reviendrez dans deux semaines me dire comment ça se passe. Il y aura une nette amélioration, vous verrez.

Shelby Rose n'avait visiblement aucune envie de quitter ce havre de sécurité qu'était le bureau. Dehors, dans le vaste monde, Marcus était une inépuisable pile électrique, capable de déclencher en tout lieu les pires désastres.

– Je suis navrée, mais je dois prendre cet appel, répéta Hannah.

Shelby Rose attrapa rudement Marcus par le bras.

– Viens, on s'en va, marmonna-t-elle, tirant son fils hors de la pièce, malgré ses hurlements de protestation.

Hannah refoula sa culpabilité – sa petite-fille passait avant les usagers des services sociaux. Elle appuya sur le bouton blanc de l'interphone, qui clignotait, et retint son souffle.

– Hannah Wickes.

– Madame Wickes ? Ici Tiffany Granger.

Tiffany était assistante maternelle. Le matin, en allant au travail, Hannah déposait Sydney à son domicile, aménagé pour accueillir plusieurs enfants durant la journée.

L'inquiétude qu'elle perçut dans la voix douce de la nounou, teintée d'un accent du Sud, affola Hannah.

– Qu'y a-t-il ? Sydney va bien ?

– Oui, oui, elle va bien. Mais sa mère devait passer la prendre il y a une heure de ça, et elle n'est toujours pas là. Et elle ne répond pas au téléphone.

Hannah se sentit blêmir.

– Je suis navrée, dit-elle en jetant un coup d'œil à la pendule.

– Je ne vous embêterais pas avec ça, seulement il y a un spectacle à l'école, et ma gamine qui est en CP y participe. J'ai appelé M. Wickes sur son portable, il m'a dit qu'il est en déplacement à St. Louis.

– Effectivement. Je suis vraiment désolée. Écoutez, j'arrive. Mais j'en ai pour une demi-heure. Si vous devez conduire votre fille à l'école, je peux...

– Non, je vous attends, l'interrompit Tiffany. À tout de suite.

Hannah raccrocha, saisit sa veste et quitta le bureau à toute allure.

– Mom ! s'écria Sydney qui se précipita vers sa grand-mère.

Hannah la souleva de terre et la serra contre elle.

– Tenez, voilà son sac à dos, dit Tiffany, une petite femme trapue, dont les cheveux tirés en une stricte queue de cheval dégageaient un visage pâle et rond comme une lune.

– Je suis vraiment navrée.

– Ce sont des choses qui arrivent. On s'emmêle les pinceaux, quelquefois.

– La mère de Sydney n'a pas téléphoné ? demanda Hannah d'un ton anxieux.

Fuyant son regard, Tiffany se mit à ranger le salon et rassembler les jouets dans une corbeille à linge en plastique qui voisinait avec un fauteuil relax installé face à un énorme écran plat.

– Non, madame. Je n'ai pas eu de nouvelles.

Hannah contempla la jeune nounou, ses vêtements impeccables, sa coiffure bien nette. À vingt-cinq ans, sûrement pas davantage, Tiffany était mère de deux enfants. Elle respirait le calme et l'efficacité.

– J'ai essayé de la joindre, reprit Hannah. Mais elle a dû avoir une urgence à l'hôpital.

Tiffany replaça soigneusement l'un dans l'autre des cubes gigognes.

– Sans doute, oui. Ce sont des choses qui arrivent, répéta-t-elle.

– Surtout au service des urgences.

– Je sais bien que son travail à l'hôpital est très prenant. Et je suis désolée de vous avoir obligée à quitter le bureau, mais je ne savais pas quoi faire. Il n'y avait personne d'autre pour venir chercher Sydney. Vu que ce garçon, Troy, est mort dans cette explosion…

– Troy ? Comment ça ?

Une pointe de rose colora le teint blanc de Tiffany.

– On n'en a jamais parlé, madame Wickes, mais je tiens à vous le dire : je suis convaincue que Lisa n'a rien à voir avec la mort de ce pauvre garçon.

– Merci, rétorqua Hannah qui se raidit.

– Comme je le disais à mon mari, on ne confie pas son gosse à n'importe qui. On ne donne pas cette responsabilité à quelqu'un qu'on n'apprécie pas.

Hannah mit un moment à comprendre ce que sous-entendait Tiffany.

– Quelle responsabilité ?

La nounou écarquilla les yeux.

– Oh, mais je croyais que vous étiez au courant. Lisa l'avait autorisé à venir chercher Sydney.

Un frisson glacé parcourut Hannah. Sydney s'était rendue à plusieurs reprises chez Troy, au bord du lac. Il lui apprenait à pêcher, elle était aux anges. Mais Hannah avait supposé que c'était Lisa qui l'emmenait là-bas.

– Au début, j'ai pensé que c'était peut-être lui le père, dit Tiffany. Il avait l'air de l'adorer, cette petite.

– Non, ce n'était pas le père de Sydney, dit Hannah, troublée.

– On aurait dit, pourtant, insista Tiffany. Il prenait toujours le temps de regarder les dessins qu'elle avait faits, tout ça. Je suis désolée, madame Wickes, j'ai l'impression que vous tombez des nues.

Hannah rougit violemment.

– Eh bien, Lisa n'en a jamais parlé... C'est que Troy... il n'avait aucun lien de parenté avec Sydney.

Tiffany pinça les lèvres, évitant de nouveau le regard scrutateur de Hannah.

– En principe, je préfère que ce soit quelqu'un de la famille qui vienne chercher les enfants. Mais c'est Lisa elle-même qui a décidé, et moi je dois respecter les volontés de la maman.

Hannah ne voyait vraiment pas ce qui avait pu pousser Lisa à charger Troy de récupérer Sydney chez sa nounou. Un cas de force majeure, évidemment – Sydney connaissait à peine Troy.

– Je suppose qu'en cas d'urgence..., bredouilla-t-elle.

– Lisa a souvent des urgences, dit Tiffany d'un ton légèrement réprobateur. Mais je reconnais que Troy était fiable. Quand je l'appelais pour qu'il passe chercher Sydney, il était toujours disponible, toujours content...

– Vous l'appeliez ? répéta Hannah, incrédule.

Cette fois, ce fut Tiffany qui parut déconcertée.

– Ça arrivait très souvent. Et Lisa m'avait dit de le faire.

– Maman, maman !

Une fillette entra au galop dans le salon, pieds nus, ses couettes dansant autour de sa figure.

– Maman discute avec la grand-mère de Sydney, gronda gentiment Tiffany.

– Oui, mais viens voir ce que j'ai fait !

– Il faut que j'y aille, de toute façon, dit Hannah.

Les révélations de Tiffany, et ce qu'elles impliquaient, étaient comme une gifle. C'était elle maintenant qui évitait le regard de la nounou.

Elle prit congé et descendit l'allée avec Sydney qui se forçait à faire de longues enjambées, clamant qu'elle était une géante capable de traverser l'océan en trois pas.

Hannah l'installa dans son siège-auto et lui donna un baiser. Dieu sait comment, car elle avait le cerveau en ébullition, elle réussit à regagner la maison sans encombres.

Elle sortit sa petite-fille de la voiture.

– Tu as faim ? lui demanda-t-elle.

Sydney hocha la tête.

– Alors on va préparer le dîner.

L'enfant acquiesça de nouveau. Elle ne demanda pas où était sa maman.

7

HANNAH ENTENDIT la voix de Lisa, dehors. Elle jeta un coup d'œil à la pendule, sur le manteau de la cheminée, puis alla dans le vestibule et regarda dans la rue. Il faisait nuit. Lisa était sortie de sa voiture, elle parlait avec Chet, le mari de Rayanne, qui emmenait son petit chien noir et blanc en promenade. Le bichon havanais, une vraie peluche, tirait sur sa laisse. Hannah n'entendait pas ce que Chet et Lisa se racontaient, mais elle les vit se saluer de la main, puis Lisa monta les marches du perron. Hannah s'écarta quand la porte s'ouvrit.

Sa fille poussa une exclamation.

– Tu m'as fait peur ! accusa-t-elle. Qu'est-ce que tu fabriques, planquée derrière la porte ?

– Viens dans la cuisine.

Sans attendre de réponse, Hannah tourna les talons. Elle craignait que le ton monte et ne voulait pas réveiller Sydney, qui dormait dans l'autre aile de la maison.

Lisa, qui avait encore sa blouse blanche par-dessus un jean et une chemise, la suivit dans la cuisine. Elle ouvrit nonchalamment le réfrigérateur où elle prit une bouteille de thé glacé. Sans laisser à Hannah le temps d'exposer ses griefs ou de réclamer des comptes, elle passa à l'offensive.

– C'est quoi, cette histoire avec Tiffany ?

Un instant, Hannah en resta sans voix, puis :

– Tu me le demandes ? Comme tu n'arrivais pas, Tiffany m'a téléphoné, et je suis allée récupérer Sydney. Voilà l'histoire. J'ai dû quitter le bureau et courir là-bas. Tu étais introuvable.

– J'étais à l'hôpital. Je n'ai pas pu me libérer. Quand je suis arrivée chez Tiffany, il n'y avait personne. Je ne savais pas où était Sydney. J'ai appelé Tiffany sur son portable, elle n'a pas répondu.

– Tu avais une heure de retard ! Heureusement que Tiffany a réussi à me joindre.

Lisa se laissa tomber sur un tabouret, s'accouda sur la table et, remontant ses lunettes sur son front, se frotta les yeux.

– Tu aurais pu m'envoyer un texto.

– C'est vrai, admit Hannah. Mais tu n'as pas eu la courtoisie de nous prévenir, Tiffany ou moi.

– Je ne bosse pas au McDonald's, figure-toi. Un médecin ne peut pas toujours tout planifier. Il y a quelquefois des impondérables.

– Tu ne sais plus te servir d'un téléphone ? s'emporta Hannah. Il n'y avait personne pour s'occuper de ta fille. Surtout maintenant que Troy n'est plus là.

Le regard de Lisa se durcit.

– Ce qui signifie ?

– Elle me l'a dit. Tiffany m'a dit que ton petit ami venait régulièrement chercher Sydney. Qu'elle l'appelait souvent à la rescousse.

– Il est infirmier, rétorqua placidement Lisa. Il était infirmier, corrigea-t-elle. Il était très sérieux.

– Mais pourquoi c'était lui qui passait la prendre ? Tu le connaissais à peine ! Comment as-tu pu ?

– Ne sois pas ridicule, je le connaissais. On sortait ensemble depuis des mois. Et Sydney l'aimait bien. Je l'ai souvent emmenée là-bas, au lac. Tiffany voulait une solution de rechange, au cas où. Alors je lui ai donné le numéro de Troy.

– Tu aurais dû lui dire de s'adresser à moi.

– Maman, tu en fais largement assez pour moi et Sydney. Je ne supportais pas de te demander encore une faveur.

– Et ce soir ? Pourquoi n'as-tu pas averti Tiffany que tu serais en retard ?

– Je n'ai pas eu le temps d'avertir qui que ce soit, répondit Lisa, comme si elle expliquait à un enfant buté qu'il est l'heure de se coucher. On a eu une urgence, et ils en ont profité pour évaluer nos réactions.

– Et donc tu as laissé Sydney en plan.

– Tu ne comprends pas ce terme : urgence ? rétorqua Lisa.

Hannah secoua la tête.

– Tu dois vraiment réfléchir à ton attitude.

– Maman, je suis crevée. Je subis une pression terrible, au cas où tu l'aurais oublié..., marmonna Lisa, passant une main distraite dans ses boucles mal peignées.

– Et je suis logée à la même enseigne, crois-moi. La vie, ces temps-ci, est crevante.

– À cause de moi, évidemment. Parce que je mérite sans doute d'être jugée pour le meurtre de Troy Petty.

– Je n'ai pas dit ça. Je ne le pense pas, tu le sais pertinemment.

– Je n'en suis pas si sûre.

– Écoute... j'ai confiance en toi, plus que n'importe qui au monde. Mais quelles que soient les circonstances, tu n'as pas le droit de négliger Sydney. Elle dépend de toi. Ton enfant doit passer avant tout. Toujours.

Lisa, immobile sur son tabouret, garda le silence. Furieuse ou pensive ? se demanda Hannah.

– Tu as raison, finit-elle par déclarer. Tu as complètement raison.

Hannah soupira, vidée de sa colère. Elle s'assit face à sa fille, observant son visage défait. La voir en difficulté la peinait. Lisa travaillait dur, on n'imaginait pas à quel point les études de médecine étaient épuisantes, surtout avec une enfant à élever et ce procès à préparer, sans compter les journalistes qui épiaient ses moindres mouvements.

– Je sais que tu es exténuée, Lisa, dit-elle, son instinct maternel reprenant le dessus. Tu es soumise à rude épreuve. Et le métier de parent n'est pas simple. Mais il faut assumer cette responsabilité jour après jour.

Lisa leva les yeux au ciel.

– Ne me parle pas de responsabilité, j'ai horreur de ça.

– Je sais, répondit Hannah dans un sourire.

Soudain, Lisa tendit l'oreille.

– Qu'est-ce que c'est ?

– Quoi donc ?

– J'ai cru que… Ah, ça recommence. Tu n'entends rien ?

Hannah perçut un gémissement, sourd, à peine audible.

– Qui est-ce ? marmonna Lisa.

Elle se redressa et passa dans le vestibule. Hannah hésita puis la suivit. Elles sortirent sur le perron.

La rue était tranquille, seul le vent dans les arbres troublait le silence. La lune brillait, des nuages filaient dans le ciel.

– Là, tu entends ? fit Lisa.

Hannah allait répondre que non, elle n'entendait rien, mais Lisa l'interrompit d'un geste.

– Écoute...

Et soudain, Hannah entendit. Une plainte déchirante, qui se mêlait au murmure du vent. Elles descendirent les marches, scrutant l'obscurité. Lisa se dirigea vers le garage et regarda par la fenêtre. Hannah alla jusqu'au trottoir, fouillant la rue des yeux. Tout à coup, elle tressaillit.

– Lisa, regarde !

À deux maisons de là, à demi cachées par un buisson de myrte, on apercevait les jambes d'un homme. Lisa se précipita. Hannah lui emboîta le pas et ravala une exclamation. C'était Chet qui gisait sur le sol, livide, la figure en sueur. Son chien Nico, couché à côté de lui, gémissait.

– Oh, mon Dieu, balbutia Hannah.

Lisa s'accroupit, prit le pouls de Chet. Elle lui posa quelques questions auxquelles il répondit d'une voix faible.

– Ne vous agitez pas, lui dit Lisa. Maman, enchaîna-t-elle calmement, va chercher ma sacoche. Dans le vestibule. Vite. Et demande une ambulance.

Hannah courut vers la maison, tout en composant le 911.

– Je préviens Rayanne ! dit-elle.

Lisa était concentrée sur sa tâche : les mains jointes sur la poitrine de Chet, elle lui faisait un massage cardiaque.

Hannah récupéra la sacoche, courut chez les Dollard et réveilla Rayanne qui piquait du nez sur ses mots croisés. Elle lui expliqua la situation.

– Je le savais ! s'écria Rayanne. Je savais qu'il n'allait pas bien.

On entendait déjà une sirène, au loin. Elles rejoignirent Lisa qui s'activait, efficace, compétente, tout à sa mission : sauver leur ami. Le cœur de Hannah se gonfla de fierté, et une brusque fureur l'envahit. Comment osait-on accuser sa fille ? Quelle absurdité ! Lisa était jeune, elle commettait des erreurs, comme tous les jeunes. Mais son but, c'était de sauver des vies. Pas de tuer.

– Ça va aller, dit-elle à Rayanne. Lisa s'occupe de lui.

– Oui, Dieu merci.

Les urgentistes arrivèrent et installèrent Chet sur une civière, pendant que Lisa leur expliquait comment elle lui était venue en aide.

Rayanne voulut monter à l'arrière de l'ambulance pour rester auprès de son mari, mais elle essuya un refus catégorique. Il n'y avait pas assez de place dans le véhicule, Chet était dans un état critique et nécessitait des soins immédiats.

– Je t'emmène, dit Hannah. Viens, dépêchons-nous.

Elles se dirigèrent au pas de course vers la voiture dans l'allée. Hannah s'arrêta pour dire un mot à Lisa qui regagnait la maison.

– J'accompagne Rayanne à l'hôpital. Elle est trop bouleversée pour conduire.

– D'accord.

– Si tu as faim, tu as des restes dans le réfrigé…

– Vas-y, coupa Lisa. Je n'ai qu'une envie : dormir.

Il était quatre heures du matin lorsque Hannah ramena Rayanne. Chet avait passé des heures en soins intensifs, à subir des examens, avant qu'on ne l'installe dans une chambre. Rayanne répétait à Hannah de s'en aller. Elle prendrait un taxi pour rentrer, disait-elle, mais Hannah ne s'y résolvait pas. À l'hôpital l'attente était si longue, et on se sentait tellement démuni... Elle voulait tenir compagnie à son amie en ces heures éprouvantes. Rayanne put finalement s'entretenir avec un médecin, lequel lui déclara que l'état de Chet se stabilisait, mais qu'il faudrait l'opérer. On lui conseilla de retourner chez elle prendre un peu de repos.

– Je ne sais comment te remercier, Hannah.

– Ne sois pas sotte. Moi aussi, j'ai toujours pu compter sur toi.

Quand Rayanne eut refermé sa porte, Hannah regagna sa maison silencieuse. Elle n'alluma que quelques lampes, de crainte de réveiller Lisa et Sydney qui, probablement, dormaient à poings fermés. Dommage qu'Adam ne soit pas là, elle se blottirait contre son corps robuste, tout chaud, et finirait par s'endormir. Mais il ne serait de retour que le lendemain et, malgré sa fatigue, elle était trop énervée pour se coucher immédiatement. Elle prit une douche, enfila son pyjama et son peignoir, et se prépara une tasse de chocolat. Elle n'avait pas sommeil. Il valait mieux ne pas allumer la télé, le bruit risquait de réveiller les filles.

Elle s'installa sur le canapé du salon, tout contre l'accoudoir, et prit son iPad posé sur la table basse, avec l'intention de chercher des recettes de cuisine ou des potins people, n'importe quoi, pourvu qu'elle n'ait pas à réfléchir.

Les dernières informations, sur sa page d'accueil, n'étaient pas très alléchantes. Il ne s'était pas passé grand-chose dans le monde depuis la dernière fois qu'elle avait jeté un coup d'œil à l'actualité. En revanche, elle avait quelques mails. Les publicitaires ne dormaient jamais, et ne renonçaient jamais. Elle cliqua sur l'icône de sa messagerie, constata qu'elle ne s'était pas trompée : les annonceurs habituels lui proposaient des affaires mirobolantes. Elle supprima les messages un par un, puis s'aperçut qu'elle avait reçu un mail de Taryn Bledsoe, la mère d'Alicia, une amie de lycée de Lisa, avec qui elle sortait encore de temps en temps.

Le mail n'avait pas d'objet, hormis une série de points d'exclamation, et il comportait une pièce jointe. Hannah fronça les sourcils. Taryn et elle s'entendaient plutôt bien à l'époque où les filles étaient entrées au lycée, mais leur relation s'était délitée lorsque Alicia et Lisa avaient écopé d'une exclusion temporaire à cause d'une mauvaise blague qu'elles avaient concoctée ensemble. Au cours des dernières années, même si les filles restaient liées, Hannah avait rarement vu la mère d'Alicia.

Le message se résumait à une ligne : *Quand on cherche les ennuis…*

Le cœur de Hannah se mit à battre plus vite. Elle ouvrit la pièce jointe.

Une photo de Lisa. Réalisée avec un téléphone à la pointe de la technologie. Parfaitement nette bien que prise dans la pénombre d'un bar. La chemise de Lisa, largement déboutonnée, laissait voir un soutien-gorge push-up noir. Les yeux pétillant de gaieté, elle portait à ses lèvres une bouteille de Jack Daniel's.

Hannah sentit son estomac se contracter. Il y avait la date et l'heure. Cette photo avait été prise en fin de journée, au moment où Hannah était allée chercher Sydney. Au moment où Lisa, injoignable, était « retardée » par une urgence à l'hôpital.

8

HANNAH AURAIT PU ATTENDRE jusqu'au matin. Sa fille était exténuée et avait grand besoin de sommeil. Mais dans l'immédiat, elle s'en fichait. Elle alla secouer Lisa.

Celle-ci ouvrit des yeux surpris.

– Qu'est-ce qu'il y a ?

– Tu te lèves, ordonna Hannah. Suis-moi.

Trop groggy pour protester, Lisa enfila son peignoir et se traîna jusqu'à la chambre de sa mère.

– Qu'est-ce qui se passe ? marmonna-t-elle.

Hannah lui mit son iPad sous le nez.

– Tu veux bien m'expliquer ça ?

– C'est mon iPad ? demanda Lisa, louchant sur la photo.

– Non, c'est le mien. Et j'exige une explication.

Lisa haussa les épaules.

– Qu'est-ce qu'il y a à expliquer ?

– Tu m'as dit que tu avais été retenue à l'hôpital par une urgence. Or tu étais dans un bar, en train de boire, à l'heure où tu devais aller chercher ton enfant.

– Mais de quoi tu parles ?

– Ne nie pas, Lisa. Regarde la date et l'heure sur ce cliché.

– Ouais, bon, d'accord, rétorqua Lisa en bâillant. Je me suis dit que tu t'occuperais de Sydney. J'avais besoin de me détendre, je suis allée boire un verre.

Elle se frotta les yeux.

– Ça n'aurait pas pu attendre quelques heures ?

– Tu te moques de moi ? fit Hannah, incrédule.

– Désolée. Tu as raison.

– C'est tout ce que tu trouves à dire ? s'exclama Hannah. Outre que tu as négligé ton enfant et que tu m'as menti, tu as commis une infraction ! Tu étais dans un lieu public, or il t'est interdit de consommer de l'alcool, ce sont les conditions de ta liberté sous caution.

– La fameuse loi anti-alcool, rétorqua Lisa en roulant des yeux.

– Si tu te fais pincer, on risque de t'expédier en prison.

– Je ne me ferai pas pincer, soupira Lisa.

– Ah oui ? Demain, cette photo pourrait être à la une ! s'énerva Hannah, agitant l'iPad.

– À propos, tu l'as eue comment, cette photo ?

– La mère d'Alicia me l'a envoyée. Pour me prévenir.

– Quelle emmerdeuse, celle-là.

– Elle voulait juste m'avertir que tu es en fâcheuse posture ! objecta Hannah, furibonde. Si le juge a vent de ta...

– J'étais avec des copains. Personne ne caftera. Relax, maman.

– Ne me dis pas de me calmer ! C'est notre maison qui sert de dépôt de garantie. Pour ta liberté ! Si ton père savait que tu es allée boire dans un bar...

– Et naturellement tu le lui raconteras, dit froidement Lisa.

– Tu te rends compte que ça pourrait être très grave ? Pour nous tous ?

– Tu ne manqueras pas de me l'expliquer en long et en large. Mais je te ferai remarquer que je ne vous ai pas demandé d'hypothéquer votre maison.

– Tu pensais peut-être qu'on te laisserait moisir en prison ?

– Vous auriez pu.

– Non, bien sûr que non. Nous t'aimons. Nous ferions n'importe quoi pour toi. Mais je ne comprends pas comment tu as pu être aussi imprudente !

– Je suis encore jeune, OK ? dit Lisa d'un air contrit. Quelquefois, j'ai juste besoin de... de me lâcher un peu.

Hannah la dévisagea, secoua la tête.

– Je comprends, je t'assure. Tu n'as que vingt ans. Mais les gens sont à l'affût de la moindre raison de te condamner. De te montrer du doigt en disant : Vous voyez, évidemment qu'elle a tué ce type. Elle est enragée, incontrôlable.

– Je ne suis pas incontrôlable.

De nouveau, Hannah sentit la moutarde lui monter au nez. Elle montra l'écran de l'iPad.

– Et comment tu appelles ça ?

Lisa ne répondit pas, mais son visage se figea en un masque indéchiffrable, comme si cette discussion la transformait en statue de pierre. Le silence se fit dans la chambre. Heureusement qu'Adam était absent, se félicita Hannah.

– Alors ? insista-t-elle.

– J'appelle ça se marrer un peu, dit amèrement Lisa.

Fermant les yeux, Hannah enfonça ses ongles dans ses paumes.

– On a terminé ? demanda Lisa.

– Retourne te coucher.

– Écoute, maman, je n'ai pas fait ça contre toi. Mais quelquefois… – Lisa s'interrompit, haussa les épaules – quelquefois, j'ai besoin de… d'oublier.

– Retourne te coucher, Lisa.

Celle-ci parut sur le point de dire autre chose, mais elle se tut. Elle sortit de la chambre et ferma la porte. Hannah s'écroula dans le rocking-chair devant la fenêtre. Autrefois, dans leur premier appartement, elle s'était souvent assise dans ce fauteuil, avec son bébé dans les bras. Elle berçait Lisa, elle rêvassait, imaginant la vie future de sa fille. L'université, le mariage, la réussite, des enfants. Jamais, dans ses rêves les plus extravagants, elle n'avait envisagé une accusation de meurtre. À l'époque, c'était inconcevable. Et maintenant, des années plus tard…

Avec un soupir, elle scruta leur jardin verdoyant, leur rue si paisible. Tout était impossiblement immobile.

Le lendemain, quand Hannah, qui était en retard, entra en trombe dans les bureaux des services sociaux, elle manqua percuter Jackie Fleischer.

– Oh, excusez-moi ! Je suis navrée. J'ai loupé la réunion ?

– Vous n'avez pas loupé grand-chose. Je vous ferai un topo.

– Merci, je vous revaudrai ça.

– Vous avez déjà pris votre café ?

– J'ai oublié de mettre le réveil, je suis partie au pas de course et je n'ai rien avalé.

– J'ai une machine à espresso dans mon bureau, venez.

Hannah n'avait pas une passion pour l'espresso, mais elle avait sérieusement besoin de caféine et fut reconnaissante à la psychiatre de son invitation. Elle la suivit donc dans son bureau, aux murs ornés de photos encadrées de cascades et de forêts, d'oiseaux extraordinaires et de fleurs exotiques en macro. L'ensemble était à la fois gai et apaisant. Jackie Fleischer et son mari, qui n'avaient pas d'enfants, partaient souvent à l'aventure observer et photographier les merveilles de la nature.

Hannah s'assit et prit la tasse que la psychiatre lui tendait. Son café lui parut moins amer que celui qu'elle avait parfois goûté dans les restaurants chic. En fait, il était excellent. Elle le but à petites gorgées.

– Je suis une vraie loque.

Jackie Fleischer prit place sur la causeuse. Elle pencha la tête sur le côté et fixa son regard sur Hannah.

– Que se passe-t-il ?

– Eh bien, vous savez que ma fille a été mise en liberté sous caution, en attendant le procès. Les conditions de cette liberté la... disons que ça l'agace. Alors elle dérape. Elle fait l'idiote au lieu de se tenir à carreau. Elle n'a jamais bien supporté les... les limites.

Hannah atténuait les torts de Lisa, elle cherchait à ce que la psychiatre lui confirme que le comportement de Lisa était tout à fait normal. Elle en avait conscience.

– Mais vous, que ressentez-vous ? C'est une situation bien pénible pour vous.

– Je veux seulement l'aider à s'en sortir. Quand cet épouvantable procès sera derrière nous, notre vie reprendra son cours.

– Vous semblez sûre que ça se terminera bien.

– Oh, ne vous y trompez pas : je suis malade d'angoisse. C'est un procès, n'est-ce pas, et avec un jury, tout peut arriver. Nous sommes obligés de nous en remettre à l'avocate de Lisa pour faire éclater la vérité.

– C'est-à-dire ?

– Soit c'était un accident, soit quelqu'un d'autre a tué Troy Petty. Je n'attends pas que l'avocate démasque le coupable, ce n'est pas son job. Quoique. vu ses honoraires… Mais il lui faut démontrer aux jurés que Lisa n'a rien à voir avec cette affaire.

– Vous en discutez avec Lisa, votre mari et vous ? Est-elle capable d'analyser pourquoi on l'accuse ? En dehors de cette histoire de chèque, bien sûr.

Hannah rougit. Elle n'aurait pas dû être surprise, tous les détails étaient dans les journaux.

– Elle a des rendez-vous incessants avec l'avocate. Elle n'a pas envie de remâcher tout ça. Nous tenons nos informations de la presse ou d'Internet, comme tout le monde.

– Mais elle vous répète sans doute ce que lui dit l'avocate ?

– Franchement, elle ne nous en parle pas vraiment.

– À votre place, j'insisterais pour qu'elle le fasse.

– Je le voudrais, mais j'essaie de ne pas trop peser sur elle.

Hannah plissa le front, repensant à leur querelle de la nuit.

– Comme elle a un enfant et qu'elle exerce un métier exigeant, j'oublie parfois qu'elle est toute jeune.

– Vous avez l'air de porter le poids du monde sur vos épaules.

– C'est ma fille, vous comprenez. L'idée qu'à cause d'une erreur judiciaire, elle pourrait être…

Hannah s'interrompit, incapable de prononcer le mot : condamnée.

– … ça m'est insupportable.

– Naturellement, fit la psychiatre en se tapotant le menton de ses doigts effilés. Pour Lisa aussi, ce doit être pénible.

Évidemment, faillit dire Hannah. Puis, une fraction de seconde, elle revit la photo. Le chemisier déboutonné, le clin d'œil, la bouteille de Jack Daniel's. Il lui sembla que le café clapotait dans son estomac, qu'elle avait avalé de l'acide. Elle secoua la tête, comme pour effacer l'image de son esprit.

– Bien sûr, évidemment. Elle est humaine.

Le portable, dans sa poche, sonna. Elle le prit et, en lisant le nom de son correspondant, bredouilla :

– Il faut que je réponde. Vous voulez bien m'excuser ?

Elle prit ses affaires et sortit dans le hall. Elle s'attendait à ce qu'une réceptionniste ou une secrétaire lui demande de patienter un instant, mais ce fut Marjorie Fox elle-même qu'elle eut au bout du fil. L'avocate ne s'embarrassa pas de politesses.

– Il vous faut venir au tribunal. Immédiatement. Le juge veut vous voir tous les trois. Vous, votre mari et Lisa. Elle est déjà là avec moi.

– Mais pourquoi ? balbutia Hannah, atterrée.

– Il y a un problème. Une photo sur Internet. Soyez là dans vingt minutes.

Oh, Seigneur, non...

– J'arrive.

9

LE JUGE ENDICOTT entra tout de suite dans le vif du sujet.

– Lorsque la caution a été fixée, je vous ai spécifié les conditions de votre mise en liberté. N'est-ce pas ?

Lisa, immobile à côté de son avocate, avait l'air d'une gamine qui joue au docteur. Elle n'avait pas quitté la blouse blanche qu'elle portait à l'hôpital : sa tenue préférée – Lisa n'avait jamais été une mordue de fringues – parce qu'elle lui conférait, soupçonnait Hannah, un statut social à son goût.

Lisa regarda gravement le juge.

– En effet, monsieur.

– Vous avez cru que je n'étais pas sérieux ?

– Non, monsieur. Bien sûr que non.

Lisa paraissait sincère. Repentante. Hannah sentit les doigts d'Adam broyer les siens. Il était venu directement de l'aéroport, et ils s'étaient retrouvés dans la salle d'audience. Hannah lui tenait la main, parce que, comme toujours, cela la réconfortait.

– Qu'avez-vous à dire pour votre défense ? demanda le juge d'un ton glacial.

Lisa se dandina d'un pied sur l'autre.

– Je suis désolée, monsieur, déclara-t-elle avec une moue peinée. Je n'aurais jamais dû aller dans ce bar, j'en prends conscience. Je n'aurais évidemment pas dû me laisser photographier comme ça. J'aurais dû me méfier. Mon amie m'a prise par surprise.

Les yeux du juge s'étrécirent. Il posa un regard sévère sur la photo, puis sur Lisa campée devant lui, les bras le long du corps, les mains fermées.

– Vous parlez d'une amie…

– Je l'ai compris trop tard.

– Si vous n'aviez pas été photographiée, vous ne seriez pas ici, n'est-ce pas ?

– Eh bien, probablement pas.

– Votre soirée dans ce bar serait passée inaperçue.

Adam grimaça, ébaucha un geste comme pour empêcher Lisa de parler, mais elle avait décidé de jouer les timides. Elle eut un haussement d'épaules penaud, remonta ses lunettes sur son nez.

– Je n'y suis pas restée si longtemps, franchement. Je n'ai quand même pas fait la fermeture.

– C'est une plaisanterie ?

– Euh… pas très drôle, sans doute.

– Vous pensez peut-être que les conditions de votre liberté sous caution sont déraisonnables ?

Lisa se redressa. Comprenant que la timidité ne marcherait pas, elle reprit son attitude flegmatique.

– Pas vraiment déraisonnables, plutôt disproportionnées.

– Par rapport au crime ? demanda le juge, les sourcils en accent circonflexe.

– À la situation, corrigea Lisa. Monsieur le juge, en dépit de ma jeunesse, je poursuis des études extrêmement difficiles. Le travail que je fais est généralement confié à des personnes beaucoup plus âgées que moi. D'ailleurs, tous mes collègues sont beaucoup plus âgés que moi. Et quand ils ont un moment de détente, ils ne vont pas se payer une limonade.

– Certes, rétorqua le juge, impassible. Et que la loi stipule que vous n'avez pas l'âge de consommer de l'alcool vous paraît arbitraire, puisque vous êtes en deuxième année d'internat de médecine.

– Exactement. D'autant plus que j'ai pour tâche d'aider les gens. De sauver des vies, dit pieusement Lisa.

Marjorie Fox soupira, mais Lisa semblait assez satisfaite de sa réponse.

– Certes, répéta le juge. On pourrait même considérer que vous ne devriez pas être assujettie aux conditions qui s'appliquent à un prévenu ordinaire.

L'ironie du juge fit frémir Hannah. Lisa perçut aussi sa réprobation, trop tard malheureusement. Marjorie lui posa la main sur le bras, pour l'empêcher de réagir, mais Lisa reprit :

– Comprenez-moi bien, monsieur le juge. Je sais que je dois respecter les règles que vous fixez. J'ai l'habitude de gérer des situations difficiles. Mais j'avais eu une journée exténuante, j'étais vidée et j'ai manqué de bon sens. Cela n'arrivera plus, je vous le promets.

Elle s'exprimait de façon respectueuse, apparemment sensée. Mais Hannah imaginait sans peine l'effet que produisait sur le juge sa façon de se dédouaner.

– Je vous écoute parler, et j'ai l'impression que vous exprimez le regret d'avoir loupé le bus ou de n'avoir pas fait votre lessive. Mesurez-vous la gravité de la situation, mademoiselle Wickes ?

– Docteur Wickes.

– Je crois comprendre que vous êtes encore étudiante, rétorqua le juge, cinglant.

– C'est un détail, en réalité. Je soigne des patients.

– Quand vous aurez le titre de docteur, je l'utiliserai. Pas avant. Pour en revenir à la situation...

– Le fait que je n'ai pas l'âge de consommer de l'alcool ?

– Je parle des charges qui pèsent sur vous. Mesurez-vous leur gravité ?

– Oui, naturellement.

– Votre avocate vous a-t-elle bien expliqué en quoi elles consistaient ? Vous êtes inculpée de meurtre et de vol.

– Je le sais, monsieur.

Le juge Endicott étudia longuement la jeune femme qui se tenait devant lui, puis il secoua la tête.

– Je n'en suis pas convaincu, mademoiselle Wickes. Votre attitude, vos réponses indiquent que vous ne comprenez pas du tout la gravité de la situation. Le fait même qu'on vous ait octroyé la liberté sous caution n'était pas très régulier. Je vous l'ai accordée à cause de votre jeunesse, de votre casier judiciare vierge, et aussi parce que vous avez un enfant. Mais les conditions afférentes à cette liberté n'étaient pas de simples suggestions. Ce sont des clauses impératives. Quelqu'un qui possède votre intelligence saisit sûrement la nuance.

Lisa posa sur lui un regard où brillait une lueur de défi.

– Il n'y a pas de deuxième chance devant la Cour supérieure de justice, mademoiselle Wickes.

Lisa allait répliquer, mais Marjorie Fox lui chuchota quelques mots à l'oreille.

– Non, non, maître Fox. J'aimerais entendre ce que votre cliente a à dire.

– Je voulais dire que je comprends parfaitement et que je ne commettrai plus d'erreurs de ce genre.

Le juge la scruta de nouveau d'un air pensif.

– Vous devriez suivre les conseils de votre avocate. Etes-vous consciente du tort que vous font votre comportement et vos déclarations ?

Une expression de perplexité, teintée d'un brin d'irritation, se peignit sur le visage de Lisa.

– J'ai essayé de parler à votre intelligence.

– Monsieur le juge ! intervint l'avocate. Ma cliente est très jeune, très immature malgré son niveau d'études. Vous pouvez constater qu'elle n'a jamais eu d'ennuis sérieux, et je considère qu'il serait inutilement cruel de l'arracher à son enfant et à ses études de médecine, et de lui imposer de vivre dans le milieu carcéral.

– Partagez-vous la garde de votre fille avec le père ? demanda le juge à Lisa.

– Il n'y a pas de père.

– Dans ce cas, où était votre enfant pendant que vous vous... détendiez avec vos collègues ?

– Avec ma mère. Elle adore s'en occuper.

– Quelle chance pour vous.

– Je ne peux pas être partout à la fois, dit Lisa.

Marjorie lui décocha un regard sévère. Le juge la considéra longuement, comme perdu dans ses pensées. Hannah se cramponnait à la main d'Adam.

– Mademoiselle Wickes, les prévenus qui comparaissent devant moi sont pour la plupart issus de milieux défavorisés. Ils n'ont reçu aucune éducation, et beaucoup d'entre eux ne comprennent rien à la procédure. Contrairement à eux, vous êtes une jeune femme privilégiée. Mais cela ne vous dispense pas d'obéir à la loi. Vous n'avez pas respecté les conditions de votre liberté, comme si elles ne s'appliquaient pas à vous. Cette audience semble vous causer du désagrément et non vous inspirer du remords. Hors de ce tribunal, on estime peut-être que, sous prétexte que vous êtes une jeune personne surdouée, vous êtes dispensée de certaines obligations. Mais ici, ce n'est pas le cas.

Lisa le regarda, bouche bée, comme si elle saisissait enfin que sa liberté était compromise.

– Monsieur le juge, s'il vous plaît, soyez raisonnable.

Marjorie Fox secoua la tête, atterrée.

– Être raisonnable, mademoiselle, c'est le fondement même de ma fonction, articula le juge. La liberté sous caution est révoquée. Vous serez conduite à la prison du comté, où vous resterez jusqu'au procès.

Hannah vacilla, sans Adam qui la retint, elle se serait écroulée. Lisa se figea un instant, sidérée. Puis elle se tourna vers Marjorie Fox :

– Quel con ! chuchota-t-elle.

– Je vous avais expliqué ce qu'il fallait dire, Lisa, répondit posément l'avocate. Je vous avais prévenue. Vous n'en avez pas tenu compte.

– Mais j'ai dit la vérité. C'est ce qu'on est censé faire dans un tribunal, non ?

– Vous lui avez parlé comme si vous étiez avec lui d'égal à égal. Vous devez maintenant en assumer les conséquences. À l'avenir, faites ce que je vous dis.

Un garde s'approcha et passa les menottes à Lisa.

– Venez, dit-il en la poussant vers la porte.

Elle se retourna vers ses parents, éberluée.

– C'est incroyable ! Vous direz à Sydney qu'il n'y a pas de justice dans ce pays.

– « Dites à Sydney que je l'aime », ce serait mieux, grommela Adam, les dents serrées.

– S'il te plaît, arrête, murmura Hannah.

Dans la voiture, ils gardèrent le silence. Ils passèrent prendre Sydney chez Tiffany, esquivèrent les questions de la nounou qui brûlait de curiosité, et rentrèrent chez eux. Sydney voulait jouer dehors, mais Hannah la persuada de rester dans sa chambre avec ses poupées.

Elle se pelotonna sur le canapé, songeant à tout ce qui s'était passé. Lisa s'était conduite avec le juge de manière irréfléchie, inconsidérée. Comment reprocher à cet homme de s'être mis en colère ? Il ne comprenait pas que les aptitudes sociales de Lisa n'étaient pas à la hauteur de son degré d'instruction. Grâce à son intelligence hors norme, Lisa avait sauté des classes et toujours été en décalage avec les gamins de son âge. Elle n'avait pas connu les rites de socialisation qu'accomplissent la plupart des jeunes. Dire que son enfant, sa merveilleuse et brillante étudiante en médecine, était enfermée dans une cellule, affublée d'une espèce de combinaison, qu'elle mangeait avec une bande de junkies et de prostituées... Hannah en avait le cœur retourné. Un début de migraine lui vrillait les yeux.

N'y tenant plus, elle se leva et alla dans la cuisine préparer le dîner. Elle regarda par la fenêtre, du côté de chez les Dollard, se sentit coupable de n'avoir pas téléphoné à Rayanne pour prendre des nouvelles de Chet. Mais elle ne voulait pas appeler son amie, car elle ne voulait pas évoquer ce qui arrivait à Lisa. Quoique, songea-t-elle, quand les gens étaient confrontés à la maladie, ils ne se souciaient pas des problèmes des autres.

Elle décida donc de passer un petit coup de fil à Rayanne, avant qu'on n'annonce au journal télévisé de dix-huit heures que la liberté sous caution de Lisa était révoquée.

Comme elle l'espérait, elle n'eut pas à en parler. Rayanne lui fit un exposé détaillé de l'état de Chet, des explications du médecin à propos de l'opération qu'il devrait subir, et de ce qu'il ressentait. Elle ne mentionna même pas le nom de Lisa. Soulagée, Hannah lui prodigua des paroles de réconfort, et raccrocha en se félicitant d'avoir fait ce qu'il fallait.

Elle inspecta le congélateur, à la recherche d'un plat pour le dîner. Soudain, le découragement la gagna. Et si elle se faisait livrer une pizza ?

Elle en était là de ses interrogations quand on frappa à la porte.

Fichez le camp, pensa Hannah qui se boucha les oreilles. Elle n'avait pas envie de répondre. Mais on frappa de nouveau. Il ne servait à rien de se cacher. Le procès commencerait bientôt, ils seraient forcés d'affronter les journalistes, le public, le monde entier. Traînant les pieds, elle alla ouvrir.

Alicia Bledsoe agita les doigts en guise de salut. Elle semblait embarrassée

– Bonjour, madame Wickes. Lisa est là ? Elle ne répond pas à mes textos.

La fille qui se tenait sur le seuil de la maison avait le teint crémeux, des cheveux bruns et soyeux, de grands yeux sombres emplis de méfiance, et de nombreux kilos superflus. Dans le tandem qu'elle formait avec Lisa depuis le lycée, Alicia, bien que plus âgée, était la suiveuse. Hannah lui avait toujours été reconnaissante d'aimer Lisa, une adolescente gauche, beaucoup plus jeune que ses camarades et donc très isolée. Elle était toujours partante pour les bêtises qu'imaginait Lisa.

Hannah la fit entrer au salon.

Alicia vivait chez ses parents, travaillait dans un fast-food et poursuivait péniblement ses études en IUT, alors que Lisa avait un bébé et était déjà interne en médecine. Leur amitié paraissait pourtant tenir.

Mais Hannah soupçonnait Alicia d'avoir pris la photo de Lisa qui avait provoqué ce désastre. Elle voulait s'assurer que la jeune femme était consciente de sa faute. Cette bêtise de collégienne avait de lourdes conséquences.

– J'ai de mauvaises nouvelles à t'annoncer, dit-elle d'un ton sévère.

– Oh non, répondit Alicia, affolée. Qu'est-ce qu'il y a ?

– La liberté sous caution a été révoquée. Lisa doit rester en prison jusqu'au procès.

Les grands yeux d'Alicia s'emplirent de larmes.

– Oh zut… Mais pourquoi ?

– À cause de cette photo de Lisa en train de boire du Jack Daniel's. Elle a été prise avec ton téléphone, n'est-ce pas ?

Alicia acquiesca d'un air coupable.

– La photo s'est retrouvée sur Internet, c'est remonté jusqu'à la police et ensuite la Cour supérieure de justice. Lisa a été convoquée par le juge qui a révoqué la liberté sous caution.

– C'est vache, commenta Alicia.

– Il lui était interdit de traîner dans les bars et de consommer de l'alcool.

– Ma mère m'a dit qu'elle allait vous envoyer cette photo. J'étais furieuse.

– Et moi, je suis contente qu'elle l'ait fait. Ta mère a eu raison de m'avertir. Où as-tu fait circuler cette photo ? Facebook, Twitter ? Pour que tout le monde la voie bien ? Je sais que tu n'avais pas de mauvaises intentions. Lisa n'aurait jamais dû aller dans ce bar, et tu n'as pas besoin de me dire que c'est elle qui en a eu l'idée. C'est sans doute le cas. Je connais ma fille.

Alicia essuya une larme qui roulait sur sa joue ronde.

– Oh, madame Wickes… Je suis tellement désolée.

– C'est un peu tard, soupira Hannah. Publier cette photo sur Internet était une erreur monumentale. Maintenant Lisa doit payer les pots cassés.

– Je lui ai pourtant dit de ne pas le faire.

Hannah tressaillit.

– Quoi donc ?

– Ben… ce selfie.

– Un selfie ? répéta Hannah qui se sentit blêmir. C'est Lisa qui a pris cette photo ?

– J'ai essayé de l'en empêcher. Je vous assure. Mais elle m'a piqué mon téléphone, et elle s'est photographiée. Et comme la photo lui plaisait, elle l'a téléchargée tout de suite sur Twitter. Et voilà le résultat. Je suis vraiment désolée, madame Wickes.

Hannah dévisagea la jeune femme plantée au milieu de son salon.

– C'est elle qui a fait tout ça ?

– Elle ne pensait pas à mal, franchement. Qui a bien pu cafter, je me le demande. Comment il l'a appris, le juge ?

Alicia cherchait déjà sur qui rejeter la faute, et excuser ainsi Lisa. Hannah, pour sa part, réfléchissait à toute allure.

À cause de ses prodigieuses capacités intellectuelles, Lisa n'avait pas eu une vie normale d'adolescente. Et quand elle faisait des bêtises, Hannah fermait les yeux, parce que dans le fond elle considérait l'intelligence exceptionnelle de sa fille à la fois comme une bénédiction et une malédiction.

Mais aujourd'hui la légèreté de Lisa l'avait conduite en prison. Et elle avait cherché à faire porter le chapeau à quelqu'un d'autre. Eh bien, songea Hannah avec colère, si elle voulait vivre sa vie de cette façon, tant pis pour elle. Elle n'avait même pas eu une pensée pour Sydney.

Ce n'était pas volontaire, se dit Hannah en essayant de se calmer. Lisa ne s'était pas comportée en mère, mais à la vérité elle se comportait rarement comme telle.

– Je n'aurais jamais dû lui donner mon téléphone, gémit Alicia. C'est ma faute.

– Si seulement c'était vrai, dit tristement Hannah.

10

On était à la mi-septembre, pourtant il faisait une chaleur étouffante en ce premier jour de procès. Hannah s'était habillée en conséquence – jupe à la cheville, haut en soie et sandales. Elle avait toutefois prévu un gilet, car Marjorie les avait prévenus : la salle d'audience serait climatisée pour le confort du juge, en toge, et des jurés qui ne devaient pas s'assoupir durant l'audition des témoins.

En vérifiant sa tenue devant la glace, avant de quitter la maison, Hannah constata que ses cheveux étaient ternes et ses yeux cernés. Ces dernières semaines avaient été éprouvantes. Rendre visite à Lisa en prison les avait tous contraints à s'interroger sur l'avenir, à envisager l'inimaginable. Avant que la liberté sous caution ne soit révoquée, quand Lisa se réveillait chaque jour dans sa chambre de jeune fille, il était facile d'exclure l'éventualité que ce procès mette un terme à la vie qu'ils connaissaient. Bien sûr, la possibilité d'une condamnation existait bel et bien, ils ne l'ignoraient pas. Mais voir Lisa dans la combinaison orange des détenues rendait tout cela affreusement réel.

– Non, dit Hannah au miroir, avec force. Elle est innocente, et elle sera acquittée.

Adam se campa sur le seuil de la pièce.

– Tu es prête ? Il nous faut déposer Sydney chez la nounou.

– Je viens.

Ils avaient emmené Sydney au parloir à deux reprises. La fillette n'avait pas lâché la main de sa grand-mère, et la dernière fois que Hannah avait parlé de l'emmener voir sa mère, Sydney s'était mise à hurler. Préférant ne pas traîner une enfant en larmes dans ce lieu où les moindres sons se répercutaient comme dans un mausolée, Hannah s'y rendait donc seule ou avec Adam.

Aujourd'hui, cette période terrible s'achevait. On allait juger Lisa. Et la part optimiste de Hannah voulait croire que les charges retenues contre sa fille étaient infondées, qu'on n'avait aucune preuve concrète, hormis cette regrettable histoire de chèque.

– S'il vous plaît, souffla-t-elle en fermant les yeux. Que tout ça se termine vite et que mon bébé revienne à la maison.

Chanel Ali Jackson trépignait d'impatience, tandis qu'une maquilleuse stagiaire lui tamponnait le front avec une éponge à fond de teint. Chanel lissa le devant de sa robe moulante, la stagiaire recula pour jauger son travail, et décréta :

– Vous êtes superbe.

Chanel la gratifia de son sourire à fossettes, prit le micro qu'un technicien lui tendait et se déplaça d'un bon mètre sur la gauche, ainsi que le lui ordonnait le cameraman. Jetant un coup d'œil à sa montre, l'assistant réalisateur lui donna le top.

Chanel approcha le micro de sa bouche et, d'un ton suave :

– Bonjour Adrian, dit-elle, s'adressant au présentateur du journal qui se trouvait dans les studios de télévision. Je suis devant le palais de justice, où se déroule le procès de Lisa Wickes, jeune étudiante en médecine surdouée, accusée d'avoir assassiné son ex-petit ami, l'infirmier Troy Petty.

« Petty est mort voici quelques mois dans l'explosion du bungalow qu'il louait au bord du lac J. Percy Priest. Dans sa déclaration préliminaire, le procureur a dit vouloir démontrer que l'accusée a tué Petty au cours d'une dispute à propos d'argent. Il compte présenter aux jurés un film de vidéosurveillance où l'on voit Lisa Wickes encaisser le chèque de salaire établi au nom de Petty, le soir où son ami est décédé. Le procureur soutient que Lisa Wickes a assommé Petty et a ensuite provoqué une explosion à l'aide d'un chauffe-eau et de bougies.

« La défense, pour sa part, affirme que Lisa Wickes n'est pour rien dans l'explosion qui a tué Petty. Selon maître Fox, Troy Petty a endossé le chèque et l'a remis à Lisa Wickes à qui il devait de l'argent.

« Alors qu'est-il réellement arrivé à ce jeune homme ? Ce sera au jury de répondre à cette question.

Chanel énuméra ensuite les témoins cités par les deux parties. Soudain, elle repéra un véhicule familier et fit signe au cameraman de la suivre. De l'autre côté de la rue, un couple descendait de la voiture et, pour éviter la cohue, se dirigeait en hâte vers une entrée plus discrète.

Chanel traversa au pas de course, le cameraman sur ses talons.

– Madame Wickes, monsieur Wickes ! lança-t-elle, leur barrant le passage. Chanel Ali Jackson, pour le journal télévisé de Channel 6 Nashville. Pouvez-vous nous dire quelques mots ?

La femme semblait effrayée, son mari avait une expression douloureuse. Mais il n'était pas question que Chanel les laisse s'échapper. Elle darda sur Hannah des yeux pareils à des rayons laser, débordant de sollicitude.

– Madame Wickes, vous avez écouté les déclarations préliminaires, ce matin. Diriez-vous que l'accusation se fonde sur des preuves solides ou bien sur de simples présomptions ?

– Ma fille est innocente, et ce procès le démontrera, déclara Hannah avec un optimiste que démentait son beau regard gris.

– Pas de commentaire, articula sèchement Adam.

Chanel ne lui prêta pas attention, préférant se focaliser sur la mère de l'accusée.

– Voir son enfant faire l'objet d'accusations aussi graves, ce doit être abominable.

– Oui, c'est très pénible. Mais je crois en la justice.

– Comment tenez-vous le coup ? À votre place, je ne sais pas si j'y arriverais.

– Notre petite-fille a besoin de nous, dit Hannah avec simplicité. Nous devons être forts, pour elle.

– Et comment va la fille de Lisa ? demanda Chanel d'un ton doucereux.

– C'est une enfant, elle ne comprend pas vraiment ce qui se passe. Mais sa maman lui manque.

– Assez, plus de questions, coupa Adam et, prenant sa femme par le coude, il l'entraîna à l'intérieur du tribunal.

Chanel se retourna vers la caméra.

– Le procès de Lisa Wickes commence à peine, nous le suivrons pour vous. Chanel Ali Jackson, en direct du palais de justice de Nashville, où le premier témoin de l'accusation s'apprête à prêter serment.

– Bon Dieu, j'ai horreur de tout ça, grommela Adam.

– Et moi donc ! J'ai l'impression d'être une bête de foire.

D'autres reporters les interpellèrent, tandis qu'ils s'avançaient vers le portique de sécurité puis pénétraient dans la salle d'audience. Serrant la main d'Adam, Hannah regardait droit devant elle.

Ils s'assirent derrière la table de la défense, et regardèrent la salle se remplir de journalistes et de curieux. Puis la porte, à la droite de l'estrade du juge, s'ouvrit et Lisa apparut, flanquée de deux gardes imposants. Ses cheveux frisés étaient propres, brillants, et formaient un halo autour de son visage au teint pâle. Elle portait la sage robe bleu marine et blanc achetée par Hannah, sur le conseil de l'avocate, et des chaussures à talons plats. Elle avait les poignets et les chevilles entravés. Voir sa fille dans ce tribunal, vêtue comme pour la messe de Pâques, et enchaînée, était si insupportable que Hannah laissa échapper un gémissement. Adam l'entoura de son bras et l'étreignit pour lui donner du courage.

On conduisit Lisa jusqu'à son siège, elle adressa un signe à ses parents, pouces levés. Hannah lui répondit par un sourire plein d'espoir. Adam hocha gravement la tête. Marjorie Fox se redressa pour accueillir sa cliente. De l'autre côté de l'allée, le procureur discutait avec ses assistants.

– Mesdames et messieurs, levez-vous ! claironna l'huissier.

Tout le monde se leva, le juge Endicott fit son entrée et prit place sur l'estrade.

– Qu'on fasse entrer les jurés, déclara-t-il.

Le silence se fit dans le prétoire. Lorsque les jurés furent installés dans leur box, le juge Endicott, ses demi-lunes sur le bout du nez, leur recommanda de suivre attentivement les débats, de prendre des notes, et de ne pas discuter de l'affaire jusqu'aux délibérations.

– Bien, commençons, conclut-il. Monsieur Castor, veuillez appeler votre premier témoin.

En l'occurrence, le policier arrivé le premier sur les lieux, après l'explosion du bungalow de Troy Petty.

– Le toit et une partie de la façade étaient détruits. Le corps de la victime était brûlé et mutilé.

– Quelle était la cause de l'explosion ? demanda le procureur.

– Il semble qu'il y ait eu une fuite de gaz sur un chauffe-eau. Or des bougies étaient allumées dans la maison. Le gaz s'est enflammé, ce qui a provoqué l'explosion. Une vraie bombe.

Des murmures coururent dans la salle.

– À ce moment-là, il n'y avait personne d'autre dans le bungalow ?

– Nous n'avons pas découvert d'autres victimes.

Marjorie Fox se leva pour interroger le témoin.

– Aurait-on pu laisser, par inadvertance, l'arrivée de gaz ouverte ?

– Eh bien, la veilleuse peut s'éteindre. Alors oui, cela aurait pu se produire. Mais quiconque se trouvant dans le bungalow aurait forcément été alerté par l'odeur de gaz.

Le procureur appela ensuite le Dr James Evans à la barre. Le légiste était un homme vieillissant, à la mine sérieuse, vêtu d'un costume bien coupé quoique démodé. Il prêta serment, énonça ses titres et qualités, puis décrivit avec des précisions atroces le cadavre de Troy Petty, qu'il avait examiné.

– Quelle était la cause du décès, selon vous ? demanda le procureur.

– La victime a succombé aux blessures dues à l'explosion.

– Avez-vous noté des blessures sans rapport avec l'explosion ?

– La victime présentait des lésions à la tête, probablement antérieures. Il a reçu un coup à l'arrière du crâne, porté à l'aide d'un objet contondant. Il était vraisemblablement inconscient au moment de l'explosion.

– A-t-on trouvé l'objet avec lequel on l'a frappé ?

– Oui, on a découvert près du corps une lourde lampe de bureau appartenant à la victime. Il y avait des traces de sang et de tissu épithélial sur le pied en cuivre.

Hannah ferma les yeux pour effacer l'image horrible qu'évoquait cette brutale description. Le témoignage du légiste était accablant, cependant il ne prouvait nullement la culpabilité de Lisa. Comment croire qu'elle ait pu frapper aussi violemment un homme de la carrure de Troy Petty ?

Adam serra dans la sienne sa main glacée.

Marjorie Fox s'approcha du témoin.

– Vous dites que M. Petty était inconscient au moment de l'explosion. Se pourrait-il qu'il ait été assommé par les débris qui lui sont tombés dessus ?

– C'est possible mais peu probable. On lui a asséné un coup sur le crâne.

– Vous dites que la lampe de bureau gisait sur le sol. Se pourrait-il qu'elle ait été arrachée de la prise électrique par l'explosion ? Se pourrait-il qu'elle ait été projetée en l'air et qu'elle ait heurté la tête de M. Petty ?

– C'est peu plausible.

– Mais il n'est pas impossible que M. Petty ait été blessé à la tête durant l'explosion.

– C'est improbable, mais ce n'est pas impossible, admit le Dr Evans.

Castor se dressa d'un bond.

– Si M. Petty était conscient au moment de l'explosion, comment expliquez-vous qu'il soit resté dans la maison sans remarquer que ça sentait le gaz ?

– Je ne l'explique pas, répondit le légiste. L'odeur devait être suffocante.

– Puis-je poursuivre, monsieur le juge ? protesta Marjorie.

Le juge acquiesça.

– Supposons, docteur Evans, que M. Petty était dehors, sur son ponton, en train de pêcher. Supposons qu'il est rentré dans le bungalow au moment de la déflagration.

– Il aurait été projeté à l'extérieur, objecta le légiste.

– Et s'il était entré, s'il avait senti l'odeur de gaz et tenté de ressortir ? Son corps aurait-il pu rester à l'intérieur du bungalow pendant l'explosion ?

– Ce n'est pas impossible, concéda le Dr Evans.

– Avez-vous pratiqué une analyse toxicologique ?

– Oui.

– Avez-vous constaté la présence d'alcool dans son organisme ?

– Effectivement.

– Cela vous a-t-il permis de déterminer s'il y avait intoxication alcoolique ?

– L'alcoolémie ne dépassait pas le taux légal.

– L'absorption d'alcool, enchaîna Marjorie Fox, enfonçant le clou, pouvait-elle rendre M. Petty incapable de mesurer le danger auquel la fuite de gaz l'exposait ?

– Cela aurait pu ralentir ses réflexes, néanmoins...

– Pas d'autres questions ! coupa l'avocate.

– Objection ! s'exclama le procureur. Le témoin doit être autorisé à terminer sa phrase.

– Objection retenue, dit le juge. Finissez votre phrase, docteur.

– Pour ne pas remarquer l'odeur, il aurait fallu que la victime soit inconsciente.

– Ou complètement ivre, persifla Marjorie Fox.

– L'avocate de la défense influence le témoin, s'insurgea le procureur.

– Je retire, dit poliment Marjorie Fox. Pas d'autres questions.

11

LE TÉMOIGNAGE DU CORONER et le contre-interrogatoire de Marjorie Fox conclurent la journée. Ce fut avec un regain d'espoir que Hannah et Adam quittèrent le tribunal. Il leur semblait que l'avocate avait retourné le témoignage du légiste à leur avantage, en montrant aux jurés que la mort de Troy pouvait avoir d'autres causes.

– Le doute raisonnable, dit Adam lorsqu'ils furent couchés et que Hannah se blottit dans ses bras.

Elle en fut réconfortée et, pour la première fois depuis des semaines, n'eut pas de mal à trouver le sommeil.

Le lendemain matin, quand ils entrèrent dans la salle d'audience, Lisa était déjà à la table de la défense au côté de son avocate, concentrée sur ses notes. Lorsqu'elle les vit arriver et s'asseoir juste derrière elle, les yeux de Lisa s'éclairèrent derrière ses lunettes. Elle sourit à Hannah qui lui caressa la joue.

– Comment vas-tu ?

– Bof, pas trop mal. Je lis. J'essaie de ne pas entendre les autres détenues qui gueulent à longueur de temps. Je me répète que ce sera bientôt fini.

– Espérons-le, dit Adam.

– J'ai trouvé qu'hier on s'en était très bien sortis, s'enthousiasma Lisa. Le légiste s'est embrouillé.

– Oui, dit Hannah. Au fait, Sydney t'envoie un baiser.

Lisa hocha la tête. À cet instant, Marjorie lui commanda de se retourner – le juge entrait dans la salle. Lisa croisa les doigts à l'intention de ses parents. Un symbole, pensa Hannah mal à l'aise, qu'on pouvait interpréter de différentes manières. « Pourvu que ça marche ! », ou bien : « Je me délie du serment de dire la vérité. »

La première personne que le procureur appela à la barre fut Vera Naughton, une voisine de Troy Petty. Décolorés sans pitié, ses cheveux ressemblaient à de la paille sous le serre-tête noir qui les retenait. Cette quinquagénaire accusait bien son âge. Elle avait de l'embompoint, était affublée d'un pantalon moulant noir, d'un haut imprimé de motifs criards, turquoise et noir, et chaussée de sandales à brides.

Déployant toute sa grâce, elle prit place dans le box des témoins et, quand le procureur lui demanda où elle habitait, se lança dans le récit de sa vie et des événements qui l'avaient amenée à vivre dans un bungalow, sur un chemin de terre au bord du lac J. Percy Priest.

– Beaufort, mon mari, avait acheté ce terrain pour qu'on y construise une maison et qu'il puisse sortir en bateau quand il en aurait envie. Il était contrôleur aérien à l'aéroport de Nashville, seulement voilà il a eu de l'asthme, et ensuite il s'est blessé au dos, et du coup il a dû prendre une retraite anticipée, et alors il…

– Madame Naughton, l'interrompit le procureur, expliquez-nous, succinctement, où se trouve votre maison par rapport au bungalow que louait Troy Petty.

Telle une écolière punie mais obéissante, Vera Naughton pointa du doigt le plan figurant parmi les pièces à conviction présentées par l'accusation.

– J'habite à deux pas de chez lui.

– Où, exactement ? Pouvez-vous nous le montrer ?

Vera se démancha le cou, se redressa à demi.

– Je peux ? demanda-t-elle timidement.

Comme le procureur acquiesçait, elle descendit du box et s'approcha du plan posé sur un chevalet. Elle se pencha, plissa les yeux...

– C'est minuscule... Ah, voilà ! s'exclama-t-elle en posant un index boudiné sur un point de la carte. C'est juste là.

Le procureur s'inclina galamment et, d'un geste, l'invita à regagner sa place.

– Revenons maintenant à la nuit du drame, le 8 mars. Avez-vous entendu l'explosion ?

– Et comment ! Ça a secoué toute ma maison. Je me suis précipitée dehors. La façade du bungalow de M. Petty s'était écroulée, et le reste était en feu. J'ai appelé le 911.

– Avez-vous vu quelqu'un dans les parages ?

– Non. Mais elle, je l'ai vue partir avant l'explosion.

– Qui avez-vous vu ?

– L'accusée. J'étais en train de couvrir la cage de mon cacatoès pour la nuit. J'ai jeté un œil par la fenêtre et je l'ai vue. Elle était au volant de sa voiture, elle partait à toute allure.

– Il s'agissait bien de l'accusée, vous en êtes certaine ?

– C'était bien elle. Je connais sa voiture, et elle, je l'ai reconnue. Elle passait souvent devant chez nous.

Marjorie Fox se leva, tira sur les pans de sa veste, et s'approcha du témoin auquel elle adressa un sourire aimable.

– Madame Naughton… avez-vous vu d'autres véhicules sur le chemin, cette nuit-là ?

– Non.

– Avez-vous l'habitude de passer vos soirées devant la fenêtre ?

– Ben non, évidemment ! gloussa Vera Naughton.

– Plusieurs voitures auraient donc pu passer sans que vous les remarquiez.

– Peut-être, oui. Mais elle, je l'ai bien vue. Elle venait souvent chez Troy. Quelquefois avec sa petite fille.

– L'explosion a eu lieu à vingt et une heures, selon vos propres dires. À quelle heure avez-vous vu Lisa passer en voiture ?

– Vers vingt heures trente. Mais je l'ai vue clairement. Il ne faisait pas encore nuit. Au printemps, à cette heure-là, il fait jour.

– Eh bien, en réalité, le 8 mars à vingt heures trente, la nuit était tombée. On n'est passé à l'heure d'été que le 10 mars.

– Je suis pourtant sûre que…, bredouilla Vera Naughton, désarçonnée.

– Il était peut-être dix-neuf heures trente, poursuivit l'avocate. Une heure et demie avant l'explosion.

– En tout cas, je suis certaine qu'il faisait encore jour, dit Vera Naugthon, penaude. Sinon, je n'aurais pas couvert la cage. Les cacatoès, pour dormir, il leur faut l'obscurité.

– Pas d'autres questions, asséna Marjorie Fox.

Hannah et Adam se regardèrent. L'avocate avait réussi à donner l'impression que le témoin n'avait qu'une très vague idée de la chronologie des événements.

– Le dossier de l'accusation s'écroule, lui chuchota Adam à l'oreille.

– Espérons-le, murmura Hannah.

Le témoin suivant, Joan Ferris, appartenait à la police scientifique, et faisait partie de l'équipe qui avait examiné la scène de crime. La jeune experte en explosifs était ravissante dans son tailleur noir, avec son chignon sage. Elle respirait le sérieux et l'assurance. Elle déclara que l'explosion était due à un vieux chauffe-eau – on avait ouvert le gaz en omettant d'enflammer la veilleuse. Le gaz s'était répandu dans la pièce et comme il y avait des bougies qui brûlaient, tout avait sauté. On avait récupéré le chauffe-eau, le bouton d'arrivée de gaz était sur « On ».

– Pouvait-il s'agir d'un accident ? demanda le procureur.

– Non, répondit Joan Ferris.

Lorsque Marjorie Fox procéda au contre-interrogatoire, elle demanda à l'experte si on avait relevé des empreintes sur le bouton d'arrivée de gaz.

– Il était impossible de relever des empreintes après l'explosion et l'intervention des pompiers qui ont éteint l'incendie.

– Vous avez affirmé que le chauffe-eau ne pouvait pas avoir été allumé par accident.

– En effet. Il faut enfoncer le bouton et le tourner.

– Mais serait-il possible qu'on ait ouvert le gaz et que, par distraction, on ait oublié d'enflammer la veilleuse ? Et donc que le gaz se soit répandu sans qu'on le remarque ?

– C'est effectivement possible. D'ailleurs c'est pour cette raison que, sur les chauffe-eau à gaz modernes, l'allumage est automatique. Pour éviter ce genre de problème.

L'avocate remerçia le témoin et se rassit. L'experte en explosifs n'avait pas affaibli la thèse de la défense, comprirent Hannah et Adam. En réalité, elle ne réfutait pas le scénario de l'accident.

– Pas trop mauvais pour nous, commenta Adam à voix basse.

Le témoignage suivant, en revanche, fut un rude coup. Un inspecteur de la police de Nashville passa les images de vidéosurveillance enregistrées dans l'agence bancaire voisine de l'hôpital. On y voyait nettement Lisa tendre le chèque à un employé, puis une carte d'identité, et enfin recevoir des billets.

– Comment êtes-vous entré en possession de ce film ? demanda le procureur.

L'inspecteur Hammond expliqua que l'employé, M. Bahir Zamani, avait appris la disparition de M. Petty par les journaux et avait de son propre chef remis le film de vidéosurveillance à la police.

On appela donc à la barre M. Zamani, un moustachu au teint basané.

– Avez-vous l'habitude de traiter avec le personnel de l'hôpital, de leur verser de l'argent liquide en échange de leurs chèques de salaire ?

– Nous le faisons quelquefois, si nous connaissons la personne qui se présente au guichet.

– Connaissiez-vous Troy Petty ?

– Oui, il était client depuis plusieurs années.

– Le soir du 8 mars, lorsque l'accusée vous a demandé d'encaisser en espèces le chèque de M. Petty, n'avez-vous pas trouvé cela quelque peu étrange ? À l'évidence, vous n'aviez pas affaire à M. Petty.

– Elle m'a dit qu'elle était la fiancée de M. Petty et qu'il lui avait demandé d'encaisser le chèque pour lui. De fait, je l'avais déjà vue avec lui. Et M. Petty avait endossé le chèque.

– Avez-vous reconnu sa signature ?

Zamani s'agita sur sa chaise.

– Eh bien… il m'a semblé que oui. Je ne mémorise pas la signature de tous mes clients.

– Donc, une jeune femme vous remet un chèque à l'ordre d'une autre personne et vous ne vérifiez même pas que c'est bien cette personne qui a endossé le chèque ?

– J'avoue que j'aurais dû vérifier, rétorqua M. Zamani avec un sourire contrit. J'ai été négligent parce que j'ai reconnu cette jeune femme. Elle est très séduisante.

Hannah regarda à la dérobée le visage ordinaire de sa fille, ses verres épais. Le compliment du témoin était excessif, néanmoins elle fut contente pour Lisa qu'on la complimente pour son physique.

– Si vous me permettez cette remarque, poursuivit le procureur, tout cela n'est pas très professionnel.

– J'en suis conscient, répondit Zamani en baissant les yeux sur ses mains, et j'en suis profondément désolé.

– L'inspecteur Hammond a déclaré que vous aviez confié le film de vidéosurveillance à la police.

– Tout à fait ! s'exclama Zamani, reprenant du poil de la bête. Je le leur ai apporté dès que j'ai vu à la télé que la maison de M. Petty avait explosé. Je me suis dit que c'était peut-être important.

– Merci, monsieur Zamani. Maître, je vous cède la parole.

Le regard étincelant, Marjorie vint se camper devant le funeste témoin.

– Ces images ont-elles été prises par une caméra cachée, monsieur Zamani ?

– Non, il y a un écriteau qui signale sa présence et deux écrans au-dessus du guichet.

– Par conséquent, si Lisa Wickes avait l'intention de commettre un acte répréhensible, ou illégal, elle aurait été stupide de se rendre dans une agence où elle était connue, et où elle allait être filmée.

– C'est bien ce qu'il m'a semblé, acquiesça Zamani. Oui, c'est exactement ce que je me suis dit quand j'ai accepté le chèque.

– Pas d'autres questions !

M. Zamani quitta le box des témoins et descendit l'allée. Il jeta un regard navré à Lisa, mais elle détourna les yeux, comme si elle ne voulait plus rien avoir à faire avec lui. Il baissa la tête – on aurait cru que c'était lui l'accusé.

Hannah rentra à la maison épuisée. Elle n'avait qu'une envie, se coucher dans le noir et dormir, mais il fallait s'occuper de Sydney.

Ils sortaient de la voiture, quand Rayanne les rejoignit. Hannah posa sa petite-fille sur la pelouse.

– Comment va Chet ? demanda-t-elle à son amie.

– On l'opère après-demain. Jamie prend l'avion ce soir.

– Sa présence réconfortera Chet.

– Oui... Il vient avec sa nouvelle petite amie.

– Oh, c'est bien. Ce doit être sérieux, alors.

– J'en ai l'impression.

– Ils te soutiendront, tant mieux. J'aimerais pouvoir faire plus, mais...

– Ne sois pas sotte, tu as suffisamment de soucis. Comment ça se passe ? Ils en ont parlé aux actualités, mais ils n'ont pas dit grand-chose.

– Je ne sais pas trop. Je préfère ne pas trop espérer. Mais plus on avance, plus les accusations contre Lisa paraissent discutables.

– Bientôt on fêtera tout ça, dit Rayanne d'un ton chaleureux.

Les deux femmes s'étreignirent, chacune se demandant si l'autre aurait réellement quelque chose à fêter.

12

LE PREMIER TÉMOIN convoqué par l'accusation le lendemain matin causerait des problèmes à Lisa, car il allait brosser un portrait élogieux et douloureusement intime de Troy Petty. Hannah en avait la certitude avant même d'entendre ses déclarations.

– Nous appelons Nadine Petty Melton, annonça le procureur.

Une jolie et fraîche jeune femme aux courts cheveux blonds prit place dans le box.

– Quels liens aviez-vous avec le défunt, madame Melton ?

Elle ravala un sanglot, s'excusa.

– Troy était mon frère aîné.

– Étiez-vous proche de lui ?

– Très proche. Après la mort de notre mère, c'est lui qui nous a élevés, mon petit frère Ronnie et moi. Je lui téléphonais toutes les semaines. Il venait souvent passer quelques jours chez nous. Troy était comme un père pour moi. Il se sentait responsable de nous deux. Ronnie et moi, nous étions sa seule famille, et il nous considérait comme ses enfants.

– Diriez-vous que votre frère était une personne négligente ? Qui aurait pu, par exemple, ne pas remarquer une fuite de gaz ?

Hannah s'étonna que le procureur pose une question aussi vague et que Marjorie Fox ne fasse pas objection.

– La sœur est très sympathique, chuchota-t-elle à Adam. Marjorie ne veut sans doute pas la bousculer.

Nadine secoua vigoureusement la tête.

– Certainement pas ! Mon frère était très consciencieux. Il était infirmier. Il était ordonné et minutieux.

– Vous avez donc été surprise qu'il ait laissé des bougies allumées dans une pièce où le gaz se répandait ?

– Jamais il n'aurait fait ça, répondit Nadine d'un ton catégorique.

– Connaissez-vous l'accusée, madame Melton ?

Celle-ci fit non de la tête. Le juge se pencha vers elle.

– Vous devez parler à haute et intelligible voix.

– Excusez-moi, balbutia-t-elle.

– Connaissez-vous l'accusée ? répéta le procureur.

– Je ne l'ai jamais rencontrée. Troy m'a parlé d'elle. Il n'en revenait pas qu'une fille aussi intelligente, qui allait devenir médecin, s'intéresse à lui. Encore moins qu'elle lui coure après, ce qu'elle a fait. C'était typique de Troy. Il n'avait pas confiance en lui.

– Cette relation le rendait donc heureux.

Nadine se tortilla sur son siège.

– Au début. Il n'arrêtait pas de nous chanter ses louanges. Et il adorait sa petite fille. Il a toujours aimé les enfants. Les gens en général. Il était infirmier. Il était gentil.

– Au début, dites-vous. Et ensuite, en quoi les choses avaient-elles changé ?

– Il n'en parlait plus beaucoup, mais je voyais bien qu'il était triste. Je lui ai demandé pourquoi, il ne m'a pas expliqué. En fait, il ne pouvait pas. « Je ne peux pas te le dire », je cite ses paroles exactes.

– Avez-vous été surprise d'apprendre que, le soir de l'explosion, l'accusée avait encaissé en espèces le chèque de salaire de votre frère ?

Le regard de Nadine se durcit.

– C'est un euphémisme.

– L'accusée a déclaré que votre frère lui avait donné ce chèque à encaisser car il lui devait de l'argent. Cela vous semble-t-il plausible ? Troy était-il négligent avec l'argent ?

– Absolument pas. Au contraire.

– Avait-il beaucoup de dettes ?

– Non. Il n'avait pas de dettes, il réglait son loyer en temps et en heure, son pick-up était payé. Il ne s'achetait jamais rien, il n'avait pas des goûts de luxe, et il ne jouait pas.

– Lui est-il arrivé de vous emprunter de l'argent ?

– À moi ? Jamais de la vie ! Il se privait pour nous aider, moi et mon frère. Je vous l'ai dit, il était comme un père pour nous.

– Merci, madame Melton. Le témoin est à vous, maître.

Marjorie Fox compulsa ses notes un instant, puis se leva. Elle s'approcha lentement du box et s'y appuya.

– Madame Melton, commença-t-elle d'un ton amical. Au moment du décès de votre mère, quel âge aviez-vous, vos frères et vous ?

– Moi j'avais cinq ans. Ronnie trois, et Troy douze.

– J'en déduis qu'à cette époque, votre frère n'était pas en âge de vous prendre en charge.

– Non, on est allés vivre chez notre père, qui ne voulait pas de nous, et ensuite chez nos grands-parents. Et après, quand il a eu l'âge légal, Troy est devenu notre tuteur.

– Une lourde responsabilité pour un garçon aussi jeune.

– Oui, effectivement.

– Je comprends que ce soit pour vous une terrible perte.

– Terrible, oui.

– Vous semblez vous en être bien sortie, malgré tous les bouleversements que vous avez subis durant votre enfance.

Nadine redressa fièrement la tête.

– Oui, je m'en suis bien sortie.

– Et votre jeune frère ?

– Pardon ?

Marjorie Fox balaya le prétoire du regard.

– Je ne le vois pas dans la salle, dit-elle doucement.

– Il n'a pas pu venir. Ronnie est… il est en foyer pour un certain temps.

– En foyer ? Vous voulez dire, un foyer d'accueil ?

– Non. Un centre de post-cure, marmonna Nadine.

– Et pour quelle raison ?

– Il a… des problèmes.

– De quel genre ?

– Il est… pharmacodépendant. C'est lui qui a eu le plus de difficultés. Parce que c'est le plus jeune.

– Je n'en doute pas, dit Marjorie Fox avec sollicitude. Votre frère Ronnie a donc séjourné récemment dans un centre de désintoxication. N'est-ce pas ?

Nadine haussa les épaules.

– Pouvez-vous répondre, madame Melton ?

– Oui.

– Et maintenant ? Est-il sevré ?

– Objection ! s'exclama le procureur. Sans rapport avec l'affaire.

Marjorie se tourna vers le juge Endicott.

– Le témoin a déclaré que son frère aîné les aidait souvent, son jeune frère et elle. J'attire votre attention sur le fait que venir en aide à un toxicomane peut être extrêmement onéreux. Cela pourrait expliquer qu'il ait emprunté de l'argent à l'accusée.

– Objection rejetée, décréta le juge. Que le témoin réponde à la question.

– Il… il essaie de tenir le coup, bredouilla Nadine, baissant le nez. Ce n'est pas simple.

– Ronnie aurait-il contracté une dette envers des dealers ? Une dette que, peut-être, il n'était pas en mesure de payer ? Une dette dont il se serait déchargé sur votre frère aîné ?

– Je ne sais pas ! dit Nadine avec colère.

– Quand vous avez appris que Troy était mort, n'avez-vous pas accusé votre jeune frère ?

– Je ne m'en souviens pas, articula Nadine.

– Connaissez-vous M. William Trumbull, conseiller en addiction au centre de post-cure Sunrise ?

Embarrassée, Nadine changea de position sur sa chaise.

– Oui. Et alors ?

Marjorie Fox se tourna vers le juge Endicott.

– Je souhaite donner lecture de la déposition de M. William Trumbull. Pièce à conviction 5-B. Ce témoin est dans l'impossibilité de se présenter devant ce tribunal, il travaille à présent dans un centre de post-cure à Talkeetna, en Alaska.

– Noté, dit le juge.

Le procureur sauta sur ses pieds, exigea d'examiner le document, puis finit par se rasseoir.

– Madame Melton, enchaîna l'avocate, M. Trumbull affirme que vous vous êtes querellée avec votre frère Ronnie à ce sujet. Il affirme vous avoir entendue dire à Ronnie que c'était peut-être ses, je cite, « minables copains camés » qui s'en étaient pris à votre frère Troy.

Hannah agrippa le bras de son mari.

– Comment elle sait ça ? murmura-t-elle.

– Elle a des enquêteurs. Elle est excellente.

Nadine pâlit et dévisagea l'avocate avec stupéfaction – elle aussi se demandait comment Marjorie Fox avait obtenu cette information.

– C'était une discussion privée.

– Est-ce bien ce que vous avez dit à votre frère Ronnie ?

– Je ne savais pas encore que Lisa avait contrefait la signature de Troy et qu'elle avait encaissé son chèque ! protesta la jeune femme.

– Donc c'est bien ce que vous avez dit.

– Oui, admit Nadine.

– Pas d'autres questions, conclut Marjorie Fox en regagnant la table de la défense.

– C'est ça, chuchota Hannah à Adam. Si ce n'était pas un accident, c'est ça. Je te parie tout ce que tu veux.

– Oui, ça doit être ça.

Ce soir-là, ils rentrèrent chez eux presque joyeux, ce qui ne leur était pas arrivé depuis longtemps. Les témoins cités par l'accusation s'étaient succédé, sans toutefois faire oublier l'aveu de Nadine concernant la toxicomanie de son jeune frère. La possibilité que Troy ait effectivement eu maille à partir avec des dealers constituait le doute raisonnable que Marjorie Fox cherchait depuis le début à établir. Cela expliquait que Troy ait emprunté à Lisa une somme équivalente à son salaire mensuel.

Adam but une bière pendant que Hannah préparait le dîner et que Sydney jouait près d'eux. Ils discutèrent des différents témoignages. Au bout du compte, celui qu'ils redoutaient tant avait fourni des éléments précieux pour la défense de Lisa.

Quand ils furent à table, ils portèrent un toast à l'avocate.

– Quel que soit le montant de ses honoraires, elle les aura mérités, commenta Hannah. Elle est fantastique. Elle a tout compris. Elle sait que Lisa est innocente, et elle le démontrera.

– Innocente, ne dis pas ça. J'aimerais qu'elle n'ait pas encaissé ce chèque...

– Tu as entendu la sœur. Le benjamin avait des ennuis. Les points soulevés par Marjorie aujourd'hui conduisent à une seule conclusion, tout à fait logique : Troy avait besoin d'une certaine somme, et Lisa la lui a prêtée. Même si elle n'en avait pas les moyens. Mais elle est impulsive, tu le sais.

– Je sais.

– Je sais, chantonna Sydney qui plongea un index dans sa purée.

– Tu t'en mets partout, lui dit gaiement Hannah.

– Attends qu'elle s'attaque au gâteau au chocolat, plaisanta Adam.

– Gâteau ! s'exclama Sydney, brandissant sa cuillère.

Hannah alla chercher le dessert, Adam essuya le menton de la fillette, puis ils reprirent leur conversation.

– C'est le seul scénario qui ait un sens, dit Hannah. Ce soir-là, Troy a bu un peu trop parce qu'il se faisait du souci pour son frère. Il était ivre, il s'est endormi, et il ne s'est pas rendu compte que ça sentait le gaz...

– Oui, c'est plausible. Vu ce qui a été révélé aujourd'hui, aucun jury ne pourrait la condamner, décréta Adam.

– Tout à fait, renchérit Hannah. Ce n'est pas possible.

– J'ai fini ! clama Sydney, la bouche barbouillée de chocolat.

Adam la souleva de sa chaise haute.

– Je crois que cette jeune fille a besoin d'un bon bain.

– Je le pense aussi, dit Hannah en souriant. Je me charge de la vaisselle.

Adam emporta une Sydney hilare dans la salle de bains, pendant que Hannah débarrassait la table. Par la fenêtre de la cuisine, elle vit que la lumière était allumée chez Chet et Rayanne. Pourtant il n'y avait pas de voiture dans l'allée. Sans doute Jamie était-il arrivé de Seattle. On opérerait Chet dans la matinée, et la famille devait être à son chevet pour passer avec lui ces pénibles heures d'attente.

Seigneur, songea-t-elle, protégez Chet et Rayanne. Comme vous nous avez protégés aujourd'hui.

Puis, plongeant les mains dans l'eau savonneuse, elle se mit à récurer les casseroles. Pour un peu, elle aurait siffloté. Lisa rentrerait bientôt à la maison. La justice triompherait.

Elle ferma un instant les yeux, savourant un bien-être qu'elle n'avait pas éprouvé depuis une éternité. Dans la salle de bains, Adam faisait des bruits de moteur, Sydney poussait des cris de joie.

13

– J'AI HORREUR DES HÔPITAUX, marmonna Adam, alors qu'ils se rendaient au Vanderbilt. Même si je n'y passe que cinq minutes, en visite, j'en ai horreur.

– Il faut pourtant y aller, rétorqua Hannah. Tiens, regarde, là-bas tu as une place.

– Je sais bien, dit Adam qui se gara. Je ronchonne, voilà tout. Rayanne a besoin de notre soutien, elle doit être à bout de forces.

– Heureusement qu'elle a Jamie. Oh, j'espère que tout ira bien pour Chet.

Ils entrèrent dans le hall et prirent l'ascenseur qui les déposa au troisième étage, où Chet avait sa chambre. Rayanne avait dit à Hannah qu'elle serait dans la salle d'attente. Il était prévu que Chet parte au bloc à sept heures. Hannah jeta un coup d'œil à la pendule, au-dessus de la porte du bureau des infirmières. Neuf heures. Normalement, le chirurgien en avait encore pour deux bonnes heures.

Rayanne était dans un coin de la salle, en compagnie de deux autres personnes. Quand elle les vit entrer, son regard triste s'éclaira. Hannah se précipita vers elle et la serra dans ses bras.

– Merci d'être là, dit Rayanne. Vous avez d'autres soucis, mais j'avoue que ça me fait du bien de vous parler.

– Aujourd'hui, l'audience ne commence qu'à dix heures. Nous voulions absolument passer t'embrasser. Des nouvelles ?

– Non... Une infirmière est venue nous dire qu'il y aurait du retard, mais qu'il ne fallait pas s'inquiéter.

Le jeune homme assis en face de Rayanne se leva. Il tendit la main à Adam.

– Bonjour, monsieur Wickes.

Adam lui donna l'accolade.

– Jamie ! Je suis content de te voir.

Le jeune homme se tourna vers Hannah, un grand sourire aux lèvres. Était-ce bien le gamin dégingandé qui jouait naguère avec Lisa ? s'étonna-t-elle. Il avait encore grandi et s'était étoffé. Elle l'embrassa.

– Bonjour, Jamie. Comment vas-tu ?

– On tient le coup. Je vous présente mon amie Greta, dit-il fièrement.

Hannah serra la main de la jeune femme blonde et fraîche. Elle avait des dents parfaites et un petit anneau dans la narine.

– C'est bien que vous ayez pu venir, tous les deux.

– Il n'était pas question de laisser maman affronter ça toute seule.

Hannah sourit à ce jeune homme qui respirait la confiance en soi. Quand les enfants sont petits, songea-t-elle, on n'imagine pas ce qu'ils deviendront. Naguère, Jamie ne paraissait pas appartenir à la race des vainqueurs, et voilà qu'il était à présent un garçon prometteur que sa petite amie couvait d'un regard admiratif, manifestement persuadée d'avoir décroché le gros lot.

– Tu as toujours été un bon garçon, Jamie.

Il rougit mais ne protesta pas. Rayanne étreignit la main de son fils.

– Je ne sais pas ce que j'aurais fait sans lui. Et sans Lisa, bien sûr. Nous lui sommes tellement reconnaissants. C'est elle qui a sauvé la vie de Chet, le jour où il s'est écroulé.

– Maman m'a raconté, dit Jamie. Heureusement que Lisa était là.

– Merci pour elle, répondit Hannah.

Ces éloges lui allaient droit au cœur. Ces derniers jours, on ne l'avait pas précisément abreuvée de compliments sur sa fille.

– Ta mère m'a parlé de ton nouvel emploi, repritelle. Elle est fière de toi, j'ai l'impression que tu as une très bonne situation.

– J'ai eu de la chance, dit-il modestement.

– Et tu te plais dans le Nord-Ouest ?

– C'est une région magnifique. On adore.

– Nous aurions préféré te revoir dans d'autres circonstances, dit Adam, mais c'est quand même un plaisir.

– Pareil pour moi.

– Nous aimerions rester avec vous, mais il nous faut partir, dit Hannah.

– Je comprends, la rassura Rayanne. C'est trop important.

– Je suppose que tu es au courant, pour le procès, dit Hannah à Jamie.

Une expression gênée se peignit sur le visage du jeune homme.

– Oui, ça m'a sidéré. Ce sont les voisins dont je t'ai parlé, dit-il à Greta.

Elle hocha gravement la tête.

– L'avocate de Lisa est remarquable, dit Adam. Elle a mis à mal la thèse de l'accusation. À mon avis, ils n'ont que des preuves circonstantielles. Mais cette histoire est un cauchemar. Nous avons hâte de pouvoir ramener Lisa à la maison.

– Elle doit témoigner ce matin, ajouta Hannah.

– En général, les avocats ne laissent témoigner l'accusé que s'ils le savent innocent, commenta doctement Greta.

– Greta est en premier année de droit, se rengorgea Jamie.

Hannah ne mentionna pas que Marjorie Fox avait déconseillé à Lisa de témoigner. « Vous avez vu ce qui s'est passé lors de l'audience pour la caution, elle est incontrôlable », mais Lisa s'était entêtée, arguant qu'elle avait le droit de se défendre. Marjorie avait dit à Hannah et Adam qu'elle la préparerait minutieusement et lui tiendrait la bride haute.

– Vous lui direz bonjour de ma part.

– Je n'y manquerai pas, Jamie, dit Adam.

– Je... euh... je vais vous chercher un café à la cafétéria ?

– Ne te donne pas cette peine, répondit Hannah.

– Ils ont peut-être envie de se dégourdir les jambes, fit remarquer Adam, comprenant que Jamie et son amie avaient sans doute envie de fuir un moment cette salle lugubre, puisque Rayanne n'était pas seule. Je prendrai volontiers un petit café, noir.

– Rien pour moi, dit Hannah. Merci, mon grand.

Jamie et Greta sortirent en se tenant par la taille, impatients de s'enlacer. Jeunes et amoureux, pensa Hannah avec indulgence.

– C'est une fille très bien, commenta Rayanne.

– Ça se voit, dit Hannah. Et Jamie le mérite.

L'audience de la matinée fut brève. Le procureur fit témoigner un expert en incendies. Il affirma que l'arrivée de gaz aurait pu rester ouverte deux heures seulement et, à cause du manque d'aération, provoquer néanmoins une explosion lorsque le gaz était entré en contact avec la flamme des bougies. Cela signifiait que même si le témoin oculaire – la femme qui avait vu Lisa partir en voiture – s'était trompé d'une heure, il était malgré tout possible que Lisa soit responsable du drame.

Le procureur présenta également une vidéo – la déposition de Claude Dupree, qui vivait à Hawaï où il travaillait dans un hôpital. Troy et lui étaient amis depuis l'école de formation en soins infirmiers. Ils s'étaient parlé le soir de l'explosion, juste avant l'arrivée de Lisa. Après l'obtention de leur diplôme, les deux jeunes hommes étaient restés liés, ils se contactaient régulièrement par Skype. C'était ce qu'ils avaient fait ce soir-là, et Troy lui avait annoncé qu'il comptait rompre avec Lisa.

« Je lui ai demandé pourquoi, ajoutait Claude Dupree. Je pensais qu'il en était amoureux. Mais Troy m'a dit que cette femme, Lisa, était nocive pour lui. Il m'a dit qu'il l'attendait, justement, et qu'il allait couper les ponts. »

Ce témoin était le dernier de l'accusation.

Le juge interrompit la séance, disant qu'elle reprendrait après le déjeuner avec l'audition du premier témoin de la défense. Il recommanda aux jurés de ne pas discuter de l'affaire, puis tout le monde quitta la salle.

Hannah et Adam se dirigèrent vers un snack ambulant et achetèrent un sandwich qu'ils mangèrent sur un banc, dans le parc en face du tribunal.

– Qu'as-tu pensé du dernier témoignage ? demanda Hannah.

Adam haussa les épaules, froissant dans sa main l'emballage de son sandwich.

– Ce n'est qu'une conversation, ça ne prouve pas grand-chose. Des propos en l'air, entre deux copains.

Hannah hocha pensivement la tête. Elle était anxieuse.

Ils montaient les marches du palais de justice quand elle entendit quelqu'un l'interpeller. Cela n'avait rien d'inhabituel à proximité du tribunal, et en principe Hannah faisait la sourde oreille de crainte que ce soit un journaliste. Mais cette voix lui parut familière. Elle se retourna et vit Jackie Fleischer qui approchait.

– Que faites-vous ici ? lui demanda-t-elle.

– Je viens assister à l'audience de cet après-midi, répondit la psychiatre. Histoire de vous soutenir moralement.

– Merci, dit Hannah, touchée. J'apprécie.

– J'espère que vous ne me trouvez pas indiscrète.

– Indiscrète ? Vous plaisantez. On étale notre vie sur la place publique. Je suis contente de voir un visage ami. C'est maintenant au tour de la défense de présenter ses témoins.

– Oui, j'ai entendu ça à la radio. Il semble que le dossier de l'accusation ne soit pas très solide.

– Espérons que le jury sera de cet avis. Entrons, vous n'aurez qu'à vous asseoir près de nous.

Et Jackie Fleischer les suivit, tandis qu'ils se frayaient un chemin jusqu'au prétoire.

En préambule, le juge Endicott rappela aux jurés qu'ils ne devaient pas se forger une opinion avant d'avoir entendu tous les témoignages, après quoi il donna la parole à Marjorie Fox.

– La défense appelle Lisa Wickes, déclara l'avocate.

D'une démarche décidée, Lisa alla prendre place dans le box des témoins. Elle portait un tailleur noir, un bandeau retenait ses cheveux et dégageait son visage. Elle ne faisait pas ses vingt ans, et elle paraissait sérieuse et appliquée. Elle jura solennellement de dire toute la vérité.

– Elle a l'air d'une gamine, murmura Jackie Fleischer.

– *C'est* une gamine, renchérit Hannah. Mais cette histoire lui fait prendre un coup de vieux. À elle et à ses parents.

– Mademoiselle Wickes, attaqua l'avocate, voulez-vous expliquer à la Cour comment et quand vous avez rencontré Troy Petty ?

– Nous nous sommes rencontrés en octobre dernier. Je suis en deuxième année d'internat de médecine à Vanderbilt, et Troy était infirmier diplômé à l'hôpital universitaire. Je suis souvent à l'hôpital, et un jour on s'est vus et... on s'est plu. Il est... enfin, il était séduisant. En principe, je n'attire pas les garçons comme Troy, dit Lisa avec dérision.

La sœur de Troy, Nadine, étouffa une exclamation écœurée, mais on entendit aussi dans la salle des petits rires indulgents.

– Vous avez donc commencé à vous fréquenter.

– Oui, quand je pouvais. Entre mes études et ma fille que j'élève seule, je n'avais pas beaucoup de temps.

– Pouvez-vous nous décrire votre relation avec M. Petty ?

– Eh bien, nous étions très proches. On est sortis ensemble pendant plusieurs mois.

– Un témoin a déclaré que, quand vous vous rendiez chez M. Petty, dans son bungalow du lac J. Percy Priest, vous ameniez quelquefois votre petite fille.

Vous ne craigniez pas que votre enfant s'attache trop à M. Petty, alors que votre relation risquait de ne pas durer ?

– Non, je ne m'inquiétais pas. Pas à ce moment-là, et pas pour ça. Elle aimait aller là-bas. L'endroit est agréable et Troy était gentil avec elle.

– Il postulait en quelque sorte pour le rôle de beau-père, suggéra Marjorie Fox.

– Objection ! intervint le procureur d'un ton las. On influence le témoin.

– Objection retenue.

– Je retire. Claude Dupree a déclaré que Troy Petty comptait rompre avec vous le soir de l'explosion. Vous en doutiez-vous, lorsque vous êtes allée chez lui ce soir-là ?

– On en avait déjà discuté au téléphone, répondit Lisa.

Des murmures surpris coururent dans la salle.

– Vous étiez donc au courant ?

– Oui.

– En étiez-vous contrariée ?

– Non. En fait, c'est moi qui ai parlé la première de rupture. Il y avait entre nous… des différences insurmontables. À mon avis, il a dit ça à son copain pour sauver la face. Mais il me devait de l'argent, et je suis allée chez lui pour qu'il me rembourse.

– Votre entrevue a-t-elle été houleuse ?

– Pas au début. En fait, je crois qu'il espérait me faire changer d'avis. Il avait entamé une bouteille de vin, allumé des bougies. Ça ressemblait plus à une scène de séduction que de rupture.

– Diriez-vous qu'il était ivre ?

– Non…, répondit Lisa avec lenteur. À ce moment-là, il n'avait pris qu'un verre ou deux. Mais j'ignore combien il en a bu après mon départ.

– Avez-vous été tentée, au cours de votre conversation, de renoncer à rompre avec M. Petty ?

– Non, déclara fermement Lisa. Absolument pas.

– Lors de cette dernière rencontre, M. Petty vous a donc de son plein gré remis son chèque de salaire ? C'est bien ça ?

– Il n'était pas ravi. Mais il me devait de l'argent, il le savait bien. Quand il a compris que je ne changerais pas d'avis au sujet de notre rupture, il m'a jeté le chèque à la figure et m'a dit de partir. J'ai pris le chèque et je suis partie.

– Avez-vous ouvert l'arrivée de gaz du chauffe-eau avant de quitter le domicile de Troy Petty ?

– Non, je ne l'ai pas fait, dit solennellement Lisa.

– Etiez-vous en colère et désireuse de vous venger de M. Petty parce qu'il avait rompu ?

– Non, je vous le répète, c'est moi qui ai rompu. Je voulais juste ne plus le voir.

– Merci, conclut l'avocate qui se tourna vers le procureur. Le témoin est à vous.

Le procureur eut une mimique réjouie, comme si Marjorie Fox lui offrait un cadeau. Mimique qui céda la place à une expression de consternation lorsqu'il s'approcha du box.

– Voilà qui fait beaucoup de on-dit, mademoiselle Wickes. M. Dupree, dans son témoignage, a déclaré que M. Petty avait l'intention de rompre avec vous. Et maintenant, comme M. Petty n'est plus là pour contester votre version des faits, vous prétendez avoir pris l'initiative de cette rupture.

– C'est le cas, répliqua Lisa, impassible.

– Si je comprends bien, mademoiselle Wickes, vous êtes une mère célibataire, et vous vivez chez vos parents avec votre fille. Vous n'espériez pas trouver en M. Petty un beau-père pour votre enfant ? Vous n'espériez pas quitter la maison de vos parents pour vous installer chez M. Petty ?

– Non.

– Moi, je pense au contraire que vous l'espériez. Sinon, pourquoi auriez-vous emmené votre fille chez lui ?

– Je voulais passer mon temps libre avec elle. Et Troy Petty habitait au bord du lac. C'était agréable. Il lui apprenait à pêcher.

– Une mère célibataire, très jeune, encore étudiante, avec des dettes sur le dos pour ses études. Obligée de vivre chez ses parents. Trouver un homme qui accepte de se charger d'un tel fardeau… c'était quasiment impossible.

– Si on regarde les choses sous cet angle, rétorqua froidement Lisa, je ne suis peut-être pas un bon parti.

Il y eut des rires dans l'assistance, soulagée qu'on lui offre un instant de répit.

– Il n'y a rien de plus redoutable, dit-on, qu'une femme bafouée. Ne vous êtes-vous pas sentie profondément trahie, quand M. Petty a mis un terme à votre relation ? N'avez-vous pas saisi un objet bien lourd – la lampe de bureau en cuivre, par exemple – pour lui asséner un coup sur la tête ? N'avez-vous pas ouvert l'arrivée de gaz avant de vous en aller avec le chèque ? Pour vous venger parce qu'il vous laissait tomber ?

– Non, pas du tout. Je suis partie le plus vite possible. Il était dangereux.

– Je vois. Comme il ne peut plus se défendre, vous prétendez que Troy Petty vous a… quoi donc ? Frappée ? Avez-vous alerté la police, fait soigner vos blessures ?

– Je n'ai pas été blessée. Il ne m'a pas frappée. Mais il était bel et bien dangereux. Il avait certains…

penchants sexuels dont j'ignorais tout au début et qui étaient... dégoûtants.

– Allons, mademoiselle Wickes, ironisa le procureur, roulant des yeux. Vous êtes étudiante en médecine. Vous n'êtes pas une oie blanche, je suppose. Il vous suffisait de dire non.

Lisa baissa la tête, prit sa respiration.

– Il ne m'a pas demandé mon avis.

Le procureur haussa les sourcils. Il était à l'évidence enchanté que Lisa reconnaisse avoir eu un mobile, outre l'appât du gain. D'un autre côté, il ne savait pas trop ce qu'elle allait dire. Il hésita, se demandant visiblement s'il ne fallait pas arrêter là son interrogatoire. Mais il décida de poursuivre.

– Il ne vous a pas demandé votre avis ? Vous voulez dire qu'il a abusé de vous ? Est-ce pour cette raison que vous l'avez tué ?

Lisa le regarda droit dans les yeux.

– Je ne l'ai pas tué, déclara-t-elle posément. Mais si je l'avais fait, personne ne me l'aurait reproché. Il a attenté à la pudeur de ma fille de deux ans, je l'ai pris sur le fait.

14

– SALE MENTEUSE ! s'écria Nadine Melton dans la salle.

Lisa la regarda sans ciller, un brouhaha s'éleva dans le prétoire. Hannah, en proie à un étourdissement, se tourna vers Adam qui, lui aussi, était bouche bée. Soudain, tout s'éclairait. Voilà donc pourquoi Lisa avait été si peu touchée par la mort de Troy. Encaisser son chèque paraissait futile comparé à l'odieuse attitude de ce garçon. Hannah était révoltée, submergée par une bouillante colère.

– Silence ! tonna le juge en abattant son marteau.

Mais Nadine ne se laissa pas museler.

– Vous êtes monstrueuse ! Comment osez-vous dire des horreurs pareilles sur mon frère ? C'était un saint ! Il n'aurait jamais, jamais…

– Huissier, faites sortir cette dame ! ordonna le juge, furieux.

L'huissier, un homme trapu en uniforme, fondit sur Nadine, la soulevant littéralement de son siège. Elle se débattit, protesta. Il dut la pousser hors de la salle.

– Waouh, fit Jackie Fleischer en agrippant le bras de Hannah. Elle ne vous en avait jamais parlé, ni à vous ni à votre mari ?

– Il aurait tué ce jeune homme de ses mains, répondit Hannah.

Tout à coup, une idée terrible lui traversa l'esprit. Elle se tourna vers Adam.

– Elle ne t'avait pas… Tu ne le savais pas ?

– Tu plaisantes ? Je lui aurais arraché la tête, marmonna-t-il.

Sa colère n'était pas feinte, ce qui la rassura.

– Non, nous ne nous doutions de rien, dit-elle à la psychiatre.

Le procureur, qui avait involontairement joué le jeu de la défense en révélant un fait aussi déplorable, réagit rapidement. Dès que le calme revint dans la salle, il passa à l'attaque.

– Vous dites, mademoiselle Wickes, que M. Petty a violé votre fille ?

Lisa soutint tranquillement son regard.

– Non, je dis qu'il était nu et qu'il se conduisait de manière indécente. Je pense qu'il avait l'intention d'abuser d'elle.

– Vous pensez… S'il y avait effectivement eu viol, vous l'auriez fait constater. Or il n'y a pas de preuve, n'est-ce pas ?

– Non, puisque cela ne s'est pas produit. J'y ai veillé.

– Pas de preuve, donc, répéta le procureur avec un petit sourire satisfait. Chercheriez-vous à discréditer M. Petty afin d'excuser vos propres actes ? Vous pouvez raconter ce que bon vous semble, il n'est plus là pour vous contredire. N'avez-vous pas inventé cette histoire pour détourner l'attention de votre crime ?

– Non, déclara Lisa, toujours aussi calme. Il voulait s'en prendre à elle. Et naturellement il n'était pas question que je le revoie. Je souhaitais juste récupérer mon argent.

– M. Petty ne voulait-il pas plutôt rompre avec vous ? Cela ne vous a-t-il pas rendue à ce point furieuse que vous l'avez assommé et qu'ensuite vous avez ouvert le gaz et provoqué l'explosion qui lui a été fatale ? Non sans avoir au préalable pris son chèque et imité sa signature.

Le dos bien droit, Lisa demeura immobile, silencieuse, l'air peiné.

– Non.

– Vous essayez de salir un homme innocent qui ne peut plus se défendre, n'est-ce pas ? Parce que vous êtes acculée !

Marjorie se leva d'un bond.

– Objection ! On cherche à intimider le témoin.

– Objection retenue.

Le procureur eut une grimace de dégoût.

– Pas d'autres questions.

L'avocate remercia Lisa, puis appela à la barre un dénommé Carl Halloran, un athlétique quinquagénaire. Il prêta serment et s'assit.

– Monsieur Halloran, pouvez-vous nous dire quelle est votre activité professionnelle ?

– Je dirige la colonie de vacances des Tournesols à Rider Lake.

– Parlez-nous un peu de cette colonie de vacances.

– Eh bien, c'est une association caritative, financée uniquement par des fonds privés. Je l'ai créée lorsque ma femme et moi avons perdu notre… notre fils Gregory. Il avait sept ans.

Le témoin s'interrompit, s'efforçant de surmonter son émotion. Le silence se fit dans la salle.

– Les Tournesols accueillent des enfants atteints de maladies graves, reprit-il. Ils viennent passer chez nous quelques semaines de détente, avec des enfants comme eux. Nous avons de nombreux équipements pour les handicapés. Et nous employons du personnel soignant et des médecins disponibles en permanence.

– Troy Petty a-t-il travaillé aux Tournesols ?

– Oui, madame. Il y a quelques années.

– Etiez-vous satisfait de ses services ?

– Tout à fait. Il semblait très attaché à nos petits pensionnaires. Il m'a dit que travailler chez nous lui avait donné l'envie de devenir infirmier.

– Mais alors, si tout se passait bien, pourquoi a-t-il quitté votre association ?

– Une pensionnaire a répandu sur son compte certaines allégations.

– Des allégations de quelle nature ?

– Objection ! s'écria le procureur. M. Petty a-t-il été mis en examen pour agression sexuelle ?

Le juge se tourna vers Carl Halloran.

– Répondez à la question, monsieur.

– Eh bien, non, ce n'est pas allé jusque-là.

– Ce ne sont que des rumeurs, monsieur le juge ! s'indigna le procureur. Je me permets de rappeler que, dans cette affaire, M. Petty est la victime et non l'accusé.

Marjorie Fox reprit la parole.

– C'est M. le procureur qui a ouvert la boîte de Pandore en prétendant que ma cliente inventait cette histoire nauséabonde afin de se disculper. M. Halloran a des informations pertinentes à apporter, qui étayent les déclarations de ma cliente concernant la personnalité de M. Petty.

Le juge acquiesça.

– Je vous autorise à poursuivre, maître, mais ne dépassez pas les bornes.

– Quel âge avait cette pensionnaire, monsieur Halloran ?

– Elle avait sept ans.

– Et qu'a-t-elle dit sur M. Petty ?
– Elle l'a accusé d'attouchements sexuels.
Des exclamations fusèrent dans la salle.
– Cette accusation a-t-elle conduit à une arrestation ?
– Non.
– Pourquoi ?
Mal à l'aise, Carl Halloran se trémoussa sur son siège.
– Les parents n'ont pas voulu porter plainte. Leur enfant était gravement malade, elle a été hospitalisée tout de suite après. Ils ont considéré que subir un interrogatoire serait traumatisant pour elle.
– Par conséquent la police n'est pas intervenue ?
– Non. Mais j'ai immédiatement licencié M. Petty.
– Bien que la police n'ait pas ouvert d'enquête sur cette agression présumée.
– Oui. Troy clamait son innocence, mais j'ai dû prendre une décision. Je ne pouvais pas courir le risque qu'un incident pareil se reproduise. Je l'ai donc licencié sur-le-champ.
– Merci, monsieur Halloran.
L'avocate se tourna vers le procureur et, avec un sourire rusé :
– Le témoin est à vous.
– Il a agressé une enfant ? chuchota Hannah, effarée. Seigneur… Vous imaginez ce qui aurait pu arriver à Sydney ?
– Le procureur n'osera pas interroger plus avant le témoin, commenta Jackie Fleischer à voix basse. La réponse pourrait aggraver encore la situation. Vous voyez son assistant qui a le nez sur son iPad ? Le procureur lui a demandé de chercher des renseignements sur l'affaire. Il est tombé dans le piège, il ne peut s'en prendre qu'à lui-même

– Vous parlez comme une avocate.

– J'ai l'habitude des tribunaux, il m'arrive souvent de témoigner dans des affaires familiales, quand il s'agit de la garde des enfants. Il y a une règle chez les avocats : ne jamais poser une question dont on ne connaît pas la réponse.

Le procureur se leva, darda un regard noir sur le témoin. À l'évidence, il méditait sur cette règle qu'évoquait la psychiatre.

– Pas d'autres questions, dit-il à contrecœur. Je me réserve le droit de rappeler le témoin.

– C'est noté, rétorqua le juge.

Carl Halloran quitta le prétoire.

– Quand je pense que j'étais contente que Lisa ait rencontré ce garçon, dit Hannah à Adam.

– Quel salaud, marmonna-t-il avec dégoût.

L'audience du jour s'achevait. Le directeur de la colonie de vacances avait inversé le cours des choses. Troy Petty n'avait peut-être pas été mis en examen, mais dans ce prétoire il avait désormais tout d'un coupable. Le juge annonça que la séance reprendrait le lendemain matin.

– Qu'en pensez-vous ? demanda Hannah à Jackie Fleischer.

– C'est un sacré coup de théâtre.

– Vous avez choisi le bon jour pour assister aux débats, dit Adam, la mine sombre.

– Venez, Jackie. Je vais vous présenter.

Lisa et Marjorie Fox discutaient à voix basse. Quand Hannah s'approcha, toutes deux levèrent la tête.

– Vous avez été formidables, aujourd'hui, dit sincèrement Hannah. Lisa, je te présente mon amie Jackie. Je t'ai parlé d'elle, nous travaillons ensemble.

– Le spectacle vous a plu ? dit Lisa d'un air satisfait.

Cette formulation fit tiquer Hannah.

– C'est terrible. Je ne pouvais pas y croire, répondit-elle.

– Elle a été parfaite, n'est-ce pas ? dit Marjorie Fox en souriant à sa cliente.

– Oui, tu t'en es très bien sortie, Lisa. Mais pourquoi nous avoir caché que Troy était… comme ça ? demanda Hannah.

– Maman, je n'en avais aucune idée, pas avant de le surprendre avec Sydney. Mais peu importe. Ça change tout, n'est-ce pas ? dit Lisa, quêtant l'approbation de son avocate.

– Nous ne sommes pas encore tirées d'affaire.

Adam posa la main sur l'épaule de sa fille.

– Tu aurais dû m'en parler. Quand j'y pense, j'ai envie de le…

– C'est justement pour ça que je me suis tue, rétorqua sèchement Lisa. J'avais peur de ce que tu pourrais lui faire. Même s'il l'aurait mérité.

– Ne dis pas ça, protesta Hannah, même pour plaisanter.

Les gardes se campèrent devant la table de la défense, indiquant à Lisa qu'il était l'heure de regagner la prison. Elle les suivit, sourit à ses parents et leva les pouces. Hannah lui envoya un baiser.

Puis, en compagnie de Jackie et d'Adam, elle quitta la salle d'audience.

– J'ai hâte que ce cauchemar soit fini et qu'on puisse la ramener à la maison.

– Je crois qu'on voit le bout du tunnel, dit Adam.

Ils traversaient le hall du palais du justice quand soudain ils furent accostés par la sœur de Troy Petty.

– Votre fille est une menteuse, leur dit-elle, les larmes aux yeux. Elle salit la mémoire de mon frère pour sauver sa peau.

Adam, d'ordinaire si calme, explosa :

– Madame, votre frère était un pervers ! On en a eu la preuve aujourd'hui.

– Ce n'est pas vrai ! riposta Nadine Melton qui se mit à pleurer.

– Vous étiez au courant de cette histoire, à la colonie de vacances ? demanda Adam.

– Non, mais ça ne devait pas être si grave, sinon...

– C'était grave pour la petite qu'il a agressée, coupa Adam d'un ton dur.

Hannah le prit par le bras.

– Viens, chéri, n'entre pas dans cette discussion. Laissons nos différends ici, au tribunal. S'il vous plaît, madame Melton. Nous n'avons rien contre vous, je suis persuadée que vous ne vous doutiez de rien. Votre frère m'a toujours été sympathique, moi non plus je n'aurais jamais imaginé une chose pareille.

– Parce que c'est faux ! C'était quelqu'un de bien, de gentil. Jamais il n'aurait fait de mal à un enfant.

– Mais vous étiez au courant de cette histoire, à la colonie ? insista Adam.

– Troy n'a pas été mis en examen. Et la police ne l'a pas arrêté !

– Les parents ont refusé que leur petite fille subisse une enquête. Qu'ils n'aient pas porté plainte ne signifie pas que cela ne s'est pas produit. Leur enfant était trop gravement malade pour que ces gens perdent leur temps en procédures.

– Viens, Adam, répéta Hannah. N'envenimons pas la situation.

– Comment ça pourrait être pire ? s'insurgea Nadine Melton. Troy est mort, et maintenant votre fille, cette menteuse, cette manipulatrice, le traîne dans la boue. Elle raconterait n'importe quoi pour se blanchir. Chacune de ses paroles est un mensonge.

– Alors là, j'en ai assez de..., gronda Adam.

Un journaliste, qui traînait dans le hall avec quelques-uns de ses collègues, les vit en train de se disputer, et se dirigea vers eux. Les autres lui emboîtèrent le pas.

– Il faut partir, dit Hannah. Viens.

Elle tira Adam par le bras, mais il résista, refusant d'en rester là avec Nadine Melton. Jackie Fleischer, qui n'était pas intervenue jusque-là, aida Hannah à pousser Adam vers la sortie.

– Laisse tomber, dit Hannah. La vérité lui est insupportable.

Dehors il faisait une chaleur torride. Ils descendirent les marches à toute allure, et eurent bientôt semé les journalistes. Quand ils furent sur le parking, Hannah dit à la psychiatre :

– Merci d'être venue nous soutenir.

Adam la remercia également et monta dans la voiture. Hannah allait l'imiter, mais Jackie Fleischer resta immobile, tripotant ses clés d'un air pensif.

– Qu'y a-t-il ? lui demanda Hannah.

– Je réfléchis... Et il vous faut réfléchir, vous aussi. Peut-être Sydney a-t-elle dit quelque chose.

Hannah fronça les sourcils.

– Comment ça ? Je ne vous suis pas.

– Si Troy était un pédophile, il a peut-être eu des gestes déplacés avec Sydney, et peut-être plus d'une fois, avant que Lisa ne découvre ses... penchants. Encore que je ne vois pas comment il aurait pu passer du temps seul avec votre petite-fille.

Hannah sentit le feu lui monter aux joues. Tiffany avait dit que Troy venait parfois chercher Sydney. Qu'il l'emmenait à la pêche pendant que Lisa bûchait.

– Oh, mon Dieu...

– C'est arrivé qu'il soit seul avec elle ?

Hannah s'appuya contre la voiture. Le métal surchauffé la brûla à travers sa jupe de soie, des gouttes de sueur roulèrent sur ses tempes.

– Comment peut-on savoir ? balbutia-t-elle.

– S'il a abusé d'elle ? C'est ça ?

Hannah opina, fixant sur Jackie un regard affolé. La psychiatre poussa un soupir.

– Je pourrais lui parler. J'ai un peu d'expérience dans ce domaine.

– Vous le feriez ? Oh, l'idée que… Ça ne m'a même pas effleurée…

– Je viendrai parler un peu avec elle, Hannah.

– Ce soir ?

– Je vous appellerai.

Elles s'étreignirent les mains.

– Essayez de ne pas vous mettre martel en tête.

Jackie s'éloigna, Hannah monta dans la voiture et boucla sa ceinture. Une image envahissait son esprit : Lisa quittant le prétoire, les pouces levés en signe de victoire. Quand elle avait compris que Troy était un pervers, pourquoi n'avait-elle pas alerté la police ? Pourquoi avait-elle seulement songé à se rendre chez lui pour récupérer l'argent qu'il lui devait ? Cela aurait dû être le cadet de ses soucis.

– Hannah ? fit Adam.

– Jackie vient de soulever une question atroce… à laquelle nous devons réfléchir.

Les mains sur le volant, Adam regarda droit devant lui.

– Je ne veux même pas savoir de quoi il s'agit, murmura-t-il.

Mais, s'armant de courage, il se tourna vers Hannah.

– Bon, vas-y… Dis-moi.

15

HANNAH REGARDAIT sans le voir le ballet de voitures devant la maison des Dollard. Chet serait-il sorti de l'hôpital ? se demanda-t-elle vaguement. Depuis qu'ils étaient rentrés, elle n'avait pas bougé de son fauteuil, paralysée par l'angoisse. Elle n'avait pas préparé le dîner. Elle tenait Sydney sur ses genoux, refusant de la lâcher. La fillette, après une journée chez la nounou, semblait contente de rester là, blottie contre sa grand-mère, à jouer avec une peluche.

Son téléphone portable, posé sur la table de la salle à manger, se mit à sonner, mais elle n'eut pas la force de se lever. Adam vint répondre à sa place.

– C'est Jackie, lui dit-il.

– Je n'ai rien prévu pour le dîner, je suis désolée.

– Je vais nous acheter de quoi manger, dit-il en lui tendant le mobile. Tu te reposes tranquillement.

– Merci, chéri. Allô, Jackie ?

– Oui, c'est moi.

– Vous venez voir Sydney ?

– Je ne crois pas, non. J'y ai repensé, et il ne me semble pas que ce soit une bonne idée.

– Mais pourtant vous disiez que…

– Il ne faut pas faire les choses à la va-vite, n'importe comment. Or je ne suis pas spécialiste de la petite enfance. Je vais vous donner les coordonnées d'un excellent pédopsychiatre.

– Vous ne pouvez pas vous en charger, vous êtes sûre ? Je préférerais que ça reste entre nous.

– Je ne me sens pas à mon aise, et je risquerais de faire plus de mal que de bien. Vous voulez bien noter le numéro de ce médecin ?

– D'accord.

Hannah nota le nom et le numéro qu'elle s'empressa d'oublier sitôt qu'elle eut raccroché. Tant de questions se posaient. Avait-elle seulement le droit d'emmener Sydney chez un pédopsychiatre ? C'était Lisa, la mère, elle pourrait s'y opposer.

Mais, en réalité, le problème n'était pas là. Lisa avait confié son enfant à un homme dont elle ignorait à peu près tout. Qu'adviendrait-il si le pédopsychiatre assimilait son imprudence à de la négligence ? S'estimerait-il tenu de faire un signalement ? Et si jamais on décidait de retirer Sydney à sa mère ? Ils n'avaient vraiment pas besoin de ça pendant le procès.

Hannah réfléchissait, et Sydney commençait à s'agiter, lorsque le téléphone sonna de nouveau.

– Hannah ! lança une voix autoritaire.

– Bonsoir, maman.

Elle se représenta sa mère, dans son fauteuil électrique, en train de regarder Fox News.

– Comment vas-tu ? ajouta-t-elle.

– Il faut que tu viennes tout de suite, déclara Pamela d'un ton sans réplique.

– Maman, je suis vidée. Ça ne peut pas attendre ? Nous avons passé la journée au tribunal. Adam est allé chercher de quoi dîner, ensuite je dois coucher Sydney. Je suis tellement épuisée que...

– Tu viens tout de suite ! Il s'agit de ta fille.

– Eh bien quoi ? Dis-moi ce qu'il y a.

– Il y a ici quelqu'un que tu dois voir. Immédiatement.

Hannah fut tentée de ne pas répondre à cette impérieuse convocation. Mais cela concernait Lisa. Et jamais sa mère n'avait été si insistante, cela ne lui ressemblait pas.

– Tu veux aller chez Nana ? demanda-t-elle à Sydney, concentrée sur son jouet.

– Non, décréta la petite.

– Je n'en ai pas envie non plus, soupira Hannah.

Adam rapporta des crevettes et de la polenta, et promit de coucher Sydney afin que Hannah se rende chez sa mère.

– Je pourrais y aller demain matin, s'excusa-t-elle, mais je risquerais de manquer l'audition des témoins de la défense. Il faut que je sois au tribunal.

– Ta mère a un sens de l'à-propos qui n'appartient qu'à elle..., ronchonna Adam. Vas-y, on se débrouillera très bien. Mais bois un café pour ne pas t'assoupir au volant.

– J'en prendrai un en route.

Fidèle à sa parole, Hannah s'arrêta pour acheter un café à emporter. Vingt minutes après, elle arrivait à La Véranda. La nuit était douce, les grillons chantaient et le clair de lune argentait le bassin creusé devant le bâtiment principal. Un instant, Hannah se remémora les nuits d'été au bord du lac, et regretta de n'être plus la jeune fille d'autrefois, insouciante et fantasque. Ce temps était hélas révolu.

Elle entra dans la résidence et se dirigea vers l'appartement de sa mère, qui ouvrit la porte au premier coup de sonnette.

– Tu en a mis, du temps, l'accusa-t-elle.
– Je suis là, c'est l'essentiel.

Hannah allait franchir le seuil, mais Pamela lui intima de s'écarter. Vêtue de pied en cap en lin bleu ciel, couronnée de sa chevelure neigeuse, elle fit sortir son fauteuil dans le couloir.

– Où allons-nous ? demanda Hannah.
– Chez Christina Shelton.

Hannah ravala un soupir. Christina Shelton était, aux yeux de Pamela, l'exemple même de la femme traitée par sa famille avec le respect que lui était dû. Veuve d'un sénateur gentleman farmer, elle était fragile et infirme, mais ses enfants avaient à cœur de satisfaire ses moindres désirs, avant même qu'elle les exprime.

– Bon, comme tu veux.

Pamela lui jeta par-dessus son épaule un regard noir.

– Tu vas comprendre. Suis-moi.

Et Hannah suivit le fauteuil électrique de sa mère, le long des couloirs menant à la partie du bâtiment où se trouvaient les deux et trois-pièces. Pamela s'arrêta enfin et toqua à une porte.

– Elle dort peut-être, dit Hannah, gênée.
– Sûrement.

Une garde-malade leur ouvrit. Vêtue d'une pimpante blouse rose, elle avait une trentaine d'années, de nombreux kilos en trop et des cheveux décolorés coupés très court. Elle posa un doigt sur ses lèvres.

– Elle dort.
– Ça je le sais, rétorqua Pamela avec impatience. C'est vous que nous venons voir. Voici ma fille, la mère de Lisa.

Surprise, la jeune femme sourit à Hannah et lui tendit la main.

– Bonsoir. Je suis Wynonna Clemons.
– Enchantée.
– Hannah doit entendre ce que vous avez à dire, Wynonna.
La garde-malade grimaça.
– C'est que… je ne dois pas laisser Mme Shelton.
– Si elle a besoin de vous, elle vous fera appeler. Allez voir si tout va bien et rejoignez-nous au salon.
– D'accord, dans cinq minutes, répondit Wynonna qui referma la porte.
– Trois pièces, dit Pamela en hochant la tête. Tout le monde devrait avoir trois pièces.
Là-dessus elle fonça vers le vaste salon de repos, pilotant son fauteuil sur le plancher luisant, couleur caramel, entre les bergères et les guéridons en acajou. Elle indiqua un sofa recouvert de tapisserie, une imitation de Duncan Phyfe. Hannah s'y assit.
– Explique-moi, maman. Pourquoi faut-il que je parle à la garde-malade de Mme Shelton, ce soir, alors que je suis exténuée ?
– Wynonna Clemons était infirmière à l'hôpital Vanderbilt. On l'a priée d'aller voir ailleurs, parce qu'elle est venue plusieurs fois travailler avec une haleine qui empestait la bière.
Hannah haussa les sourcils.
– Oh, ne prends pas cet air choqué. C'est Christina qui me l'a dit. Ses enfants ont estimé que leur mère avait besoin d'une garde-malade à plein temps, et de son côté Wynonna avait besoin de travailler. Elle a un mari invalide et deux gosses. Les enfants de Christina lui ont fait passer un entretien, plusieurs même, et ils ont jugé qu'elle ferait l'affaire. De fait, Christina et elle s'entendent à merveille.
Tant mieux pour les enfants de Christina, ces petits saints, pensa Hannah qui grinçait des dents. Elle lança

un coup d'œil à la pendule en laiton. Elle aurait voulu rentrer chez elle, embrasser Sydney et se coucher auprès d'Adam. La journée du lendemain ne serait pas de tout repos.

– Je ne doute pas que ce soit une agréable jeune femme.

– S'il te plaît, Hannah, ne me parle pas comme à une demeurée. Je ne t'ai pas fait venir ici pour jeter des fleurs à une garde-malade.

– Il fallait vraiment que je vienne ce soir ? En plein milieu du procès ? Tu vois ces gens tous les jours. Alors pourquoi ce soir ?

– Il se trouve que je ne les ai pas vus, ces gens, depuis un bon bout de temps, parce que Christina a fait une mauvaise chute et qu'elle a passé ces derniers mois dans le service de soins de longue durée. Je t'en ai parlé, tu ne t'en souviens pas ? Et Wynonna s'occupait d'elle.

– Ah oui, je me rappelle, tu m'as dit qu'elle avait une fracture… du col du fémur ? Mais où était cette Wynonna dont on vante tant les mérites, quand Mme Shelton est tombée ?

– C'était son jour de congé. Et je te prierai de ne pas persifler.

– Désolée.

– Bref, Christina ne sort pas souvent de son appartement, mais aujourd'hui je les ai rencontrées dans la salle à manger. Wynonna avait envie de parler.

– Attention, la voilà.

Wynonna traversa le salon d'un pas pressé et se campa devant le sofa.

– Je peux ?

– Bien sûr, répondit Hannah. Asseyez-vous.

Wynonna s'installa tout au bord du siège.

– Votre maman est une grande dame, vous savez.

Hannah esquissa un sourire.

– Merci.

– Je disais justement à ma fille que vous avez travaillé au Vanderbilt.

– Oui, pendant sept ans. Ensuite j'ai été remplacée par un infirmier. L'homme que votre fille... connaissait.

Hannah comprit soudain la raison de sa convocation.

– Troy Petty.

– Exactement. Comme tout le monde, j'ai entendu parler du procès. Mais ce n'est que lorsque Mme Shelton m'a dit qu'on accusait la petite fille de Mme Hardcastle de l'avoir tué que j'ai fait le rapprochement avec votre fille.

– Ah, vous connaissiez donc Troy Petty, commenta Hannah d'un ton las.

– Non, pas du tout, rétorqua Wynonna, surprise. Ils m'ont bien eue, à l'hôpital. Ils l'avaient déjà sous la main, ce type, quand ils m'ont virée.

– Je me doute que ça n'a pas été facile, compatit Hannah.

Elle se demandait pourtant si sa mère avait encore toute sa tête. Pamela lui avait ordonné de venir sur-le-champ rencontrer une femme qui avait perdu son emploi. À juste titre, apparemment, car elle avait un problème d'alcool.

– Un pédophile. Ils m'ont remplacée par un pédophile. C'est une honte. Vous ne trouvez pas, madame Hardcastle ?

Pamela hocha la tête, les yeux rivés sur Hannah.

– Ah, je vois, dit celle-ci. Vous avez eu vent des déclarations du témoin, aujourd'hui.

– Oui, tout le monde en parlait. Cette petite fille si malade, à la colonie de vacances… Seulement moi, j'étais déjà au courant.

– Vous étiez au courant ?

– Eh oui ! répondit Wynonna, triomphante. Je le savais par Dolores.

– Je ne vous suis pas… Qui est Dolores ?

– Une infirmière avec qui je travaillais. L'automne où j'ai été virée à cause de ce Petty, elle m'a téléphoné. Et elle m'a raconté qu'elle avait bossé dans cette colonie de vacances pour les enfants malades. Elle m'a expliqué que Troy Petty s'était fait licencier pour avoir abusé d'une gamine. J'ai demandé à mon mari, Hank, de se renseigner sur Internet. C'est un petit génie en informatique, j'aimerais bien qu'il se dégote un job dans cette branche. Il est invalide, il passe toutes ses journées à la maison, à se tourner les pouces. Et justement, votre maman m'a dit que votre mari travaille chez Verizon et que…

Hannah foudroya sa mère d'un regard signifiant : qu'as-tu promis à cette femme ?

– Ce n'est pas le bon moment, Wynonna, l'interrompit Pamela avec autorité.

La jeune femme haussa les épaules.

– Enfin bref, Hank a cherché, et il a trouvé. Petty n'était pas cité nommément, vu qu'il n'a pas été inculpé.

– Vous auriez peut-être dû en parler à la direction de l'hôpital, fit remarquer Pamela.

Wynonna détourna les yeux d'un air penaud, frotta les paumes de ses mains sur ses cuisses.

– J'ai essayé. Oui, j'ai essayé de le dire à ma chef. Elle n'a rien voulu entendre. Elle m'a répondu que ce n'était pas à cause de lui qu'on m'avait mise à la porte. Que j'avais perdu mon boulot pour… d'autres raisons.

Hannah sentait la moutarde lui monter au nez. Pamela, manifestement ravie d'avoir découvert ce trait d'union entre la garde-malade de Christina Shelton et le procès de Lisa, l'avait convoquée ici pour qu'elle se pâme devant sa perspicacité. Hannah était fourbue, et sa patience était à bout. Elle n'avait aucune envie de jouer à ce genre de charade.

Soudain, une repartie lui vint, qui agacerait à coup sûr Pamela :

– Sa place est vacante, à présent. Vous pourriez retrouver votre ancien poste.

– Non, en réalité je suis très contente de m'occuper de Mme Shelton. Elle est si gentille avec moi. Alors, finalement, c'est aussi bien comme ça. De toute façon, à l'hôpital, personne ne voulait savoir. J'en ai même parlé à votre fille.

Le cœur de Hannah manqua un battement.

– À ma fille ?

– Oui, un jour qu'elle rendait visite à votre maman. Mme Hardcastle l'a emmenée voir Mme Shelton, dans le service de soins de longue durée.

Wynonna sourit timidement à Pamela.

– Vous étiez tellement fière d'elle parce que c'était une enfant surdouée et qu'elle était en fac de médecine. Et il y avait de quoi, évidemment. Enfin bref, quand j'ai appris qu'elle travaillait au Vanderbilt, j'ai dit à… Lisa, c'est bien ça ? Je lui ai tout dit sur Troy Petty. J'ai pensé qu'il fallait qu'elle sache, au cas où elle tomberait sur ce type.

– Vous en avez parlé à Lisa ? articula Hannah. Mais quand ?

Wynonna réfléchit, levant les yeux, remuant les doigts.

– L'hiver dernier, c'est ça. Pour l'anniversaire de votre maman. Elle était venue lui apporter son cadeau. Vous vous souvenez, madame Hardcastle ?

Pamela acquiesça.

– Il y a donc dix mois de ça, calcula Hannah. Vous prétendez que Lisa était au courant depuis tout ce temps ?

Hannah croisa le regard de sa mère qui l'observait froidement, non sans une certaine satisfaction.

– Eh oui, répondit Wynonna. Je ne comprendrai jamais pourquoi elle est sortie avec ce type. Mais les jeunes filles aiment les mauvais garçons. Je sais de quoi je parle, j'ai été jeune, moi aussi. Peut-être qu'il lui a fait du charme. Allez savoir. En tout cas elle ne m'a pas crue, il a fallu qu'elle découvre le pot aux roses par elle-même. Et elle l'a découvert, je suppose. Puisqu'elle l'a tué, n'est-ce pas.

– Non, elle ne l'a pas tué ! riposta sèchement Hannah.

Wynonna fit brusquement machine arrière.

– Oh, je suis désolée. On est innocent jusqu'à preuve du contraire, bien sûr. On est quand même en Amérique.

Hannah s'aperçut que sa main, sur l'accoudoir du sofa, tremblait.

– Effectivement. Et je vous serais reconnaissante de ne plus dire ce genre de chose.

– Je suis désolée, répéta Wynonna en se tournant vers Pamela. J'ai gaffé.

– Ne vous inquiétez pas, Wynonna, répondit Pamela. Vous n'êtes que la messagère, celle qui apporte la mauvaise nouvelle.

Pour une raison qui lui échappait, Hannah était furieuse contre sa mère. Elle refusa de la raccompagner jusqu'à son appartement, chargeant de cette mission une aide-soignante qui passait par là, et s'en fut dans la nuit.

Durant tout le trajet de retour, son cœur cogna à se rompre. Lisa savait pour Troy Petty, depuis des mois. Elle savait et elle avait laissé Sydney seule avec lui ? Aberrant. Impossible. Pourtant, à en croire Wynonna, c'était la vérité.

Il fallait le dire à Adam, mais l'expression de son visage, de son regard, quand il apprendrait ça… Elle ne le supporterait pas.

Elle entra dans la maison d'un pas pesant, comme on gravit le Golgotha. Adam était au téléphone.

– Oui, c'est merveilleux. Transmets nos amitiés à Chet, nous viendrons le voir bientôt.

Il raccrocha et sourit à Hannah.

– C'était Rayanne, Chet est tiré d'affaire.

– Formidable…

Adam la dévisagea, les sourcils froncés.

– Que s'est-il passé ?

– Où est Sydney ?

– Au lit. Raconte. Tu es livide.

Hannah se laissa tomber sur une chaise.

– Tu veux un thé ? Ou quelque chose d'un peu plus corsé ?

– Une larme de whisky.

Adam parut surpris, mais il la servit immédiatement. Hannah but une gorgée, l'alcool lui brûla la bouche. Elle fit la grimace.

– C'est bien, murmura Adam en esquissant un sourire. Et maintenant, explique. Qu'est-ce que ma chère belle-mère a bien pu te dire pour te mettre dans cet état ?

Hannah s'essuya les yeux d'un geste nerveux.

– Parle, tu m'angoisses.

– Oh, Adam… Elle savait. Wynonna soutient que Lisa savait.

– Holà, doucement. Qui est Wynonna ? Et Lisa savait quoi ?

Hannah prit une respiration et raconta tout en détail. Lorsqu'elle se tut, Adam garda un moment le silence.

– Alors, à en croire cette femme, quand Lisa a commencé à sortir avec Troy, elle savait qu'on l'accusait d'avoir abusé d'une enfant.

– Pourquoi Wynonna mentirait-elle ? Rends-toi compte, Adam... Lisa avait autorisé Tiffany à confier Sydney à Troy. Comment a-t-elle pu, sachant de quoi il était coupable ? Oh, mon Dieu, nous...

– Une minute, l'interrompit-il, levant la main. Ne mettons pas la charrue avant les bœufs. Il nous faut partir de l'hypothèse que Lisa n'aurait jamais fait ça. Qu'il y a une explication. Partons de cette hypothèse, tu veux ?

Hannah allait argumenter, mais elle se ravisa et leva vers son mari un regard empli de gratitude.

– Tu as raison.

Depuis qu'ils étaient mariés, chaque fois qu'un problème lui semblait insoluble, elle se tournait vers lui. Il était logique, lucide. Il était pondéré et contrôlait ses nerfs.

Et à présent elle le regardait, attendant qu'il trouve la justification des actes de Lisa, qu'elle puisse de nouveau respirer.

– Tu sais comment est Lisa, dit-il. Elle a toujours été un peu marginale. Peut-être qu'elle a eu pitié de lui. Après tout, il a été accusé mais pas inculpé.

Cela ne réconforta pas Hannah.

– Mais pourquoi a-t-elle noué une relation sentimentale avec lui ? Pourquoi choisir un homme soupçonné de pédophilie ?

– Je n'en ai aucune idée, chérie, répondit Adam d'un ton las. Pourquoi, d'une manière générale, Lisa agit-elle comme elle le fait ? Je ne vois qu'une réponse : la marginalité de ce type l'a conquise.

– Probablement.

– Et c'était stupide. Inconscient. Du Lisa tout craché, fulmina-t-il.

– Il nous faut en avoir le cœur net, dit Hannah, au bord de la nausée.

– On ne peut pas téléphoner à Lisa, à cette heure-ci on ne nous la passera pas. Je vais appeler son avocate. Elle est sûrement au courant.

– D'accord.

Tandis qu'il composait le numéro de Marjorie Fox et lui laissait un message, la priant de le rappeler d'urgence, Hannah s'efforça de se calmer. Adam avait évidemment raison. Lisa avait dû se renseigner sur Troy Petty et découvrir qu'il n'avait pas été condamné.

– Elle a eu pitié de lui, murmura-t-elle.

Adam la serra dans ses bras.

– Il n'y a pas d'autre explication, dit-il, comme s'il lisait dans ses pensées.

La sonnerie du téléphone les fit sursauter. Hannah retint son souffle, pendant qu'Adam interrogeait succinctement l'avocate. Puis il se tut, écoutant ce qu'elle avait à dire.

– Bien… Oui, d'accord. Très bien.

Et il raccrocha.

– Alors ? fit Hannah.

– La fillette qui a accusé Troy Petty a succombé à sa maladie voici quelques années, répondit-il gravement. Mais Marjorie a retrouvé la mère. Elle lui a demandé si son mari et elle avaient jamais songé à engager des poursuites contre Troy Petty, même si leur fille ne pouvait plus témoigner contre lui. La mère l'a d'abord envoyée paître. Et puis, finalement, elle a reconnu qu'elle avait eu des doutes. Au moment des faits, leur fille voulait à tout prix quitter la colonie et rentrer à la maison. Les parents, eux, souhaitaient qu'elle reste là-bas. Et voilà qu'un jour, elle les a appelés, en larmes, suppliant qu'on vienne la chercher.

– Seigneur… Les parents n'ont pas cru la petite ?

– Ils ne savaient pas trop que penser. Leur fille a eu des mots qui les ont amenés à douter.

– Troy n'a donc jamais été officiellement inculpé, et jamais non plus officiellement disculpé.

– C'est à peu près ça.

– La mère va témoigner ?

– Elle refuse catégoriquement. Elle a dit à Marjorie qu'elle ne salirait pas la mémoire de sa fille.

– Et la mémoire de Troy, alors ?

– Pour être franc, je me fiche de la réputation de Troy, rétorqua abruptement Adam. Pas toi ? Après tout, Lisa l'a pris sur le fait avec Sydney.

– C'était donc un pédophile.

– Apparemment. Mais il protégeait jalousement son secret.

Ils échangèrent un regard accablé. Peut-être Lisa avait-elle sommé Troy de s'expliquer, et s'était-il présenté comme un homme injustement accusé, par une enfant malade. Un homme digne de compassion, qui n'était nullement une menace pour Sydney… jusqu'à ce que Lisa ouvre les yeux. Hannah ne savait plus s'il fallait en rire ou en pleurer. Elle se blottit contre Adam et se sentit aussitôt moins oppressée.

– Marjorie dit qu'au bureau du procureur, ils vont passer la nuit à creuser cette piste. Mais, même s'ils retrouvent la mère de cette enfant, ils ne réussiront pas à la faire témoigner. Lisa s'est attiré la sympathie des jurés. Demain, ils entendront les derniers témoins de la défense. Ensuite, ce sera à eux de trancher.

– Si vite ? balbutia Hannah, la bouche sèche.

– Oui...

– Est-ce bien honnête de cacher l'histoire de cette petite fille ?

– Honnête ? s'exclama Adam. Tu te poses la question ? Ce type s'apprêtait manifestement à agresser notre Sydney. Marjorie dit que la thèse de l'accusation n'est pas très solide et que les révélations de Lisa sur Troy sont une aubaine pour la défense. Elle veut en profiter pour avancer ses pions.

Hannah ferma les yeux. Demain, le destin de Lisa serait entre les mains de douze inconnus. Sa fille repartirait libre du tribunal, ou irait croupir en prison pendant des années. Elle se cramponna à son mari, craignant s'il la lâchait de tomber dans un abîme insondable.

16

LE PRÉTOIRE était en ébullition. Chacun se demandait quel homme était véritablement Troy Petty. Un flot d'ordures semblait avoir déferlé sur l'assistance, dans le sillage des témoignages de la veille, et entachait durablement l'image de Troy Petty. Un infirmier, un animateur de colonies de vacances, un pervers.

Marjorie Fox appela à la barre le maître de stage de Lisa, un médecin respecté, qui déclara que la jeune femme n'avait en aucune manière négligé ses études. Il ignorait complètement qu'elle fréquentait un infirmier de l'hôpital.

On entendit ensuite Alicia Bledsoe, qui jura que Lisa n'était même pas amoureuse de Troy Petty. Ce n'était qu'une passade entre deux personnes qui travaillaient dans le même établissement.

Puis ce fut au tour de Hannah. Elle s'était préparée avec Marjorie qui lui avait indiqué les sujets à ne surtout pas aborder. Elle avait revêtu une robe-chemisier bleu pastel qui lui donnait une apparence de sérénité. Pourtant elle était loin de se sentir sereine lorsqu'elle prêta serment sur la Bible et prit place sur le siège des témoins. Elle chercha le regard d'Adam qui lui fit un signe d'encouragement.

– Madame Wickes, quel est votre lien avec ma cliente ?

– Je suis sa mère. Lisa et sa fille, ma petite-fille, vivent chez nous.

– Saviez-vous que Lisa fréquentait Troy Petty ?

– Oui.

Marjorie lui avait recommandé de répondre brièvement aux questions, sans digressions.

– Votre fille vous a-t-elle parlé de leur relation ?

Hannah hésita.

– Oui, lorsqu'il se sont rencontrés, elle m'a dit qu'il travaillait à l'hôpital.

– Elle ne vous a jamais confié qu'elle était follement amoureuse de lui, ou quelque chose de ce genre ?

– Non, pas du tout. Elle semblait contente de sortir avec lui, mais entre sa fille et ses études, elle n'a pas beaucoup de temps libre.

– Connaissiez-vous Troy Petty ? Venait-il chez vous ?

– Oui. Il passait parfois. Il paraissait...

– Oui ?

Hannah prit une respiration.

– Il avait l'air d'un jeune homme charmant.

– Mais Lisa n'a jamais parlé de lui comme d'un futur mari ou d'un père pour Sydney ?

– Non, jamais.

– Saviez-vous qu'elle lui prêtait de l'argent ?

– Non, répondit sincèrement Hannah. Je l'ignorais.

– Auriez-vous approuvé, si elle l'avait mentionné ?

– Non, dit Hannah d'un ton ferme. Lisa savait que je n'approuverais pas. Avec ce que coûtent les études de médecine et l'éducation de Sydney, nous avons du mal à joindre les deux bouts. C'est probablement pour cela qu'elle s'est tue.

– Avez-vous été surprise d'apprendre qu'elle lui prêtait de l'argent ?

– Non, admit Hannah. Lisa a toujours été attirée par les gens dans le besoin. Ou qui ont des problèmes.

Elle réprima une grimace. Ce n'était pas tout à fait exact. En réalité, Lisa recherchait souvent la compagnie de personnes que ses parents jugeaient douteuses, et se mettait en colère quand ils critiquaient ses fréquentations. Il y avait donc une nuance.

– Merci, madame Wickes.

Le procureur s'approcha du box, les yeux rivés sur Hannah.

– Donc vous affirmez que, si votre fille avait été très éprise de Troy Petty, elle vous en aurait parlé.

– Probablement. Oui, bien sûr. Depuis qu'elle est toute petite, quand quelque chose l'enthousiasme, elle devient intarissable. Du moins dans un premier temps.

– Et quand elle est furieuse ? Vous en parle-t-elle ?

Marjorie Fox l'avait préparée à ce genre de question. Le procureur cherchait à la piéger, il en serait pour ses frais.

– Non. Elle garde ses déceptions et ses rancœurs pour elle.

Elle lut de l'irritation dans le regard de Castor. Il croyait l'avoir coincée, mais elle avait esquivé.

– Lisa vous a-t-elle dit qu'elle avait surpris M. Petty sur le point d'abuser de votre petite-fille ?

– Non, bien sûr que non.

– N'est-ce pas le genre de chose que l'on confie à ceux qui partagent votre existence ? À ses parents ? Aux grands-parents de son enfant ?

– Elle avait certainement honte de l'avoir fait entrer dans la vie de sa fille. Elle a donc décidé de rompre. C'est justement ce que je lui aurais demandé de faire.

– Vous ne lui auriez pas conseillé d'alerter la police ? De dénoncer les agissements de M. Petty ?

– Peut-être, concéda Hannah. Mais je ne savais rien.

– Votre petite-fille n'est pas la seule enfant en cause, madame Wickes. Si cet homme était bien le prédateur qu'a décrit l'accusée, il fallait l'empêcher de nuire.

– Certes, mais je suis certaine que Lisa a d'abord pensé à éloigner sa fille de lui. Ce qu'elle a fait, d'ailleurs.

– Elle n'a donc pas donné suite. Elle ne l'a pas dénoncé.

– Elle en avait peut-être l'intention. Mais il est mort avant.

– Justement, peut-être votre fille a-t-elle trouvé cette solution pour l'empêcher de nuire. Elle a fait en sorte qu'il ne puisse plus jamais faire de mal à un enfant.

Hannah ne perdit pas son calme.

– Vous pouvez émettre une multitude d'hypothèses, il n'empêche que ma fille n'a pas tué Troy Petty. Elle étudie pour devenir médecin. Elle veut guérir des gens. Pas les tuer.

– Pas d'autres questions, conclut le procureur avec une moue.

– La séance reprendra après le déjeuner, annonça le juge.

Hannah quitta le prétoire et attendit Adam dans le couloir.

– Comment j'ai été ?

– Parfaite.

– Marjorie m'avait prévenue qu'il poserait ce genre de questions.

– Elle connaît bien son boulot, rétorqua-t-il avec admiration, tu étais fin prête.

En début d'après-midi, Marjorie Fox fit appeler le conseiller de probation du jeune frère de Troy. Il affirma que Troy était sans cesse obligé de rembourser les dettes que son frère toxicomane avait envers tel ou tel dealer.

Il fut le dernier témoin de la défense.

Après une nouvelle pause, le procureur Castor fut invité à exposer ses conclusions. Lisa avait plusieurs raisons de tuer Troy Petty, déclara-t-il. D'abord le chèque de quatre cent cinquante dollars qu'elle avait encaissé. Sur ce point, les images de vidéosurveillance prouvaient de manière irréfutable la culpabilité de Lisa. Mais, enchaîna-t-il pour consolider sa thèse, car en ce qui concernait l'explosion on n'avait aucune preuve concrète, cette histoire était aussi un crime passionnel. Lisa avait fait en sorte que le bungalow explose parce que Troy menaçait de la quitter. Il ne pouvait pas s'agir d'un accident, et personne hormis Lisa n'avait la moindre raison de souhaiter la mort de Troy.

Même pour une profane comme Hannah, son argumentation paraissait sans fondement et sans consistance. Mais, naturellement, elle n'était pas objective.

Ce fut ensuite la plaidoirie de la défense. Marjorie Fox se leva, lissa sa jupe et s'avança résolument vers les jurés.

– Dans une affaire d'homicide, l'enquête de la police repose sur trois piliers : le mobile, les moyens et l'opportunité. Dans l'affaire qui nous occupe, la mort de Troy Petty, les moyens et l'opportunité pour Lisa Wickes de commettre ce crime sont purement circonstanciels. Elle est effectivement allée chez lui, mais elle en est repartie plusieurs heures avant que du gaz provenant d'un chauffe-eau défectueux n'entre en contact avec la flamme de bougies presque entièrement consumées, ce qui a provoqué une déflagration. Troy Petty a pu être assommé avant l'explosion, à moins qu'il n'ait ingurgité une quantité d'alcool telle qu'il n'a pas remarqué l'odeur de gaz et qu'il a été mortellement blessé *par* l'explosion.

« Autrement dit, il s'agit peut-être d'un accident dû à une banale négligence. Mais M. le procureur s'obstine à rendre Lisa Wickes responsable de ce drame sous prétexte qu'elle a encaissé le chèque de Troy Petty. A-t-elle volé ce chèque, ou M. Petty lui devait-il cette somme ? Il s'était discrédité aux yeux de Lisa Wickes, elle en a témoigné. Elle l'avait surpris avec sa petite fille dans une attitude si répréhensible qu'elle a aussitôt décidé de rompre. En était-elle contrariée ? Évidemment. Était-elle bouleversée par cette rupture ? Je ne le pense pas. En réalité, elle voulait uniquement que Troy Petty lui rende l'argent qu'elle lui avait prêté. Elle a donc pris le chèque et elle est partie.

« Si l'on y réfléchit bien, cette affaire se réduit à une seule question : le mobile. Le ministère public voudrait vous faire croire que ma cliente, une jeune femme dotée d'un QI exceptionnel, a décidé d'assassiner Troy Petty parce qu'elle désirait s'emparer de ses quatre cent cinquante dollars. Et au cas où ce scénario ne vous convaincrait pas, M. le procureur prétend qu'elle l'a tué parce qu'il allait rompre ! s'exclama Marjorie Fox, sarcastique.

« Regardez bien Lisa Wickes. Elle est jeune, brillante, à vingt ans elle est déjà en deuxième année d'internat de médecine. On imagine sans peine que devenir médecin n'est pas chose facile. Il faut des années d'étude et de travail acharnés. Lisa Wickes est à mi-parcours. Une longue carrière l'attend, une carrière honorable et lucrative. Pourquoi jetterait-elle tout cela aux orties ?

« Serait-ce alors un crime passionnel ? Mesdames et messieurs, nous avons tous entendu parler de ces crimes-là, qui défient la logique. Leurs auteurs sont tellement obsédés par l'objet de leur désir, tellement dévorés par cette obsession, qu'ils en arrivent à commettre des actes inqualifiables au nom de ce qu'ils prétendent être de l'amour.

« Mais vous avez entendu le maître de stage de Lisa. Il a déclaré qu'elle n'avait à aucun moment négligé ses études ou son travail. Alicia Bledsoe a pour sa part déclaré que Lisa n'était pas vraiment éprise de Troy Petty. Elle est l'amie intime de ma cliente, elle sait donc de quoi elle parle. La mère de ma cliente, qui vit avec elle, n'a pas noté le moindre signe d'un sentiment obsessionnel. Au contraire. Nous n'avons aucun indice permettant de penser qu'elle était « follement amoureuse ».

« La colère pourrait-elle être le mobile ? Il a tenté d'abuser de son enfant, elle l'a pris sur le fait. N'importe qui serait furieux. Sans aucun doute. Mais au point de tuer ?

« Regardez bien Lisa Wickes. Le récit qu'elle fait des événements est pondéré, teinté de tristesse et de dégoût. Elle considère sa relation avec Troy Petty avec l'objectivité et la distance que l'on attend d'un médecin. Le médecin qu'elle va devenir. Lisa Wickes vous paraît-elle en proie au désespoir, à la colère, à la rage ?

« Par conséquent, s'il ne s'agissait pas d'un crime passionnel, eh bien alors... elle a tué pour quatre cent cinquante dollars. Voici une jeune femme en passe de gagner des centaines de milliers, voire des millions de dollars grâce à la carrière qu'elle a choisie. Vous semble-t-il plausible qu'elle ait compromis tout cela pour quatre cent cinquante dollars ?

« Lisa était en possession du chèque de Troy Petty, c'est un fait. Et elle l'a encaissé. Mais aurait-elle volé ce chèque pour ensuite l'encaisser devant une caméra de surveillance ? Ne peut-on pas imaginer que Troy Petty lui devait effectivement cet argent car il remboursait les dettes de son frère toxicomane ? N'est-ce pas plus vraisemblable ? Il lui devait cet argent. La situation critique où il était l'avait peut-être attendrie, mais quand elle l'a surpris avec sa petite fille, elle n'a plus eu une once de compassion pour lui. Il la dégoûtait, elle ne voulait plus le voir. Elle voulait seulement récupérer son argent.

« Mesdames et messieurs les jurés, cette affaire relève du simple bon sens. Nul n'ignore que, dans toute relation, il y a un rapport de force. À qui était-il favorable ? À Lisa – jeune, douée, promise à un bel avenir ? Ou à Troy Petty, à la réputation entachée par de sinistres histoires d'abus sexuels, et qui croulait sous les dettes ?

« Les gens ne tuent pas pour des motifs fumeux. À ma connaissance, ils tuent pour des raisons précises, ou parce qu'ils sont submergés par des émotions violentes. Tuer est un acte odieux. Le contraire du credo d'un médecin. Tuer est aussi le plus sûr moyen de faire dérailler sa vie. Mais les individus les plus placides peuvent devenir enragés et se déchaîner, je vous l'accorde.

« Il n'y a cependant pas de mobile incontestable dans cette affaire, ce qui vous met face à la question cruciale du doute raisonnable. Demandez-vous pourquoi elle aurait commis cet acte, et vous en arriverez vite à la même conclusion que moi. Lisa Wickes n'avait pas de motif déterminant de supprimer Troy Petty. Il n'était qu'un jeune homme ordinaire, quoique très perturbé. Lisa Wickes est une jeune femme hors du commun. C'est indéniable. L'existence de Lisa ne tournait pas autour de lui. Surtout après qu'elle l'eut surpris avec sa petite fille. Leur aventure était terminée, et elle l'était bien avant que Troy Petty ne trouve la mort dans l'explosion de sa maison.

« Je vous demande d'acquitter Lisa Wickes, en votre âme et conscience. Rendez-la à son enfant, à ses études. Permettez-lui de soigner ses semblables, de consacrer sa vie à faire le bien. Car Lisa Wickes fera le bien, d'une façon inaccessible à la plupart d'entre nous. Reléguez cette affaire aux oubliettes, et rendez à Lisa Wickes l'avenir qui lui est promis.

Lorsque Marjorie Fox eut conclu son vibrant plaidoyer, Hannah eut l'impression que sa force de persuasion illuminait le prétoire et Lisa. Elle regarda Adam, plongé dans ses réflexions.

– Je crois qu'elle les a convaincus, chuchota-t-elle.

– Espérons-le.

– Elle mérite vraiment ses honoraires.

– C'est sûr. Elle a démontré que le dossier de l'accusation n'est pas… solide.

Le juge remercia les avocats et jeta un coup d'œil à la pendule.

– Compte tenu de l'heure, j'ordonne une suspension de séance. Que les jurés veuillent bien se présenter dans cette salle demain matin à neuf heures précises. Après quoi ils se retireront pour délibérer.

Hannah et Adam sortirent avec les autres spectateurs et se frayèrent un chemin dans la meute vociférante des journalistes. Regardant droit devant eux, bombardés de questions, ils rejoignirent leur voiture dont ils verrouillèrent les portières.

– Demain ce sera le verdict, dit Hannah.

– Et la dernière fois que nous mettrons les pieds dans un tribunal, souhaitons-le.

– Amen.

– On va chercher Sydney et on rentre à la maison.

17

TOUS TROIS DÎNÈRENT sur la terrasse. La soirée était agréable, les feux du couchant éclaboussaient le ciel d'orange et de mauve. Sydney repéra un lapin au bout du jardin et, ravie, se mit à taper sur la tablette de sa chaise haute avec sa cuillère. Ils étaient trop fatigués pour discuter. Adam resta silencieux pendant tout le repas, il semblait avoir la tête ailleurs, ce que Hannah comprenait fort bien. Le cauchemar s'achevait, et il les avait épuisés.

Hannah, qui ce soir avait plus d'énergie que son mari, proposa de débarrasser la table et de coucher Sydney, pendant qu'il se détendrait dans son bureau. Il accepta avec gratitude.

Après qu'elle eut bordé Sydney, elle regarda un vieux film à la télé puis, au bout d'une heure, elle alla dire à Adam :

– Je vais me mettre au lit, je suis vannée.

– Je te rejoins tout de suite.

Elle posa un baiser sur ses cheveux, et gagna leur chambre. Quand elle eut préparé ses vêtements pour le lendemain, elle se doucha et se brossa mollement les dents, bâillant comme une enfant qui tombe de sommeil.

Elle alla ensuite vérifier que Sydney dormait. Accroupie près du lit bas, elle écarta doucement une mèche qui barrait le petit visage aux joues rondes et chaudes.

– C'est bientôt fini, ma poupée, murmura-t-elle. Maman sera bientôt de retour.

Sydney bougea mais ne se réveilla pas. Elle serrait sous son bras son ours en peluche. Hannah la contemplait avec tendresse lorsque l'obsédante question s'insinua de nouveau dans son esprit. Troy Petty avait-il touché sa petite-fille ? Cette idée lui donnait envie de vomir, une part d'elle, inutile de le nier, se félicitait qu'il ait été tué. Elle se demanda un instant s'il avait vraiment osé, à la colonie de vacances, s'en prendre à cette fillette si malade. Peut-être ne reculait-il devant rien pour assouvir ses désirs.

Mais il est mort, se dit-elle. Il n'y avait plus de danger, plus jamais il ne ferait de mal à Sydney ou à une autre enfant.

Quand Lisa reviendrait, ils prendraient rendez-vous avec le médecin recommandé par Jackie Fleischer. Sydney suivrait le traitement nécessaire... si cela s'avérait nécessaire. Oh, j'espère que non, mon chaton. J'espère, je prie qu'il ne t'ait pas touchée.

Elle retourna dans leur chambre. Adam lisait, adossé à ses oreillers. Elle se glissa sous les draps et se blottit contre lui. Ses yeux se fermaient déjà.

– Je t'aime, bredouilla-t-elle avant de sombrer dans le sommeil.

Elle ne sut pas trop ce qui l'en tira. Un cauchemar, sans doute. Ces temps-ci, elle faisait des rêves abominables. Toujours est-il qu'elle se réveilla en sursaut, couchée sur le flanc, le cœur battant à se rompre. Pourvu qu'elle n'ait pas crié. Elle ne voulait pas déranger Adam, il avait tellement besoin de repos.

Elle ferma de nouveau les paupières, dans l'espoir de se défaire de la sensation de panique qui la tenaillait et de se rendormir. Peine perdue. Elle n'avait plus sommeil.

Elle se tourna sur le dos, avec précaution, tendit l'oreille pour écouter la respiration d'Adam. Mais elle n'entendit rien et, ses yeux s'accommodant à l'obscurité, s'aperçut qu'il avait repoussé le drap de son côté et quitté le lit. La porte de la salle de bains était entrebâillée, mais la lumière n'était pas allumée.

Adam était réveillé, lui aussi. Comment dormir, alors que le sort de Lisa était désormais entre les mains des jurés ? Hannah demeura immobile, songeant à sa fille. Dire qu'elle s'était réjouie que Lisa se lie avec Troy. Elle n'était évidemment plus vierge, mais n'avait connu que de brèves aventures, apparemment dénuées d'amour. Troy, lui, semblait tenir à elle. Il l'avait pourtant odieusement trahie, et Hannah craignait qu'elle ne soit plus capable à l'avenir d'accorder sa confiance à un homme.

Elle posa la main sur l'oreiller d'Adam, encore imprégné de sa chaleur. Elle avait essayé de faire comprendre à Lisa que l'homme qu'on épousait devait être le bon. Celui que l'on choisissait sans hésitation, sans arrière-pensée. On ne lui demandait pas d'être parfait, simplement d'être le compagnon idéal pour vous. Celui à qui l'on pourrait se fier aveuglément, qui ferait toujours passer sa famille en premier, toujours. Celui dont l'amour serait le pilier de votre existence. Troy Petty, à l'évidence, n'était pas cet homme-là.

Où était Adam ? Dans la cuisine, en train de grignoter ? Quand il se laissait aller à ça, il se détestait. Il était discipliné, faisait régulièrement de l'exercice, n'abusait jamais de l'alcool. Mais il se levait parfois au milieu de la nuit pour manger. Elle s'en amusait. Cela prouvait qu'il était humain, comme tout un chacun.

Je vais peut-être me lever aussi, se dit-elle. Quitte à passer une nuit blanche, autant la passer ensemble. Elle enfila peignoir et chaussons, et partit à la recherche d'Adam.

Il n'était pas dans la cuisine, ni dans son bureau. La maison était plongée dans le noir, hormis un rai de lumière qui filtrait sous la porte close de la chambre de Lisa.

Que fait-il là ? s'étonna Hannah. Elle tourna doucement la poignée de la porte. Il était assis près de la fenêtre, devant l'ordinateur portable de Lisa.

– Adam ?

Il sursauta et se retourna, l'air coupable.

– Qu'est-ce que tu fabriques ?

– Je cherche un truc.

Elle s'assit sur le lit de sa fille, d'où elle pouvait voir l'écran.

– Quoi donc ?

– J'épluche son historique de navigation.

– Mais… tu connais son mot de passe ?

– Elle a pris la date d'anniversaire de Sydney.

– Évidemment, dit Hannah dans un sourire. Moi, j'ai pris la sienne.

Adam ne quittait pas l'écran des yeux.

– Elle le sait, je suppose ?

– Oui, bien sûr. Pourquoi cette question ? Et que cherches-tu dans l'historique de Lisa ?

La lumière de l'écran jetait sur la figure d'Adam des reflets blafards.

– Quelque chose qui n'y est pas.

– Tu joues aux devinettes ? s'agaça-t-elle. Je suis trop crevée pour ça.

– Non, je ne joue pas.

– Alors quoi ?

Elle était fâchée contre lui, soudain. Inutile d'espérer dormir un peu.

– Ça devrait être là, mais ça n'y est pas, répéta-t-il, pianotant toujours sur le clavier.

– Je ne comprends rien à ce que tu racontes. Tu peux être plus clair ?

Il fit pivoter le fauteuil et la regarda droit dans les yeux.

– Elle ne supprime jamais son historique, qui remonte à l'époque où elle a eu cet ordinateur.

– Et alors ? Moi non plus, je ne supprime pas le mien.

Mais Adam était très sérieux.

– Bon d'accord, reprit-elle. Elle ne le supprime pas. Où veux-tu en venir ?

– Je suis remonté jusqu'à l'hiver dernier. Quand elle a commencé à sortir avec Troy. J'ai vérifié quelques dates dans ton journal.

Elle hocha la tête. Elle notait sommairement leurs moindres faits et gestes dans un journal qu'elle rangeait dans le dossier des impôts, car on pouvait y retrouver les justificatifs de certaines dépenses. C'était aussi une manière de garder une trace de leur quotidien. Pas très moderne, certes, mais elle tenait à ce rituel.

– Et… ?

– J'ai vérifié la date d'anniversaire de ta mère. Le jour où la fameuse Wynonna a parlé de Troy Petty à Lisa. Trois semaines plus tard, elle nouait une relation avec lui. Je suis parti de là.

– On en a déjà discuté : elle a sans doute eu pitié de lui, le pauvre type injustement accusé. Du Lisa pur jus.

– Elle n'a fait aucune recherche.

– Sur quoi ?

– Les accusations de Wynonna. Elle a commencé à sortir avec Troy sans chercher à savoir.

Hannah le regarda comme s'il avait perdu la tête.

– Qu'est-ce qui te prend, Adam ? Ça ne signifie rien.

– Ah bon ? On lui apprend qu'un type avec qui elle travaille a été accusé de pédophilie. Et voilà qu'elle décide de sortir avec lui ! Sans chercher à savoir ce qui s'est passé à la colonie de vacances. Lisa a une petite fille. On lui dit que ce type est un pédophile, mais elle le fréquente quand même, sans se donner la peine de se renseigner. Qui se comporterait de cette façon ? Pas toi, en tout cas. Tu ferais des recherches.

– Elle lui a peut-être posé des questions, et il s'est expliqué ! s'indigna-t-elle. As-tu seulement envisagé cette éventualité ? Ou alors elle a fait des recherches à l'hôpital.

– À l'hôpital, elle n'en a pas le temps, rétorqua-t-il, buté. Et je ne crois pas un instant qu'elle l'ait interrogé. Qu'elle ne se soucie pas de sa propre sécurité, je m'en fiche. Mais qu'elle mette Sydney en danger ?

Hannah se leva brusquement, les poings sur les hanches. Les larmes lui montèrent aux yeux.

– Pourquoi fais-tu ça, Adam ? Lisa est ta fille. Tu es censé la défendre, au lieu d'inventer je ne sais quelles raisons de la dénigrer. Tu es pire que le procureur. Nous sommes sur le point de la ramener à la maison, de retrouver une vie normale, et toi... tu violes son intimité et tu essaies de la faire passer pour une...

– Inconsciente, acheva-t-il.

Il se redressa, pointant l'index vers Hannah.

– Ne le nie pas. Elle est inconsciente.

– Je refuse d'en entendre davantage ! s'emporta-t-elle. Tu dérailles, un point c'est tout. Il faut à tout prix que tu la critiques.

– Elle a délibérément fait courir un risque à sa fille. Et nous ignorons si le pire ne s'est pas produit, puisque Sydney est souvent restée seule avec Troy Petty. Nous aurons la réponse quand nous l'emmènerons chez un psy compétent. Toujours est-il que Lisa l'a mise en danger, et s'en est lavé les mains. Voilà la vérité toute crue. Et toi, tu dis que tout va bien ?

– Je ne dis pas ça, protesta Hannah. Mais toi, tu noircis le tableau. Elle a pu se renseigner ailleurs, n'importe où. Elle a Internet sur son portable, bon sang ! Elle s'en est servie, évidemment. Elle a cherché et découvert qu'il n'avait jamais été inculpé.

– Mais c'est avec cet homme-là, entre tous, qu'elle a choisi de sortir. Et elle lui a confié son enfant.

– Ben voyons ! ironisa-t-elle. Alors maintenant, le problème, c'est qu'il a été suspecté de crime. Jamais inculpé, mais suspecté. Je croyais que le problème, c'était que Lisa n'ait pas pris de renseignements sur lui.

– Le problème, c'est sa négligence, riposta Adam.

– Il te faut bien trouver une raison de l'accuser. Tu es... tellement injuste !

– Je ne crois pas, non.

– Si elle est rebelle, c'est peut-être parce que tu n'as aucune confiance en elle. Ou peut-être que tu es en colère parce que nous devons payer une avocate.

– Oui, je suis en colère ! Elle a des torts, dans cette histoire. Et toi, tu fais comme si elle n'était absolument pas fautive.

– Je suis sa mère, dit Hannah, offensée. Je connais ses défauts sans doute mieux que toi. C'est moi qui allais à l'école quand elle avait écopé d'une punition, c'est moi qui discutais avec les conseillers pédagogiques pendant que tu étais à ton travail. J'ai essayé de lui faire entendre raison, à en être aphone. Je te concède qu'elle peut être inconsciente, négligente, irréfléchie. Mais ne me dis pas qu'elle n'aime pas Sydney, qu'elle ne la protégerait pas. C'est faux !

– J'aimerais pouvoir en être certain, soupira-t-il.

– Tu parles de notre enfant.

– Lisa n'est plus une enfant.

Hannah connaissait effectivement les failles de leur fille. Au fil des ans, Lisa et elle avaient eu leur lot de disputes. Mais Adam exagérait. Au moment où ils voyaient le bout du tunnel ! C'était trop bête.

– Si tu es dans cet état d'esprit, il vaut peut-être mieux que tu ne sois pas là quand Lisa rentrera à la maison.

Il tressaillit comme si elle l'avait giflé. Elle regretta aussitôt ses paroles, mais elle n'était pas d'humeur à faire amende honorable.

– Pas question que je m'en aille. Il faut bien que quelqu'un veille sur Sydney.

– Parce que, moi, je ne veille pas sur elle ?

– Qui se sent morveux se mouche...

Espèce de petit salaud, pensa-t-elle. Elle se tut, cependant. Ils avaient beau se quereller parfois, jamais elle ne l'avait insulté.

– Oh, excuse-moi, soupira-t-il. Je suis injuste. Je sais bien que tu ferais n'importe quoi pour protéger Sydney. Ou Lisa. Viens là... Ne nous disputons pas, il faut rester soudés. Retournons nous coucher.

Hannah secoua la tête, détournant le regard.

– Vas-y, toi.

Il poussa le fauteuil sous le bureau, insista :

– Allons, chérie, je ne voulais pas te blesser. Je suis... Nous sommes épuisés.

– Va te coucher.

Il hésita, la dévisageant d'un air inquiet, puis il sortit de la pièce. Hannah ne le retint pas. Anéantie, elle se rassit sur le lit de sa fille. Puis, au bout d'un moment, elle se glissa sous les couvertures et serra contre elle l'oreiller de Lisa. Elle tremblait. Adam et elle n'avaient pas l'habitude de se parler aussi durement.

Pourquoi fait-il ça ? On y est presque, c'est presque fini, et il fait ça. Pourquoi ?

C'est sur cette question, pareille à un épais brouillard qui lui engourdissait l'esprit, qu'elle finit par s'endormir.

18

ILS PRIRENT LEUR PETIT DÉJEUNER en silence, se passant poliment le beurre et la confiture. Ils se sentaient tout endoloris.

– Tu as pu dormir ? demanda finalement Adam.

– Oui. Mal, mais j'ai dormi.

– Tu m'as manqué.

– Je ne comptais pas rester dans la chambre de Lisa. Je me suis endormie d'un coup.

– Je suis désolé pour hier soir. J'étais... Je ne sais pas. Au bout du rouleau.

Hannah essuya le menton de Sydney, barbouillé de céréales. Ce matin, la fillette aussi était morose.

– Ne t'en fais pas, je comprends.

– Quel est ton programme pour aujourd'hui ?

– À part attendre que le téléphone sonne ?

– Oui...

– J'ai du boulot en retard, mais je suis trop stressée pour me concentrer. Je préfère garder Sydney ici et passer un peu de temps avec elle.

– Moi, j'ai besoin de m'occuper l'esprit. Je vais aller au bureau. Les dossiers s'accumulent.

– Et si le verdict tombe ?

– Dès qu'on t'appelle, tu me préviens.

– C'est peut-être toi que Marjorie appellera en premier.

– Dans ce cas, c'est moi qui te préviendrai.

Hannah soupira.

– Mais si tu veux que je reste avec toi..., s'empressa-t-il d'ajouter.

– Non, ça ira.

Elle se pencha vers Sydney, lui sourit.

– Tout ira très bien, pas vrai ?

La fillette pouffa de rire et voulut donner la becquée à sa grand-mère qui refusa gentiment.

– Pour nous deux, ce sera une promenade au parc.

– Avec un peu de chance, nous n'aurons pas à patienter trop longtemps, dit Adam.

Ils échangèrent un regard anxieux.

– Je ne sais pas trop s'il faut l'espérer, murmura-t-elle.

– D'après Marjorie, quand il y a acquittement, ça va vite.

– Alors j'espère que ça ira vite.

– Moi aussi.

Il saisit son attaché-case, posa un baiser sur le crâne de Sydney et adressa à Hannah un petit sourire circonspect.

– Je t'aime.

– Moi aussi, répondit-elle en lui rendant son sourire.

Elle appréhendait de sortir, mais Sydney s'impatientait, il faisait beau, et c'était la meilleure chose à faire. Un pique-nique, décida-t-elle. Une matinée de répit.

Elle prépara les sandwichs et les boissons, et rangea le sac isotherme dans le panier de la poussette. Glissant son portable dans sa poche, non sans avoir contrôlé deux fois que la batterie n'était pas déchargée, elle quitta la maison. Sydney était assez grande pour marcher un moment et Hannah prévoyait de la laisser gambader dès qu'elles arriveraient au parc, mais dans l'immédiat elle éprouvait le besoin de hâter le pas, pour ne pas avoir à parler aux voisins.

Elle installa confortablement la fillette dans sa poussette et s'en fut le long du trottoir d'une propreté irréprochable. Le parc se trouvait juste après le pâté de maisons. De larges allées sinueuses bordaient un ruisseau limpide qui gargouillait sur des rochers, à l'ombre d'arbres aux branches basses. Hannah laissa Sydney caracoler à sa guise et ramasser des petits cailloux pour faire des ricochets sur l'eau.

Elles étaient tellement aborbées qu'elles ne remarquèrent pas le fauteuil roulant avant qu'il n'arrive à leur hauteur.

– Chet ! Rayanne ! s'exclama Hannah.

Elle étreignit son amie, et se pencha pour embrasser Chet. Il était encore très pâle, des cernes creusaient ses paupières, mais il affichait un grand sourire.

– Tu es superbe, Chet, lui dit-elle sincèrement.

– Je suis une loque. Mais je remonte la pente. Ça fait plaisir de vous voir, toutes les deux.

Rayanne – qui à vrai dire n'avait pas meilleure mine que son mari – semblait elle aussi contente de les rencontrer. Tous deux admirèrent les cailloux de Sydney, Chet l'applaudit quand elle les jeta dans le ruisseau.

– Vous vous baladez, c'est bien, dit Hannah. Vous savez, je suis désolée de ne pas avoir été plus présente.

– Ne dis pas de bêtises, rétorqua Rayanne, tu as tes propres soucis. Au fait, où en êtes-vous ? Je t'avoue que je n'ai pas trop suivi l'actualité.

– Le jury délibère. Ce matin.

– Je prierai pour vous, dit gentiment Rayanne.

– Tu as intérêt. Jamie est reparti ?

– Pas encore. C'est un bonheur de l'avoir à la maison. Il m'a énormément aidée.

– Je m'en doute.

– Sa petite amie repart demain. Et lui va rester quelques jours de plus.

– Tant mieux. Garde-le aussi longtemps que possible.

– Dis-moi… quand on t'appellera du tribunal, tu n'auras qu'à nous confier la petite.

– Oh, Ray, je n'oserais pas. Tu as trop à faire.

– J'insiste. Elle se plaît chez nous. Elle a été suffisamment perturbée comme ça, n'en rajoutons pas. Je t'assure, Hannah : amène-la-moi.

– Je ne sais pas comment te remercier. Franchement, ça m'ôterait un poids. Quoique le jury pourrait délibérer pendant une semaine…

– Peu importe le jour ou l'heure. Tu m'entends ?

– Merci.

– Les amis sont là pour ça, dit Chet.

Rayanne et lui reprirent leur promenade, tandis que Hannah et sa petite-fille s'attardaient. Sydney voulut à tout prix ôter ses sandalettes, et Hannah se déchaussa à son tour pour patauger dans l'eau peu profonde, divinement fraîche. Les feuilles d'automne, dorées et bruissantes, tombaient en tournoyant pour se poser à la surface du ruisseau moucheté de soleil qui cascadait sur la mosaïque immuable des galets gris et brillants de son lit. Hannah se sentit légère, délestée de son fardeau, tout au plaisir de laisser Sydney s'amuser et profiter de cette belle journée. Quand Lisa était petite, elle l'amenait parfois ici. Mais avec Lisa, rien n'était jamais paisible. Pourtant, à l'époque comme aujourd'hui, Hannah appréciait cette oasis de tranquillité, à l'abri de la chaleur et du bruit.

Sydney se lassa bientôt, et décréta qu'elle avait faim. Elles s'installèrent à une table de pique-nique sous un arbre. Puis la fillette poursuivit des oiseaux qu'elle voulait à toute force embrasser. Enfin, fatiguée, elle tendit les bras à sa grand-mère. Hannah la souleva de terre et serra contre elle son corps menu. Toucher ses cheveux, sa peau rosie, toute moite, écouter battre son cœur lui mettait du baume à l'âme. Pour la première fois depuis des lustres, elle se sentit presque heureuse. Le jury allait acquitter Lisa. Il ne pouvait en être autrement.

Elle repensa à Adam, la veille, en train de fouiller l'ordinateur de Lisa. Ce fut comme si un nuage passait devant le soleil, mais elle chassa énergiquement ce souvenir de son esprit. Le cauchemar serait bientôt terminé, Lisa retrouverait sa fille et ses parents. Hannah le voulait tellement qu'elle parvint à se persuader que son souhait allait se réaliser.

Elle rassit Sydney dans sa poussette, se rechaussa et reprit le chemin de la maison. Sydney s'endormit et, pour ne pas la réveiller, Hannah arrêta la poussette dans le jardin, à l'ombre, et approcha un fauteuil. Elle s'assoupit aussitôt.

Ce fut la sonnerie de son portable, au fond de sa poche, qui la réveilla. L'esprit encore embrumé, la gorge nouée, elle lut le nom inscrit sur l'écran du téléphone. Marjorie Fox.

– Le jury va rendre son verdict, annonça l'avocate.

– Oh, mon Dieu…

– Venez vite.

– Oui, tout de suite.

Elle composa le numéro d'Adam qui décrocha à la première sonnerie.

– C'est le verdict.

– J'arrive. Et Sydney ?

– Rayanne m'a proposé de la garder.
– D'accord. Je suis là dans dix minutes.

Hannah fit rentrer la fillette, ensommeillée et bougonne, dans la maison. Elle rassembla quelques jouets, de quoi manger et boire, puis elle se changea rapidement. Elle achevait de se coiffer quand elle entendit la voiture d'Adam dans l'allée.

Elle le rejoignit dans le vestibule. Ils se regardèrent, les yeux emplis d'espoir et d'angoisse mêlés, s'étreignirent brièvement.

– Je vais me passer un peu d'eau sur la figure, dit-il.

– J'emmène Sydney à côté, et je te retrouve à la voiture.

Sydney voulut marcher, mais Hannah la prit dans ses bras. Elle n'avait pas le temps.

– On va te ramener ta maman, murmura-t-elle à l'oreille de la petite.

Elle passa par le jardin de Rayanne, frappa à la porte de derrière. Ce fut Jamie qui ouvrit. Il parut surpris.

– Bonjour, madame Wickes.

– L'avocate vient de nous prévenir, on fonce au tribunal. Ta mère est là ? Ou ton père ?

– Papa se repose. Et maman est allée faire une course.

– Oh… Elle m'avait proposé de garder Sydney…

– Pas de problème, Greta et moi sommes disponibles. Viens, Sydney. Ma mère sera là dans un petit moment.

– Je ne sais pas comment te remercier. Je me doute que vous avez mieux à faire.

– Mais non, pas du tout, rétorqua-t-il, généreux.

À cet instant, Greta entra dans la cuisine.

– J'ai dit à Mme Wickes, lui annonça Jamie, que nous nous occuperions de Sydney jusqu'au retour de ma mère.

– Bien sûr ! répondit Greta avec un sourire radieux. Elle tendit la main à Sydney qui la contemplait, fascinée.

– Viens avec moi, mon petit chou.

Hannah leur fut si reconnaissante qu'elle en eut les larmes aux yeux.

– Je ne vous remercierai jamais assez.

– Bonne chance, dit Greta.

– Oui, renchérit Jamie, bonne chance.

Hannah les remercia encore et tourna les talons. Jamie hésita, puis il la suivit dans le jardin, après avoir refermé la porte derrière lui.

– Madame Wickes... vous avez une minute ?

À peine une seconde, songea-t-elle. Mais le jeune homme semblait tourmenté. Sans doute à cause de ses parents. Elle s'exhorta à la patience.

– Oui, Jamie ?

– J'ai suivi le procès, j'ai lu les témoignages. Il y a une chose dont je voulais vous parler...

– C'est au sujet du procès ? Ça peut attendre, n'est-ce pas ? Le moment n'est pas très bien choisi.

– Je comprends, mais je voudrais vous...

La porte de la cuisine se rouvrit sur Adam qui cria, agitant les clés de voiture :

– Hannah, dépêche-toi !

– Il faut vraiment que j'y aille, Jamie.

Il hocha la tête, résolument, comme s'il venait de prendre une décision.

– Ne vous mettez pas en retard. Et ne vous inquiétez pas pour Sydney. On s'en occupe.

– Tu es sûr ? demanda Hannah, soudain hésitante.

– Absolument. Prenez tout le temps qu'il faudra. Et passez le bonjour à Lisa.

Soulagée, Hannah s'élança vers son mari qui l'attendait près de la voiture.

La salle d'audience était bondée de curieux, de journalistes et d'huissiers. Hannah et Adam craignirent un instant de ne pas avoir de place, mais Marjorie Fox leur fit signe d'approcher. Deux de ses assistants leur avaient gardé des sièges derrière la table de la défense, qu'ils s'empressèrent de leur céder.

– Elle pense à tout, cette Marjorie, chuchota Adam, admiratif.

Lisa se retourna vers eux.

– Voilà, on y est, dit-elle.

– N'aie pas peur, chérie, murmura Hannah en essayant, vainement, de lui prendre la main.

– Je n'ai pas peur.

Hannah la dévisagea et comprit que c'était vrai. Lisa n'avait pas peur. Elle était calme, détachée, comme si cette histoire ne la concernait pas directement.

L'huissier ordonna au public de se lever. Tout le monde s'exécuta, tandis que le juge Endicott s'asseyait.

– Faites entrer le jury, déclara-t-il.

Cramponnée au bras d'Adam, Hannah observa les jurés qui s'installaient dans le box, scrutant leur visage, s'efforçant de déchiffrer leur expression. Vous tenez le destin de ma fille entre vos mains. S'il vous plaît, rendez-la-nous. Rendez-la à sa petite fille. Je vous en prie.

Le juge demanda si le jury était parvenu à une décision. Le premier juré répondit par l'affirmative.

Hannah eut l'impression qu'un étau lui comprimait le cœur. Elle regarda Adam – l'angoisse figeait son visage aux traits vigoureux. Avec une lenteur torturante, le juge énuméra les chefs d'accusation, puis s'adressa au premier juré :

– Sur l'accusation d'homicide volontaire, quel est votre verdict ?

Le premier juré hésita, coula un regard vers Lisa.

– Non coupable.

Des exclamations s'élevèrent dans la salle, le juge abattit son marteau sur la table. Le silence revint. Lisa tourna la tête vers ses parents, les yeux ronds, un sourire aux lèvres. Hannah, elle, ne touchait plus terre.

– Sur l'accusation de violences volontaires ayant entraîné la mort sans intention de la donner, quel est votre verdict ?

– Non coupable.

Hannah entendit un cri de joie, sans trop savoir s'il avait ou non fusé de sa bouche. Adam la serra dans ses bras.

– Elle est libre, souffla-t-elle, en larmes. Oh, mon Dieu, c'est fini.

– Silence ! ordonna le juge.

Les spectateurs baissèrent la voix, des murmures continuèrent cependant à courir dans la salle.

– Sur l'accusation de vol, quel est votre verdict ?

Cette fois, le premier juré n'eut pas l'ombre d'une hésitation.

– Coupable.

Les spectateurs se turent. Hannah, stupéfaite, regarda Adam.

– Qu'est-ce que ça veut dire ?

– Je ne sais pas trop, répondit-il, les yeux rivés sur Lisa. Je ne comprends pas. Ils considèrent sans doute qu'elle a volé le chèque de Troy.

Le juge offrit à la défense de demander à chacun des jurés de confirmer ou d'infirmer ce verdict, offre que Marjorie déclina avec élégance.

– Dans ce cas, dit le juge, je vais prononcer la sentence.

Lisa baissa respectueusement la tête.

– Lisa Wickes, vous avez été reconnue coupable de vol. Je vous condamne donc à deux mois d'emprisonnement. Vous purgerez cette peine à la prison du comté. Huissier, veuillez faire emmener l'accusée.

Alors que l'huissier s'approchait de Lisa, celle-ci se tourna vers ses parents. Hannah saisit la main de sa fille, l'étreignit.

– Ça passera vite, ma chérie. Tu seras bientôt à la maison.

– C'est pas juste ! Je n'ai pas volé ce putain de chèque !

L'huissier ordonna sèchement à Lisa de tendre les mains pour qu'il lui mette les menottes. Hannah la lâcha à contrecœur. Adam, après avoir remercié Marjorie avec effusion, tapota l'épaule de sa fille qui le regarda d'un air implorant.

– Encore deux mois ? gémit-elle.

Adam retira sa main.

– Ce sera vite passé. Nous avons eu de la chance.

– Mais pourquoi ? insista Lisa. Je n'ai rien fait !

– Chut, Lisa, le juge est en train de parler.

En effet, le juge remerciait le jury. Il pria également les deux avocats de le rejoindre dans son bureau, et décréta que l'audience était levée.

On emmena Lisa, qui lança à ses parents un dernier regard où se lisaient à la fois le soulagement et la colère.

– Elle ne se rend pas compte de la chance qu'elle a ? marmonna Adam.

– Quand on doit retourner en prison, s'estimer chanceux... ce n'est pas évident.

Bousculés par la foule, ils sortirent de la salle. Ils furent assaillis par les journalistes auxquels ils firent les mêmes réponses :

– Nous sommes très satisfaits. Dieu merci, le jury a reconnu l'innocence de notre fille.

– Pas tout à fait, objecta un jeune reporter barbu du *Tennessean*. Elle a été reconnue coupable de vol !

Adam le toisa, et Hannah sentit qu'il fournissait un effort considérable pour répondre calmement :

– Nous considérons qu'il y a un malentendu au sujet de ce chèque, mais nous acceptons le verdict du jury. L'essentiel, c'est que les jurés aient compris que notre fille n'a pas tué M. Petty. Elle rentrera à la maison dans quelques semaines, nous en sommes très heureux.

Hannah se cramponnait à la main de son mari. Elle remerciait le ciel, pour un peu elle en aurait oublié les caméras, les flashs, les vociférations.

– Que ressentez-vous, madame Wickes ? demanda Chanel Ali Jackson en lui collant un micro sous le nez.

– De la joie. Du soulagement. Ce cauchemar est enfin terminé.

Elle n'avait pas plutôt achevé sa phrase qu'elle avisa Nadine Melton, la sœur de Troy Petty. Les journalistes ne lui prêtaient aucune attention. En compagnie d'un assistant du procureur, elle observait Hannah et Adam. Des larmes de rage ruisselaient sur son visage. Lorsque Hannah croisa son regard, la jeune femme secoua la tête, comme pour la mettre en garde. Hannah ne put s'empêcher d'éprouver une bouffée d'angoisse. Non, se dit-elle. Non, c'est fini. Et elle s'obligea à détourner les yeux.

19

RAYANNE ET CHET les attendaient avec une bouteille de champagne. Hannah et Adam embrassèrent leurs amis, Jamie et Greta. Sydney, même si elle ne comprenait pas bien ce qui se passait, sautait de joie. Ils trinquèrent à Lisa, et Hannah eut la sensation que les bulles de champagne lui montaient droit au cerveau.

– Alors, demanda Rayanne, quand revient-elle ?

– Dans deux mois, répondit Hannah avec un soupçon de gêne. Je ne crois pas qu'elle ait volé ce chèque, mais on n'allait pas pinailler. Le verdict nous convient.

– Bien sûr.

– Lisa a très mal pris cette condamnation pour vol, dit Adam, qui avait assis Sydney sur ses genoux et sirotait son champagne. Elle n'a pas saisi, je pense, qu'elle a bien failli passer des années en prison.

– Pour un vol qu'elle n'a pas commis, lui rappela Hannah.

– Je suis vidé, soupira Adam. Ces derniers jours ont été épuisants.

– Ça, je veux bien le croire, dit Chet d'un ton pénétré.

– Dans une quinzaine, quand on aura retrouvé la pêche, toi et moi, je propose qu'on se fasse un petit parcours 9 trous.

– Vendu !

Hannah et Rayanne échangèrent un sourire indulgent. Il fallait risquer de tout perdre, songea Hannah, pour mesurer combien le train-train quotidien est précieux. Ils avaient tous frôlé le précipice. Mais ils seraient bientôt tirés d'affaire.

– Je ne sais pas vous, reprit Adam, mais moi, ce soir, je vais me coucher de bonne heure.

Les autres acquiescèrent de concert.

– Et vous, Greta, Rayanne m'a dit que vous partiez demain ? questionna Hannah.

Greta hocha la tête. Jamie, qui la tenait par la taille, la serra contre lui, plongeant ses yeux rieurs dans les siens.

– Dommage que vous ne restiez pas plus longtemps, ajouta Hannah. On n'a pas eu le temps de se parler.

– La prochaine fois, répondit la jeune femme.

Quel bel optimisme. Greta prévoyait déjà de revenir chez les parents de Jamie. Elle était charmante.

– Jamie, tu as trouvé une perle.

– Tout à fait d'accord ! rétorqua-t-il, radieux et enchanté du compliment.

Hannah en eut un petit pincement au cœur. Il était si visiblement heureux, si follement épris. Lisa et lui, lorsqu'ils étaient enfants, étaient inséparables. Hannah avait toujours espéré que leur amitié se transformerait en amour. Mais, à l'adolescence, leurs différences s'étaient accentuées. Jamie avait des notes moyennes, on ne le voyait jamais le nez dans un bouquin. Il préférait de loin le sport aux études. Lisa, avec ses lunettes et ses cheveux en bataille, était la plus jeune de sa classe. C'était une tronche, comme disaient ses camarades avec condescendance – à croire que, pour eux, c'était un handicap.

Mais le temps de l'école était révolu. Jamie était devenu un beau jeune homme, il avait un métier stable, à défaut d'être passionnant. Lisa, maintenant que ce procès était derrière elle, avait dans la médecine un avenir sans limites. Les derniers seront les premiers, pensa Hannah.

– Adam a raison, dit-elle. Il nous faut rentrer coucher la petite. Merci de votre soutien.

Ils se séparèrent avec moult remerciements, congratulations et embrassades. Adam et Hannah regagnèrent leur maison, Hannah portant Sydney, et verrouillèrent la porte. Ils retrouvaient un monde sensé et sans danger. Tous se couchèrent de bonne heure, et la paix régna sur les deux foyers.

Le lendemain matin, Hannah fut tirée d'un sommeil agité par le vrombissement d'une voiture qui démarrait devant chez Rayanne et Chet. Jamie emmenait Greta à l'aéroport, pensa-t-elle. Elle tourna la tête vers la fenêtre. Il était trop tôt, difficile de savoir si le soleil n'était pas encore tout à fait levé ou si le ciel allait rester couvert. Elle songea vaguement à sortir du lit, même si on n'entendait pas le moindre bruit provenant de la chambre de Sydney. Et elle se rendormit.

Cette fois elle fut réveillée par Adam, par sa bouche au creux de son cou. Elle se lova dans ses bras, et ils firent l'amour, tranquillement, délicieusement. Ensuite ils s'assoupirent, jusqu'au moment où Sydney déboula et grimpa sur leur lit.

– Quelle heure est-il ? demanda Hannah, enroulant machinalement autour de son index une boucle blonde et soyeuse de la fillette.

– Neuf heures passées, répondit Adam.
– On a fait le tour du cadran.
– Nous en avions besoin.
– Allons prendre le petit déjeuner dehors. Là où personne ne nous connaît.
– Excellente idée. Mais on prend deux voitures. Je veux aller au bureau.
– Moi, je crois qu'aujourd'hui je vais encore faire l'école buissonnière. Je suis crevée. Et puis, j'ai envie de passer un peu de temps avec Sydney et de rendre visite à Lisa dans l'après-midi.
Qu'il était bon de retrouver leur vie normale, songea-t-elle. Certes, tout n'était pas réglé pour Lisa. Elle était en prison, et cette condamnation pour vol risquait d'avoir des répercussions à la fac de médecine. Mais en comparaison à ce qui aurait pu leur tomber dessus, ce n'était pas grand-chose.
Ils sortirent de Nashville et prirent la direction de Shelbyville. Ils s'arrêtèrent dans un snack – un genre de ranch en rondins – où l'on servait saucisses, œufs et biscuits toute la journée. Les petits-enfants du patron jouaient sur la véranda. Sydney se joignit à eux avec bonheur, sous le regard attentif de Hannah et Adam qui, assis à une table près de la fenêtre, savouraient leur café.
Ils s'embrassèrent avant de monter chacun dans sa voiture. Adam donna un baiser à Sydney.
– Essaie de rentrer de bonne heure, lui dit Hannah. Je te préparerai un bon petit plat.
– Quoi donc ?
– Je trouverai bien.
– Ça, j'en suis sûr, répondit-il en souriant.
Il démarra, leur fit au revoir de la main. Hannah attacha Sydney sur son siège-auto et reprit le chemin de la maison.

Juste après le déjeuner, Lisa téléphona de la prison du comté.

– C'est quand même incroyable que ces abrutis de jurés m'aient condamnée !

– Ma chérie, étant donné la situation, nous avons eu de la chance, objecta Hannah, peinée par l'attitude de sa fille.

– Facile à dire pour toi, rétorqua Lisa avec dédain. Mais moi, je vais moisir ici pendant deux mois. Et pour ma bourse d'étude, qu'est-ce qui va se passer ?

– Nous trouverons une solution, ne te tracasse pas. On arrivera à les convaincre de ne pas te supprimer tes allocations. Dans l'immédiat, je suis tellement soulagée…

– Franchement, maman, je ne comprends vraiment pas pourquoi tu es si contente. On m'a accusée d'un crime qui n'en était pas un. Et maintenant je dois passer encore deux mois dans ce trou !

Hannah s'efforça de se mettre à la place de Lisa. Si elle devait faire de la prison pour un acte qu'elle n'avait pas commis, elle aussi serait révoltée. Pourtant, si l'on songeait à la peine dont elle avait failli écoper, on ne pouvait que se réjouir.

Elle préféra changer de sujet.

– J'ai l'intention de venir te voir aujourd'hui. Tu as besoin de quelque chose ?

– Une lime dans un gâteau, répondit Lisa qui ne plaisantait qu'à moitié.

– Ça ne sera pas long, tu rentreras bientôt à la maison.

– Oui, mais avec un casier judiciaire. Ça fout toute ma vie en l'air. Mais pourquoi a-t-il fallu que je rencontre cet imbécile ?

– Troy.

– Oui, Troy. Quelle bourde !

Hannah repensa à Adam fouillant le disque dur de Lisa, pour vérifier si elle avait effectué des recherches sur Troy, et n'en trouvant pas trace. Elle revit la sœur de Troy, qui après le procès l'avait regardée d'un air presque apitoyé. Elle secoua la tête.

– C'est fini, maintenant. Tâchons d'être positifs.

– Maman… s'il te plaît.

– Sydney t'envoie un baiser.

– Super.

– À tout à l'heure…

Mais Lisa avait raccroché.

Hannah resta un moment immobile à contempler son téléphone. Puis, soupirant, elle le remit dans sa poche. Elle prit Sydney dans ses bras et sortit dans le jardin. Elle arrosa les fleurs, puis s'assit et regarda la fillette jouer avec le tuyau d'arrosage jusqu'à l'heure de sa sieste.

Quand elle l'eut couchée, elle s'installa au salon pour lire. La perspective d'aller à la prison ne l'enthousiasmait pas, mais elle irait malgré tout voir sa fille dès qu'Adam rentrerait.

Un coup frappé à la porte de la cuisine la fit sursauter.

C'était Jamie. Elle lui sourit, étonnée.

– Comment vas-tu, Jamie ?

Le regard du jeune homme se déroba.

– Ça va.

– Je vous ai entendus partir, ce matin. Greta a pu prendre son avion ?

– Oui, merci.

– Et tes parents ? demanda-t-elle, de plus en plus perplexe.

– Ils vont bien. Je peux entrer, madame Wickes ? Il faut que je vous parle.

– Mais bien sûr, entre.

Jamie franchit le seuil de la cuisine. Il était grand, mince, les épaules larges. Aujourd'hui, il portait un jean et une chemise en oxford impeccables. Ses cheveux en brosse étaient l'unique concession à la mode de ce jeune homme classique.

– M. Wickes est là ?

– Non, il est au bureau. Tu voulais lui parler aussi ?

Il fronça les sourcils. Il semblait troublé.

– Il vaut peut-être mieux que nous ayons cette conversation en tête à tête.

– D'accord... Allons nous asseoir au salon.

– Où est Sydney ?

– Elle fait la sieste.

– Elle est vraiment mignonne. Greta l'a adorée.

– Tous les deux, vous prévoyez d'avoir des...

– Peut-être un jour, coupa-t-il. Écoutez, il faut que je vous dise ce que... j'ai à vous dire tant que j'en ai le courage.

– Mais de quoi s'agit-il ? Tu as l'air bien préoccupé.

– Oui, c'est le mot juste. Je suis préoccupé. Je n'ai même pas averti ma mère que je venais ici, parce que je ne tenais pas à en discuter avec elle. Ni avec mon père, d'ailleurs.

– Eh bien, si quelque chose te tracasse, parle.

Il hocha la tête, hésitant encore.

– Jamie ?

– D'accord. Lisa et moi nous étions très amis, quand nous étions plus jeunes, vous vous en souvenez.

– Bien sûr. Enfants, vous étiez inséparables. Et vous êtes restés amis longtemps.

Jamie fixa un point sur le mur.

– Vous a-t-elle expliqué pourquoi nous avons cessé de l'être ?

Hannah fit non de la tête. Inutile de répéter que Lisa le jugeait trop bête. En réalité, Hannah avait toujours pensé que Lisa avançait cet argument pour cacher qu'elle était blessée, car en entrant au lycée Jamie s'était lié avec des élèves plus populaires qu'elle. Peut-être Jamie avait-il un peu honte de copiner avec une fille plus jeune, une intello au physique quelconque.

– Vous vous êtes éloignés l'un de l'autre. Tu étais un peu plus âgé qu'elle, et tu étais déjà au lycée. Voilà tout.

– Non, ce n'est pas tout.

– Ah bon ?

– Il y avait une raison précise.

– Ah…

Elle faillit rétorquer qu'elle ne tenait pas vraiment à refaire l'histoire, qu'elle était lasse. Mais elle garda le silence.

Jamie lui lança un regard, détourna de nouveau les yeux. Ses longs doigts pétrissaient nerveusement le dos de ses mains.

– J'ai une excellente raison d'aborder ce sujet. Sinon, je ne vous ennuierais pas avec ça. Vous comprendrez quand je vous aurai dit…

– D'accord.

Elle eut le sentiment qu'elle allait regretter d'avoir écouté les explications de Jamie. Elle aurait voulu le faire taire, mais sous quel prétexte ?

Il prit une profonde respiration.

– J'ai essayé de ne pas trop y penser, ces dernières années. C'était trop gênant. Mais j'ai suivi le procès, surtout quand Lisa a témoigné, qu'elle a parlé de Troy Petty. Quand elle a dit qu'elle était dégoûtée, qu'elle l'avait surpris… vous savez… avec Sydney.

Hannah scruta le jeune homme, se demandant où diable il voulait en venir.

– Malheureusement, certains individus sont comme ça… des pédophiles.

Une terrible angoisse troubla le regard de Jamie.

– Jamais je ne vous en parlerais s'il n'y avait pas une enfant innocente en jeu.

– Je ne sais pas ce que tu as sur le cœur, Jamie, rétorqua-t-elle, mais ça commence à devenir bizarre…

– Oui, bien sûr. Alors voilà… Il s'est passé quelque chose l'été où la sœur de mon père et sa famille nous ont rendu visite. J'avais tout juste seize ans.

Hannah s'en souvenait vaguement. La sœur de Chet vivait en Arizona, et ne venait que très rarement dans le Tennessee.

– Il y avait mes deux petits cousins. Shane et Alberta. Shane avait dans les trois ans, et Alberta était plus jeune. Deux ans. Ma mère m'a demandé de m'en occuper, pendant qu'ils allaient chez une grand-tante du côté de Chattanooga. Plus exactement, elle m'a donné le choix · je les accompagnais à Chattanooga ou je gardais les gamins. Je n'ai pas hésité. On avait la piscine gonflable, les balançoires. Je me suis dit que ça ne serait pas si terrible.

Hannah hocha la tête.

– Lisa est arrivée. Vous savez comment c'était, grâce au passage dans la haie, on allait d'un jardin à l'autre, ajouta-t-il, et sa voix s'érailla. Lisa était toujours ma meilleure amie.

– Je sais, fit-elle gentiment.

Jamie soupira, contempla ses mains nouées.

– Et alors ?

– Alors elle est venue. On a joué dans la piscine avec les petits, en buvant du Coca. On a passé le temps, quoi. Et puis j'ai dit qu'il fallait peut-être que je leur mette des vêtements secs. Lisa a proposé de m'aider, et elle m'a suivi dans la maison. J'ai cherché de quoi les habiller dans les valises, pendant que Lisa leur ôtait leurs maillots de bain.

– Elle n'avait pas l'habitude des enfants.

– J'ai fini par trouver des shorts et des T-shirts. « Eurêka ! », j'ai dit, ou quelque chose comme ça. Et là j'ai vu que Lisa les tenait dans ses bras, qu'elle les embrassait d'une façon…

– Affectueuse, acheva Hannah.

– Et puis j'ai vu qu'elle avait enlevé le haut de son maillot.

– Écoute, Jamie, si tu veux me dire que toi et Lisa… Je me suis toujours doutée que vous aviez fait quelques expériences. Je n'en suis pas choquée.

Il lui décocha un regard si triste qu'elle se tut.

– Je vous parle de mes petits cousins. Lisa les couvrait de baisers. Elle répétait : « Ce qu'ils sont mignons. » Ça m'a un peu surpris, mais c'est vrai qu'ils étaient mignons. Et puis elle m'a dit : « Enlève ton maillot. »

Hannah ne réagit pas. Un silence assourdissant s'abattit sur le salon.

– D'abord, je n'ai pas compris. J'étais trop stupéfait de voir Lisa sans son haut de maillot. Pour être franc, j'en avais souvent rêvé, mais je n'espérais pas vraiment qu'il se passe quelque chose entre nous. Enfin… quelque chose de sexuel. Je roulais des mécaniques mais j'étais trop… timide. N'empêche, je savais que les gamins n'auraient pas dû la voir comme ça, à moitié nue. J'ai pensé qu'elle essayait peut-être de me dire qu'elle avait envie de… de faire des choses. Je n'avais rien contre, évidemment, mais pas devant eux. Alors je le lui ai dit : « Non, Lisa, pas maintenant. Plus tard, quand on sera seuls… »

« Elle ne m'écoutait même pas. Elle avait les yeux brillants et contemplait les gamins. Deux petits anges, l'innocence incarnée. Et Lisa m'a dit : « Viens, on va jouer avec eux, dans ta chambre. Tu vas le faire avec Alberta, et moi je regarderai. T'as pas envie ? »

Hannah se leva d'un bond.

– Qu'est-ce que tu racontes ? Tais-toi ! C'est monstrueux. Tu as tout imaginé, les garçons de seize ans sont détraqués.

Jamie ne se vexa pas, ne broncha pas.

– J'étais sidéré, moi aussi. Mais ses mots, le ton de sa voix, ne laissaient aucun doute.

– Le ton de sa voix, répéta Hannah, sarcastique. Tu inventes.

– Comme je ne réagissais pas, enchaîna Jamie, implacable, elle s'est mise à tripoter Shane. J'étais pétrifié.

– Tu mens ! s'emporta Hannah. C'est une honte. Sors de chez moi, tu as l'esprit tordu. Va-t'en !

Cette fois, Jamie se leva. Il avait les larmes aux yeux.

– Je lui ai enlevé Shane, je lui ai ordonné de se rhabiller et de s'en aller. Je lui ai interdit de revenir tant que mes petits cousins seraient là. Elle m'a traité d'imbécile, de coincé, elle a dit qu'elle ne voulait plus me voir, point à la ligne. Qu'elle ne reviendrait jamais. Et elle a tenu parole.

– Mais qu'est-ce qui t'arrive ? Que tu puisses inventer une histoire pareille, après tant d'années... C'est inouï.

– Dans son témoignage, Lisa a prétendu que Troy Petty s'apprêtait à abuser de Sydney. Mais les détails qu'elle a donnés... Il m'a semblé réentendre les suggestions qu'elle m'a faites ce jour-là, à propos de mes petits cousins.

– C'est faux ! s'insurgea Hannah. Ta mère m'aurait prévenue, à l'époque !

– Je ne le lui ai jamais dit.

– Et pourquoi ?

– J'avais honte ! Comment pouvais-je raconter ça à ma mère ? Et puis, je ne voulais pas attirer des ennuis à Lisa. Je… je tenais à elle. Malgré tout ça. Elle m'a rejeté ensuite, mais je ne lui aurais fait du tort pour rien au monde. Aujourd'hui, je me demande si j'ai eu raison.

– Tu es pervers, Jamie, tout simplement. Tu te réveilles maintenant que le procès est terminé ? Après tout ce temps, tu n'as encore pas digéré qu'elle t'ait repoussé ?

– Je ne voulais pas vous en parler, rétorqua-t-il d'un ton las. Je vous assure. Mais quand elle a témoigné, exprimé son… indignation, j'ai su qu'elle mentait. Je crois que c'est l'inverse qui s'est produit. Elle a suggéré ça à ce garçon, il en a été choqué, et il l'a mise à la porte. Il fallait que je vous prévienne. Sydney ne peut pas se défendre contre sa mère. C'est à vous de la protéger.

– Sors d'ici. Je refuse d'en écouter davantage.

– Je m'en vais. Je suis navré. Je devais vous le dire, pardonnez-moi.

Hannah se laissa tomber sur le canapé, le souffle coupé.

– Je l'ai fait pour Sydney, madame Wickes. Il fallait que vous le sachiez, pour protéger Sydney.

Elle ne répondit pas, ne le regarda pas.

Un instant après, elle entendit la porte de la cuisine se refermer.

20

QUAND ADAM REVINT le silence régnait dans la maison. Il passa par la cuisine, cria :

– Il y a quelqu'un ?

Hannah était au salon, sur le canapé, elle n'avait pas bougé depuis que Jamie était parti. Elle entendit Adam appeler, mais ne répondit pas. Sydney babillait dans sa chambre. Il y avait un bon moment qu'elle était réveillée de sa sieste, mais elle avait joué tranquillement. Elle commençait toutefois à s'impatienter et réclamer qu'on lui prête attention, pourtant Hannah ne bougeait pas.

Adam entra dans la pièce, vit sa femme prostrée. Il entendit Sydney.

– Qu'est-ce que tu fais là, dans le noir ?

Elle leva la tête.

– Tu veux bien t'occuper de Sydney ? Je ne peux pas.

– Qu'y a-t-il, ma chérie ? Ça ne va pas ?

– Tu veux bien ?

– Oui, d'accord.

Il hésita, surpris, mais rejoignit Sydney dans sa chambre. Hannah les entendit papoter gaiement, puis la fillette déboula dans la pièce et grimpa sur les genoux de sa grand-mère, pendant qu'Adam s'affairait dans la cuisine. Il rapporta une tasse à bec à Sydney qui but goulûment.

Adam s'assit à côté de Hannah, scrutant son visage.

– Que se passe-t-il ? Je suis en retard, excuse-moi. Mais tu as encore le temps d'aller à la prison.

Hébétée, elle fit non de la tête. Adam alluma la télévision, mit un dessin animé qui captiva aussitôt Sydney.

– Tu regardes un petit moment ? lui dit Adam. Moi je vais à côté avec Mom.

Il aida Hannah à se lever et la conduisit dans leur chambre dont il laissa la porte entrebâillée pour garder un œil sur leur petite-fille. Il guida Hannah jusqu'à la causeuse, dans l'alcôve, s'assit près d'elle et l'enlaça.

– Eh bien, qu'y a-t-il ?

– Je ne veux même pas en parler.

– Chérie, que s'est-il passé depuis notre petit déjeuner ?

Hannah garda le silence. Adam attendit patiemment.

– J'ai eu de la visite, dit-elle enfin.

– Bien.

– Jamie.

Adam opina.

– Il a suivi le procès, et il a estimé nécessaire de nous informer de… quelque chose. Une chose qu'il sait sur Lisa, en rapport avec son témoignage.

– C'est-à-dire ? s'étonna-t-il. Lisa et lui ne sont plus en contact. Ces trois dernières années, on ne l'a quasiment pas vu.

Hannah le regarda droit dans les yeux.

– Il m'a dit que, quand ils étaient ados, Lisa lui avait suggéré de…

Elle se tut, incapable de poursuivre.

– Quoi donc ? Tu me fais peur.

Hannah se leva, se détourna.

– Il a dit que Lisa voulait qu'il… qu'il abuse de sa petite cousine de deux ans, pendant qu'elle regarderait.

– Mais il… Quoi ? Non, non… C'est grotesque. Mais qu'est-ce qu'il raconte ?

– Il a vu Lisa témoigner, à la télé. Il l'a entendue déclarer qu'elle avait surpris Troy en train de tripoter Sydney. Et il est venu me dire que c'était Lisa qui avait un penchant pour… pour ces choses-là.

Adam ne souffla mot. Elle se tourna vers lui.

– Il était sincère, Adam. Il ne mentait pas. Prononcer ces mots devant moi lui faisait honte.

– Et c'est maintenant qu'il nous sert cette histoire ? C'est absurde. Il n'en a jamais parlé.

– Il m'a dit et répété qu'il m'en parlait uniquement parce qu'il s'inquiétait pour Sydney.

– Non, non… Ce n'est pas possible.

Ils restèrent tous deux silencieux, à essayer de se persuader que c'était effectivement impossible.

– Adam, je n'arrête pas d'y penser. Et si c'était vrai ? Nous nous sommes demandé pourquoi elle fréquentait un homme accusé d'attouchements sexuels sur une enfant. Mais peut-être est-ce justement pour cette raison qu'elle a jeté son dévolu sur Troy Petty.

– Non. Mais tu t'entends ? Non !

– Ça ne me plaît pas plus qu'à toi.

– Non, je te dis que non. Écoute-moi, réfléchis. Où est-ce que ces pédophiles entrent en contact ?

– Je ne sais pas, balbutia-t-elle.

– Sur Internet.

– Oui, sans doute.

– Il n'y a aucun doute là-dessus. C'est comme ça qu'ils pratiquent, qu'ils se rencontrent.

– Oui…

– L'autre soir, j'ai épluché l'historique de Lisa. Or je n'ai rien trouvé de tel. Pas de site pédophile, ajouta-t-il en grimaçant. Rien de ce genre. Si les accusations de Jamie étaient fondées, si Lisa avait secrètement ces… penchants, elle aurait consulté ces sites. L'informatique, c'est mon boulot. J'en ai entendu des vertes et des pas mûres dans ce domaine, et je te l'affirme : c'est impossible.

Ces paroles, si elles ne convainquirent pas Hannah, la réconfortèrent.

– Tu t'es pourtant étonné qu'elle ne se renseigne pas sur Troy, quand Wynonna lui a parlé de son passé…

– Ça m'a paru étrange, concéda-t-il. Mais les faits sont là. Il n'y a aucune trace de ces… saletés sur son disque dur.

Hannah essaya de s'accrocher à ce fragile espoir.

– Tu as raison. Si c'était… concret, tu en aurais trouvé la trace.

– Absolument. De toute façon, tu as entendu parler de femmes pédophiles, toi ? Tu travailles pour les services sociaux, tu as vu toutes les déviances imaginables. Mais tu connais une femme capable de ça ?

– Non, pas vraiment, répondit Hannah, fouillant sa mémoire – quoique, d'après son expérience, il n'existait pas de limites à la perversité des êtres humains.

– Les abus sexuels, c'est réservé aux détraqués.

– Mais si tu avais été là, à l'écouter raconter son histoire, murmura-t-elle tristement. C'était horrible.

– Tu sais bien qu'il a toujours eu un faible pour elle. Il aurait bien voulu qu'elle soit plus qu'une amie. Peut-être qu'il a dit tout ça pour prendre une sorte de revanche.

– Jamie ? Le Jamie de Chet et Rayanne ?

– Quand ils sont blessés dans leur amour-propre, les gens se conduisent mal. Souvent ils veulent se venger.

– C'est une vengeance vraiment abjecte.

– Dans cette histoire, il n'est question que de choses abjectes.

– Alors tu penses qu'il n'y a rien de vrai là-dedans ? demanda Hannah, tournant vers lui un regard implorant.

– Absolument, répondit-il, péremptoire. Je crois qu'il cherche à punir Lisa, parce qu'elle l'a laissé tomber.

Hannah avait follement envie de le croire, mais une petite voix intérieure lui soufflait avec insistance que cela n'avait pas de sens.

Elle la bâillonna.

– Tu as raison.

– Mom ! cria Sydney depuis le salon. Soif !

Adam esquissa un sourire.

– On nous réclame.

– Je t'avais promis un dîner correct.

– Aucune importance. Nous nous contenterons d'un sandwich. Tu vas à la prison ?

– Je n'en ai pas le courage, ce soir. Lisa sera furieuse…

– Tu plaisantes ? Après tout ce que nous avons subi, je me fiche que Lisa soit en rogne. Repose-toi, tout va bien, ne pense plus à rien.

– Mom !

Hannah se leva, respira profondément.

– C'est plus facile à dire qu'à faire.

À vingt et une heures, Lisa téléphona, exigeant de savoir pourquoi ses parents ne lui avaient pas rendu visite. Adam lui répondit que Hannah avait une migraine épouvantable. Elle était déjà couchée. Il ajouta qu'ils viendraient la voir dans un jour ou deux. Sentant de la froideur dans la voix de son père, Lisa s'empressa de mettre un bémol à ses récriminations.

Quand il eut raccroché, il dit à Hannah :

– Une petite dose de réalité lui fera du bien. Nous nous sommes décarcassés pour cette gamine. Elle n'a qu'à prendre son mal en patience.

– Avons-nous été des mauvais parents ? dit anxieusement Hannah, allongée sur le canapé.

– Je ne crois pas. Nous ne l'avons pas excessivement gâtée. Nous l'avons toujours entourée d'amour et d'attention.

– Je ne sais plus où j'en suis.

– Je comprends. Demain, tu devrais reprendre le travail. Cela t'aidera peut-être. Tu n'auras qu'à emmener Sydney chez Tiffany. Elle s'amusera avec les autres enfants. Nous avons tous les trois besoin de retrouver une vie normale.

– Tu n'as pas tort. D'ailleurs, je ne veux pas rester là. Je ne veux pas regarder par la fenêtre, voir Jamie et me demander pourquoi il m'a raconté tout ça.

– Moi non plus, je ne comprends pas pourquoi il s'est conduit de cette façon. Mais je me force à croire qu'il cherchait juste à nous déstabiliser. Dieu sait pourquoi.

Hannah hocha la tête.

– Tu as raison.

– Allons nous coucher. Ça ira mieux demain.

Mais le lendemain matin, après une mauvaise nuit, ça n'allait pas mieux. Hannah emmena Sydney chez Tiffany, puis partit travailler. Quand elle arriva au bureau, elle eut l'impression d'être une malade en convalescence. Elle se sentait faible, tremblante. Ses collègues la félicitèrent pour l'acquittement de Lisa, et elle fit mine de leur en être reconnaissante. Heureusement, elle avait du pain sur la planche et, jusqu'à midi, n'eut pas le temps de réfléchir.

Jackie Fleischer passa la tête à la porte.

– Ça vous dit de déjeuner sous les arbres ? Il y a un marchand ambulant libanais par là-bas.

– Bonne idée.

Ce plaisir tout simple, déjeuner dehors avec une amie, lui ferait un bien fou. Elle boucla son travail et rejoignit Jackie dans le hall. Dehors il faisait doux, c'était une radieuse journée de septembre.

Elles s'installèrent sur un banc, dans le parc, et, une serviette en papier dépliée sur les genoux, s'attaquèrent à leur pita aux falafels.

– C'est bon de vous revoir parmi nous, dit Jackie.

– C'est bon de revenir au bureau.

– Tout est bien qui finit bien.

Hannah hocha la tête. Elle resta un moment silencieuse, songeant à Jamie et se demandant si elle oserait aborder le sujet.

– Vous semblez toujours soucieuse, fit remarquer Jackie.

Hannah soupira.

– Qu'est-ce qui ne va pas ?

Tout à coup, Hannah sut comment s'y prendre pour évoquer ce qui la turlupinait sans en parler directement.

– Eh bien, c'est un problème professionnel. J'ai un dossier plus que bizarre. Je ne sais pas trop quoi faire.

– Racontez-moi tout. Le bizarre, j'adore !

Hannah prit sa respiration et se jeta à l'eau.

– Avez-vous déjà rencontré une femme pédophile ? Plus précisément, une mère qui... utiliserait son propre enfant ?

Jackie remit son sandwich dans son sachet en papier sulfurisé, se tamponna la bouche avec sa serviette qu'elle froissa dans sa main.

– Ça existe, en effet.

– Mais il faut être complètement détraqué !

– Ou psychopathe.

– Oui, complètement détraqué.

– Ce n'est pas la même chose. La psychopathie n'est pas considérée comme une maladie mentale, du type schizophrénie ou trouble bipolaire, pour lesquels il existe des traitements qui permettent de contrôler les symptômes.

Hannah avança prudemment.

– Il n'y a pas de traitements pour les psychopathes ?

– Rien qui soit efficace. Mais il faut dire aussi qu'on peut être psychopathe et tout à fait bien intégré socialement.

– Ah bon ? Je croyais que les psychopathes étaient des tueurs en série ou des individus dans ce style.

– Eh bien, le spectre psychopathique couvre toute la gamme des cas possibles, du criminel dépravé au P-DG. Mais tous ont un point commun : l'absence du surmoi qui gouverne les gens normaux. Leur boussole interne, distinguant le bien du mal, ne fonctionne pas. Ou n'existe carrément pas.

Hannah hocha la tête. La nourriture qu elle mastiquait avait un goût de poussière.

– Est-ce que cela correspond à votre cliente ?

– Je la connais à peine. Mais… non, je ne crois pas. Pas vraiment. Elle me paraît on ne peut plus normale. À mon avis, on essaie de la discréditer. Ces histoires de garde d'enfants, vous savez ce que c'est.

– Ne soyez quand même pas trop affirmative, dit Jackie, haussant nonchalamment les épaules. Les psychopathes sont des menteurs chevronnés. Car ce sont souvent des individus extrêmement intelligents. Compétents. Efficaces. Issus de familles normales. Cette pathologie n'est pas le fruit d'une maltraitance, certains experts affirment même qu'elle est innée. Voilà pourquoi elle est si difficile à appréhender. Mais les psychopathes n'ont pas notre conception de la dépravation. Ils ne sont ni choqués ni dérangés par ce que les gens normaux jugent répugnant ou répréhensible. Ils n'ont pas de limites morales.

– Une notion intéressante, murmura Hannah.

– Et relativement exacte.

– Avez-vous déjà traité un psychopathe ?

– Vous voulez dire par la psychothérapie ?

– Oui.

– J'ai eu des patients en thérapie qui… J'ignorais qu'ils étaient psychopathes. Du moins au début. Mais au fil des séances, cela m'est clairement apparu. Il n'y avait pas moyen de les soigner.

– Vraiment ? Même s'ils demandaient de l'aide ?

– Ils ne le demandaient pas. Pas réellement. Un psychopathe s'estime parfaitement équilibré. Mais bien sûr, dans le cadre de l'injonction thérapeutique, j'ai eu quelques cas de ce genre. Il faut un certain temps pour poser le diagnostic de psychopathie. Et une fois que le diagnostic est posé, on se rend compte que la cure est vouée à l'échec. Ces patients-là n'évoluent pas, ils en sont incapables.

– Ces cas sont sûrement rarissimes.

Hannah remit sa pita dans son sachet en papier. Elle n'avait plus faim.

– Pas autant que vous le pensez. Ils sont là, parmi nous, ils ont l'air normaux. Une femme pédophile ? C'est tout à fait possible.

Hannah eut l'impression que le ciel bleu devenait soudain menaçant.

– Tout ça me dépasse, dit-elle abruptement.

– Ça nous dépasse tous. Voulez-vous que je reçoive votre cliente ? Je pourrai peut-être déterminer si…

– Non, coupa Hannah – il lui semblait qu'une main gigantesque lui broyait le cœur. Laissez tomber. Et puis, comme vous dites, ça ne sert à rien.

21

APRÈS LE DÉJEUNER, Hannah dit à son chef qu'elle ne se sentait pas bien – ce en quoi elle ne mentait pas – et qu'elle souhaitait rentrer chez elle. Ward Higgins, un veuf rondouillard, en permanence stressé, lui fit remarquer qu'elle avait probablement repris le travail trop tôt.

– Vous avez traversé une dure épreuve. Il vous faudra sans doute quelques jours pour vous en remettre.

– Sans doute.

Elle prit ses affaires et partit. Elle roula à l'aveuglette, sans prêter attention à ce qui se passait autour d'elle. Heureusement elle connaissait la route par cœur et arriva à la maison sans encombres.

Elle se rua dans le vestibule, refusant de jeter ne fût-ce qu'un regard du côté de chez ses amis Dollard. Elle claqua la porte, la verrouilla, et s'appuya contre le battant, scrutant l'espace plongé dans une fraîche pénombre. Adam et elle avaient acheté cette maison alors que Lisa avait quatre ans à peine. Ils étaient si contents de devenir propriétaires, d'avoir un jardin où leur fille pourrait jouer, et un parc au bout de la rue. Ils avaient voulu que leur maison soit un foyer heureux. Et ils y étaient parvenus. Des années plus tard, lorsque Sydney était arrivée inopinément, ils avaient fait en sorte qu'elle aussi s'y sente bien.

Les larmes lui montèrent aux yeux. Hier, elle avait cru le cauchemar terminé. Jusqu'à ce que Jamie frappe à sa porte. Et à présent…

Hannah s'obligea à se concentrer. Elle était rentrée pour une raison précise. Sa conversation avec Jackie l'avait épouvantée, mais elle ne pouvait pas se dérober, feindre de n'avoir rien entendu, rien compris. Tout ce que Jackie disait des femmes psychopathes trouvait en elle un terrible écho. Elle se répétait que ce n'était pas possible, mais il fallait en avoir le cœur net. Comment s'y prendre ? Elle n'en avait pas la moindre idée.

Commencer par le commencement.

Rassemblant son courage, elle se décolla de la porte et longea le couloir faiblement éclairé menant à la chambre de Lisa. Campée sur le seuil de la pièce, elle alluma le plafonnier. Tout était méticuleusement rangé, comme à l'accoutumée.

Elle avait veillé à ne jamais s'immiscer dans l'intimité de sa fille. Après tout, se disait-elle, Lisa ne passait pas son temps à mentir, elle n'était ni paresseuse ni dénuée d'ambition. Elle était en fac de médecine. N'importe quel parent en eût été fier. Elle était mère célibataire, d'accord, mais de nos jours c'était quasiment la norme.

Hannah s'était toujours interdit de fureter dans le sanctuaire de sa fille. L'autre soir, surprendre Adam en train de pirater son ordinateur l'avait effarée. Lisa n'était pas parfaite – à vrai dire, son comportement leur avait parfois paru préoccupant et inexplicable – cependant elle avait droit au respect de sa vie privée.

Mais plus maintenant. Si Lisa avait un secret, Hannah le débusquerait ici, dans cette chambre. Sûrement très bien caché. Elle ne s'aviserait pas d'utiliser son propre ordinateur pour se connecter à des sites pédophiles. Dire qu'ils s'attendaient à tomber sur ce genre de preuve, c'était risible. Lisa savait que son père était capable, s'il le désirait, de s'introduire dans son disque dur. Ce n'était pas là qu'il fallait chercher.

Hannah entra dans la pièce qu'elle balaya du regard. D'abord le bureau. Elle n'y trouverait pas non plus d'indices tangibles, Lisa était trop maligne pour ça, mais il fallait bien commencer quelque part.

Hannah s'assit et s'attela à la tâche.

Les heures passaient, le soleil déclinait, et Hannah continuait à perquisitionner la chambre de sa fille. Le moindre tiroir, la moindre boîte en plastique, le moindre centimètre d'étagère. Elle fouilla sans relâche. Sans savoir vraiment ce qu'elle cherchait, ce qui ne simplifiait pas les choses – un signe de perversion, une preuve que Lisa s'adonnait à des pratiques infâmes et cruelles. Au lieu de quoi, elle trouva des manuels de médecine, annotés et stabilotés, des photos de ses copines de lycée qui faisaient les folles, et des photos attendrissantes de Sydney, en robe bain de soleil, un chapeau adorable sur la tête, ou en costume de Halloween.

Enfin, elle s'assit sur le lit et regarda autour d'elle. Elle avait essayé de tout remettre en ordre, mais certains objets ne seraient pas tout à fait à leur place, c'était inévitable. Quand Lisa reviendrait, elle s'en prendrait à sa mère pour avoir osé fouiner dans sa chambre. Et je plaiderai volontiers coupable, songea Hannah, envahie par un soulagement confinant à la félicité. Je dirai que je cherchais quelque chose. J'inventerai. Quelle importance ?

Cette chambre n'était pas celle d'une psychopathe. D'une pédophile. Cette chambre était exactement ce qu'elle paraissait être : le domaine d'une jeune maman, d'une studieuse étudiante en médecine. Le domaine de leur merveilleuse fille.

Hannah était fatiguée, mais elle se sentait beaucoup mieux. Elle s'était contrainte à affronter le pire, sans se dérober. Et elle n'avait rien trouvé. Pardonne-moi, Lisa, je n'aurais pas dû douter de toi.

Elle jeta un coup d'œil à sa montre. Seize heures trente. Il lui faudrait bientôt aller chercher Sydney. Elle était impatiente de serrer sa petite-fille dans ses bras, de la couvrir de baisers. Elle s'arrêterait d'abord à la boutique de cupcakes qui venait d'ouvrir dans Briley Parkway et achèterait des gâteaux pour fêter ça. Elle en prendrait un pour Lisa qu'elle apporterait à la prison. Peut-être aurait-elle la permission de l'offrir à sa fille ?

Refermant la porte de la chambre, elle alla dans la salle de bains s'asperger la figure d'eau froide. Elle vaporisa sur ses cheveux le gel en spray de Lisa, froissa des mèches entre ses doigts pour sculpter des ondulations dans sa coupe au carré. Après avoir jaugé le résultat d'un œil sceptique, elle se dirigea vers la cuisine. Ils avaient l'habitude de laisser leurs clés dans une corbeille sur le plan de travail. Elle saisit un trousseau, les clés tintèrent, et elle se rendit compte qu'elle s'était trompée : c'était celui de Lisa. Elle le reposa, farfouilla dans le vide-poche.

Soudain, elle se figea. L'estomac noué, elle reprit le trousseau de Lisa. Il y avait là ses clés de voiture, de la maison, de son casier à l'hôpital – elles étaient dans ce vide-poche depuis que le juge avait révoqué la liberté sous caution. Mais une autre clé, que Hannah n'avait jamais remarquée auparavant, dansait au bout de la chaînette.

Elle la posa au creux de sa paume pour l'examiner. Cette clé lui rappelait quelque chose, mais quoi ? Où avait-elle vu une clé semblable ?

Arrête. Quelle importance ? Ce n'est qu'une clé.

Mais ce n'était pas insignifiant, elle le sentait. Et tout à coup, elle se souvint. Avant de s'installer à La Véranda, quand elle avait commencé à perdre ses forces et faire des chutes, Pamela avait une boîte postale. Hannah allait souvent récupérer son courrier. C'était une clé de ce type qui ouvrait le casier.

Le petit objet lui parut peser brusquement plus lourd dans sa main. Et maintenant, il fallait prendre une décision. Autant aller jusqu'au bout et satisfaire sa curiosité. Elle passerait devant le bureau de poste, sur le chemin de la boutique de cupcakes. Elle n'aurait qu'à s'y arrêter, demander à voir la boîte postale, et régler cette affaire une bonne fois pour toutes.

Hannah fourra dans sa poche le trousseau de Lisa, prit le sien dans la corbeille, et sortit de la maison.

Rayanne était dans son jardin, occupée à arroser les fleurs. Elle agita gaiement la main. Jamie avait donc tenu parole : il n'avait rien dit de cette histoire avec Lisa et les petits cousins. Rayanne ne rougissait pas, ne fuyait pas, elle se comportait comme d'habitude, ce qui n'aurait sûrement pas été le cas si elle avait su.

Hannah lui rendit son salut, mais se hâta de rejoindre sa voiture. Un moment après, elle se garait devant le bureau de poste qu'ils fréquentaient depuis dix-sept ans, depuis qu'ils habitaient le quartier. Elle prit place dans la file d'attente, heureusement rapide. Elle ne connaissait pas l'employé qui était aujourd'hui au guichet.

– Qu'y a-t-il pour votre service ?

– J'ai la clé de la boîte postale de ma fille. Je voudrais prendre son courrier, car elle n'est pas en mesure de le faire. Mais j'ai oublié le numéro. Pourriez-vous me le donner ?

Le guichetier tiqua.

– Etes-vous autorisée à utiliser cette boîte ? Votre nom est dessus ?

– Eh bien, non, répondit-elle d'un air dégagé. Mais comme je passais par là, je me suis dit...

– Désolé, madame, mais c'est non. Vous devez avoir une procuration pour accéder à la boîte.

C'était plus compliqué qu'elle ne l'avait imaginé.

– Le directeur est là ?

– Il doit être dans son bureau.

– Pourriez-vous lui demander de venir, je vous prie ?

L'employé appela Darren Billings par l'interphone, puis il dit poliment :

– Auriez-vous l'amabilité de vous écarter, que je puisse servir la personne qui vous suit ?

– Bien sûr.

Raide comme un piquet, Hannah alla se planter près de la porte menant à la partie bureau du bâtiment. Elle était gênée, comme si le guichetier l'avait prise la main dans le pot de confiture. Darren Billings, lui, ne la traiterait pas comme une délinquante.

La porte s'ouvrit sur un Noir d'âge mûr, au crâne déplumé et au menton orné d'un bouc grisonnant. Quand il vit Hannah, un large sourire fendit son visage.

– Bonjour, Hannah ! Comment allez-vous ?

Ils échangèrent une poignée de main. Hannah espéra que le guichetier remarquait bien que le directeur l'accueillait avec chaleur ; malheureusement il ne semblait pas leur prêter attention

– Bonjour, Darren.

Lorsqu'ils s'étaient installés à Nashville, Darren était leur facteur. Souvent, le matin, Adam et lui débattaient des Titans du Tennesse*, ce qui les avait rapprochés. Depuis, Darren avait grimpé les échelons, il était devenu directeur, mais les Wickes et lui avaient gardé des relations amicales. Quand son fils aîné avait postulé un emploi chez Verizon, Adam l'avait personnellement recommandé.

– Que puis-je pour vous, Hannah ?

Elle prit une grande inspiration et lui montra la clé.

– Je suppose que vous êtes au courant pour ma fille Lisa. Le procès, tout ça...

– Je sais, oui, dit-il gentiment. Je suis vraiment navré...

– Merci. Elle a besoin que je récupère son courrier pendant qu'elle est... incarcérée. J'ai la clé, mais pas le numéro. Je ne peux pas lui téléphoner quand je veux, alors j'ai pensé que vous accepteriez de m'indiquer le numéro.

Darren prit la clé d'un air ennuyé.

– En fait, si vous n'avez pas de procuration...

– Oui, c'est ce que m'a répondu le guichetier. Mais, Darren, vous me connaissez...

– Je voudrais vous aider, Hannah, malheureusement cela m'est impossible.

– Oh, allons, vous ne pouvez pas faire une petite entorse au règlement ? Depuis combien de temps nous connaissons-nous ?

– Le problème n'est pas là. Voyez-vous, cette clé ne correspond à aucune boîte de ce bureau.

– Ah bon ?

---

* Équipe de football américain.

– Ce numéro de série, c'est le code d'un autre bureau. En l'occurrence celui de Vanderbilt, ajouta-t-il à voix basse.

– Elle a dû oublier de me le préciser, rétorqua-t-elle, dépitée et embarrassée.

Darren la dévisagea.

– Personne ne vous renseignera si vous n'avez pas de procuration. Vous ne pouvez pas en demander une à Lisa ? Je vous donne un formulaire, et vous le lui faites remplir.

– Non, je crains que…, bredouilla-t-elle, baissant les yeux. Je vais être honnête avec vous, Darren. Il y a peu de chances que… que ce soit faisable.

– Je vois.

Cramoisie, elle le regarda, s'attendant à lire de la réprobation sur sa figure. Mais non, il contemplait la clé.

– Il y a bien un moyen…, marmonna-t-il. Le règlement nous interdit de communiquer le numéro de la boîte, mais il est éventuellement possible de l'obtenir, par exemple quand on a des documents légaux à remettre. On remplit un formulaire dans le bureau concerné, et on vous donne le numéro de la boîte. Pour que vous ayez l'adresse postale et que, par conséquent, vous puissiez remettre ces documents légaux. Vous me suivez ?

Hannah écarquilla les yeux. Il sait, pensa-t-elle. Il comprend qu'il me faut accéder à cette boîte sans rien demander à Lisa. Il essaie de m'aider.

– Je crois, oui. Au lieu de montrer la clé…

– On ne vous communiquera pas le numéro pour vous permettre d'utiliser cette clé, répéta-t-il. Le seul moyen…

– C'est de prouver qu'il faut impérativement avoir accès à la boîte. Pour remettre des documents légaux, par exemple.

– Exactement.

– Je comprends.

– J'espère que ça vous aidera.

– Merci, Darren, murmura-t-elle en lui serrant le bras.

Il lui tapota la main.

– J'aimerais pouvoir vous aider davantage.

Hannah hocha la tête, refoulant ses larmes.

– Mes amitiés à votre famille, Darren.

Elle sortit en hâte du bureau de poste et rejoignit sa voiture. Elle s'assit au volant, serrant la clé dans sa main, et réfléchit : comment allait-elle s'y prendre ?

22

ELLE SE DÉPÊCHA d'aller chercher Sydney. Elles dévorèrent leurs cupcakes dans le jardin, et arrosèrent les fleurs. Hannah s'efforçait de ne pas montrer à la fillette qu'elle avait l'esprit complètement ailleurs. Puis elles rentrèrent, et Sydney, fatiguée de sa journée chez la nounou, s'amusait tranquillement au salon tandis que sa grand-mère préparait le dîner.

Le téléphone sonna.

– Qu'est-ce qui t'est arrivé ? lança Lisa. Tu n'es pas venue me voir. Tu comptes m'abandonner à mon triste sort pendant deux mois ?

– Excuse-moi, j'ai été… débordée.

– Tu as une drôle de voix, fit Lisa.

– Ah bon ? Désolée. Comment vas-tu ?

– Super ! J'ai été élue présidente du comité des fêtes du bloc 10.

Hannah ne répliqua pas. Elle pensait aux accusations de Jamie et à la mystérieuse clé de boîte postale.

– Je plaisantais, maman.

– Je sais, ma chérie. Excuse-moi.

– Qu'est-ce qui se passe ? Toi qui as un tempérament de saint-bernard, comment ça se fait que tu ne sois pas venue ? Et ne me dis pas que tu es occupée, je ne te croirai pas.

Un saint-bernard ? C'est comme ça qu'elle me voit ? Eh bien, il nous faudra y remédier.

– Je suis trop fatiguée, voilà tout, rétorqua-t-elle sèchement.

Lisa resta un instant silencieuse, et Hannah eut l'impression de l'entendre réfléchir, calculer.

– Je pensais pouvoir compter sur ma mère en toutes circonstances, dit-elle d'une voix plaintive.

– T'ai-je jamais laissée tomber ? rétorqua Hannah avec froideur.

Nouveau silence, puis tout aussi froidement :

– Très bien. Navrée de t'avoir dérangée.

La culpabilité, le remords s'emparèrent aussitôt de Hannah.

– J'essaierai de venir demain.

– Ne te mets surtout pas en quatre pour moi, dit Lisa avant de raccrocher.

Hannah demeura immobile, à contempler sa petite-fille si enjouée. Elle finit par se lever, le cœur lourd, et se remit aux préparatifs du dîner. Elle dressait le couvert quand Adam arriva. Il l'embrassa sur le front.

– Ça sent bon. Je meurs de faim.

Hannah fut peu loquace pendant le repas, malgré les questions d'Adam. Il proposa de faire la vaisselle pendant qu'elle donnait son bain à Sydney. Quand elle eut terminé, il était au salon, sur le canapé. Il n'avait pas allumé la télé. Il l'attendait.

– Que se passe-t-il ? C'est ta journée au bureau qui t'a fatiguée ?

Elle fit non de la tête, s'assit dans un fauteuil.

– Qu'y a-t-il, alors ?

– J'ai quitté le bureau de bonne heure, répondit-elle, choisissant bien ses mots. J'ai déjeuné avec Jackie.

On a bavardé, et il m'est venu une idée. J'ai prétendu qu'une de mes clientes était accusée d'abus sexuels sur ses enfants. J'ai demandé à Jackie si elle avait connaissance de cas de ce genre. Elle m'a répondu que oui, mais que ces femmes étaient toujours des psychopathes.

– Des psychopathes ? Comme les serial killers ?

– Non, justement. On fait toujours cet amalgame. En réalité, est psychopathe une personne qui ne distingue pas le bien du mal. Qui n'a pas de surmoi, pour reprendre les mots de Jackie.

Ils échangèrent un long regard. Muets.

– Et tu penses que… ?

– Ça m'a fait penser à Lisa.

Adam ne protesta pas et Hannah sut, avec une certitude horrifiante, que lui aussi reconnaissait ces symptômes.

– Du coup, je suis rentrée à la maison et j'ai fouillé dans les affaires de Lisa.

– Que cherchais-tu ?

– Je ne sais même pas. Quelque chose, n'importe quoi qui nous prouve que c'est faux, ou que c'est vrai.

– Et tu as découvert… ?

– Dans sa chambre, rien du tout. Je commençais à me dire que j'avais perdu les pédales, je reprenais espoir, et puis… j'ai trouvé ça.

Elle lui montra la clé dans sa main.

– Qu'est-ce que c'est ?

– Une clé de boîte postale. J'en avais une identique quand je m'occupais du courrier de ma mère. Je suis donc allée au bureau de poste, avec cette clé, et j'ai vu Darren. Il m'a dit que la boîte se trouvait dans un autre bureau. Celui de Vanderbilt. Et qu'on ne pourrait pas nous l'ouvrir si nous n'avions pas de procuration.

– Évidemment. C'est la raison d'être de ces boîtes postales, à l'ère d'Internet : la confidentialité. Les gens en prennent une s'ils veulent dissimuler une relation amoureuse clandestine ou un trafic quelconque.

– Il nous faut savoir ce qu'il y a dans cette boîte.

Adam la dévisagea, bouche bée.

– Si elle a quelque chose à cacher, enchaîna Hannah, elle est trop maligne pour en garder la trace sur son disque dur. Elle sait bien que tu es calé en informatique. Elle s'y prendrait autrement.

– Sans doute. Mais que penses-tu découvrir, au juste ?

– Je ne sais pas, répondit Hannah d'un ton las. Je sais seulement qu'il faut le découvrir.

– Et comment pouvons-nous procéder ? demanda-t-il posément.

Elle le remercia d'un regard. Il comprenait.

– J'ai posé la question à Darren. Il m'a dit que si quelqu'un devait faire parvenir des documents légaux à Lisa, le bureau de poste était obligé de communiquer le numéro de la boîte postale.

– Quelqu'un comme son avocate ?

– N'importe qui. Au bureau de poste, ils n'ont pas à connaître la teneur des documents.

– Mais à quoi ça nous avancerait ? Je ne te suis pas.

– L'un de nous deux va au bureau de poste et obtient le numéro en prétextant avoir des documents légaux à envoyer. On a donc le numéro. Ensuite l'autre n'a plus qu'à ouvrir la boîte. Avec cette clé.

– Tu as l'esprit retors, commenta-t-il, presque admiratif.

– Je le tiens de ma fille.

– On ne va pas… trop loin ?

– Je suis prête à tout.

– Je comprends. Au bureau, j'ai des contrats de licence qui ont l'air tout à fait officiels.

– Merci.

– Ne me remercie pas. Nous le risquons de le regretter.

– J'en ai bien peur.

– On fera ça demain matin.

Ils se regardèrent. Tous deux voulaient coûte que coûte découvrir la vérité.

– Oui, demain.

En début de matinée, ils déposèrent Sydney chez sa nounou, puis revinrent à la maison monter leur opération. Hannah dénicha dans un tiroir de son bureau une enveloppe pour l'envoi de documents légaux émanant des services sociaux. Ils la bourrèrent de formulaires d'Adam. Le tout avait l'air très officiel.

Adam revêtit un costume. Tout en nouant sa cravate, il s'inspecta dans le miroir.

– Je ressemble à un avocat, non ?

Hannah hocha la tête.

– On ne trouvera peut-être rien. Cet après-midi, on ira la voir et on se fera pardonner d'avoir pensé du mal d'elle.

– Rien ne me rendrait plus heureux, déclara gravement Adam. Allons, finissons-en.

Ils n'échangèrent plus un mot durant tout le trajet jusqu'au bureau de poste de Vanderbilt. Adam prit l'enveloppe et sortit de la voiture.

– Souhaite-moi bonne chance.

Il referma la portière, tambourina sur la vitre avant de traverser la rue. Elle resta immobile, à regarder le monde continuer de tourner. Elle avait amené Lisa ici même, lorsqu'elle espérait être admise à Vanderbilt, puis l'avait souvent accompagnée durant ses premières années d'étude, et enfin quand elle avait décidé d'entrer en fac de médecine. Elle revoyait Lisa les jours d'entretien d'admission, nerveuse, affublée d'un tailleur, l'air d'une gamine déguisée en adulte. Comme Hannah était fière alors de sa fille si brillante qui refusait de laisser son jeune âge, la maternité ou quoi que ce fût l'empêcher d'atteindre son but : devenir médecin.

Elle ferma les yeux. Seigneur, je vous en prie. Faites qu'il n'y ait rien. Rien du tout.

Le bruit de la portière qui se rouvrait la fit sursauter. Adam se glissa au volant. Il n'avait plus l'enveloppe.

– 785.

Hannah serra les dents, toucha la clé qu'elle tenait dans sa main.

– 785, répéta-t-elle à voix basse. D'accord.

À son tour, elle descendit de voiture. Oppressée, elle attendit que la voie soit libre pour traverser. Elle monta les marches et entra dans le bureau de poste grouillant d'usagers qui allaient et venaient, se pressaient au guichet ou remplissaient des formulaires sur les tables disséminées çà et là. Elle se força à marcher lentement, calmement, jusqu'aux boîtes postales. Quand elle eut trouvé le numéro 785, elle introduisit la clé dans la serrure. La petite porte s'ouvrit.

Il y avait à l'intérieur plusieurs enveloppes à courrier. Hannah les prit. Résistant à la tentation de les décacheter tout de suite, elle les fourra dans son sac, referma la boîte et, le cœur lourd d'appréhension, sortit dans la rue baignée de soleil.

Comme à l'aller, ils n'échangèrent pas un mot. Ils se hâtèrent de rentrer chez eux.

– Tu veux du café ? demanda Hannah.

Adam fit non de la tête.

– Moi non plus, murmura-t-elle.

Elle suivit son mari au salon, s'assit près de lui sur le canapé. Elle posa les enveloppes sur la table basse. Ils contemplèrent un long moment le résultat de leur stratagème.

Sur certaines enveloppes, l'adresse était manuscrite, sur d'autres dactylographiée. Les lettres venaient des quatre coins du pays, jusqu'à la Californie.

– Peut-être qu'elle s'est trouvé des correspondants, dit Adam.

Mais Hannah n'avait pas envie de sourire.

– Tu les ouvres ou c'est moi qui le fais ?

Avec un soupir, Adam saisit une enveloppe. Expédiée d'une ville d'Alabama, à quelques heures de voiture. Il passa un doigt sous le rabat pour l'ouvrir. Elle contenait une feuille de papier et la photo d'un homme, qui tomba sur la table. Un homme ordinaire d'une quarantaine d'années, qui avait un peu d'embonpoint. En tenue de camouflage, casquette de chasse sur la tête et carabine entre les mains.

Un homme envoyait sa photo à Lisa ? Et si ce terrible secret était tout simplement que Lisa avait honte de s'être inscrite sur un site de rencontres ? Hannah reprit espoir.

Adam lut la lettre, et Hannah vit l'expression de son visage changer, passer d'une neutralité étudiée à la stupeur. Les yeux écarquillés, la bouche grande ouverte.

– Oh, mon Dieu, gémit-il, froissant la feuille de papier dans son poing. Mon Dieu…

– Donne, dit-elle en lui prenant la lettre.

– Non, Hannah, murmura-t-il, les larmes aux yeux. Ne regarde pas ça.

Mais elle commença à lire.

Chère Lisa, j'ai bien reçu votre réponse à mon annonce parue dans la newsletter du THFLG. Je suis impatient de vous rencontrer, vous et votre petite princesse Sydney. Vous êtes superbes, toutes les deux. Je vous promets qu'elle aura avec moi une première fois mémorable pour nous tous. Vous voulez que ce soit une expérience spéciale pour elle et pour vous, ce dont je me réjouis. Je serai gentil et ferme, je ferai découvrir à ce petit ange les plaisirs de l'amour avec un homme adulte. Nous pouvons nous retrouver, tous les trois, dans mon chalet de chasse, pour un week-end inoubliable. Je joins une photo à ma lettre, comme vous le demandiez. J'ai aussi fait un bilan sanguin, j'ai le document du labo attestant que je n'ai pas de maladie, je vous en donnerai une copie quand nous nous rencontrerons. Je dirai en conclusion : vive les petites filles ! Très cordialement…*

Hannah poussa un cri et bascula en avant, évanouie. Dans sa chute, elle se cogna la tête contre la table.

---

* Thanks Heavens For Little Girls : littéralement, « Merci (le ciel) pour les petites filles ».

23

QUAND ELLE REPRIT CONNAISSANCE, elle était dans les bras de son mari. Il la secouait, affolé.

– Hannah, ça va ? Parle-moi.

Elle déglutit avec peine.

– Lâche-moi, balbutia-t-elle.

Il desserra son étreinte, mais la soutint quand, maladroitement, elle se hissa sur le canapé. Elle n'essaya même pas de se mettre debout, de crainte de s'effondrer. Il y avait de minuscules taches rouges sur le tapis, sous l'angle de la table.

Adam s'assit à côté d'elle, prit un mouchoir et essuya le sang qui coulait sur sa figure. Elle s'était entaillé le cuir chevelu.

– Tu as mal ?

– Un peu.

– Je devrais peut-être t'emmener aux urgences.

– Pas question.

– Mais tu t'es évanouie.

– C'est le choc qui m'a fait tomber dans les pommes, assura-t-elle, tâtant la plaie du bout des doigts.

– Tu es sûre ?

– Oui. J'ai voulu fuir tout ce qui s'est passé depuis une heure.

– Sans succès, hélas.

Hannah coula un regard vers les lettres, d'apparence inoffensive, étalées sur la table.

– Comment est-ce possible ? souffla-t-elle.

Elle se cacha le visage dans ses mains. Adam ferma les yeux, lui aussi, et tous deux restèrent ainsi un long moment, immobiles, leurs genoux se touchant, leur respiration laborieuse troublant le silence.

Quand Hannah baissa ses mains, des larmes roulaient sur sa figure, se mêlant à son sang pour imprimer sur son menton un lacis rougeâtre. Elle tourna vers son mari un regard désespéré.

– Il faut décacheter les autres ? demanda-t-elle.

– Je sais déjà tout ce que j'ai besoin de savoir.

– Moi aussi, dit-elle dans un sanglot.

Adam lui massa le dos, machinalement. Hannah se frotta les yeux avec ses poings, comme pour pulvériser les mots qu'elle avait lus. En vain. Ils seraient à jamais gravés dans sa mémoire.

– Il ne faut pas laisser Lisa s'approcher de Sydney, dit Adam d'une voix tremblante. Plus jamais.

– C'est une évidence.

De toutes les épreuves qu'elle avait subies au cours des derniers mois, celle-ci était de loin la plus terrible.

– Je… Je n'arrive pas à comprendre.

– Moi non plus.

Hannah palpa son front qui l'élançait.

– Je ne peux pas y croire, murmura-t-elle. Que fautil faire, Adam ?

– Je n'en sais rien. Je sais juste que je ne veux plus la voir, répondit-il avec dégoût.

– Nous ne pouvons en parler à personne.

– En parler pour quoi faire ?

– On ne peut pas, c'est tout.

– Parce qu'on a honte ?

– Moi, j'ai honte. Pas toi ?
– C'est le cadet de mes soucis.
– Mais tu veux que ça fasse la une des journaux ?
– Tu t'inquiètes pour la réputation de Lisa ? rétorqua-t-il, incrédule. Ce n'est pas un peu tard ?
– L'idée d'affronter tout ça me terrifie, je te l'avoue. Que les journalistes puissent raconter… ça… de Lisa, même si c'est vrai… Mais surtout j'ai peur que Sydney ne le découvre. Je ne veux pas qu'elle sache que sa mère était prête à…
– À la prostituer, acheva Adam. Car c'est bien de ça qu'il s'agit. Si nous montrions ces lettres à la police, ça lui servirait de leçon. Après tout, nous n'avons qu'à le faire. J'ignore si Lisa est passée à l'acte ou non, mais elle en avait l'intention, c'est clair.
– Je sais… mais je n'arrête pas de me demander ce qui ne tourne pas rond chez elle. Comment avons-nous pu ne nous douter de rien ? Est-ce qu'on aurait pu empêcher ça ? Et si c'était de notre faute ?
– De notre faute ? répéta-t-il. Ce n'est pas chez nous qu'elle s'est initiée à cette dépravation. Je ne sais pas ce qui cloche chez elle. C'est peut-être une malade mentale – une psychopathe, comme le dit ton amie psychiatre.
– Peut-être, murmura Hannah, atterrée. Je n'aurais jamais imaginé, même dans mes pires cauchemars, que notre fille puisse avoir des idées pareilles. C'est… Ça dépasse l'entendement.
– Pourtant il faut qu'on s'y fasse. Dans moins de deux mois, elle sera libérée, en mesure de nous enlever sa fille. Et de réaliser son ignoble projet.
– On ne peut pas l'en empêcher sans la dénoncer à la police ?
Ils se turent, chacun examinant les misérables possibilités qui s'offraient à eux.

– Hannah, nous devons demander la garde de Sydney.

Elle songea avec accablement aux démarches qui les attendaient. Pour arracher sa petite-fille à sa fille unique. Car, aussi inconcevable que ce fût, ils devaient protéger Sydney de sa mère.

– Je sais, oui.

– Il nous faudra obtenir la garde exclusive. Lisa ne doit voir Sydney qu'en présence d'un tiers. Nous n'avons pas le choix. Et nous devons faire vite.

– Oui, tu as raison.

– Et il nous faut prendre un avocat.

– Attends, Adam. Discutons. C'est Lisa. C'est notre fille.

– Et alors ? s'impatienta-t-il. On fait comme si on ne savait pas ce qu'elle manigance ?

– Non, ce n'est pas ce que je veux dire.

– Ses intentions sont parfaitement claires, reconnais-le. Et ne me demande pas de lui pardonner. S'il te plaît. J'en suis malade.

Hannah posa sa main sur la sienne dans un geste d'apaisement.

– Écoute-moi, Adam. Il faut au moins lui en parler. Quand elle saura que nous avons découvert ces lettres, elle sera peut-être disposée à nous laisser la garde pour éviter de passer par des avocats et tout le circuit judiciaire. Peut-être que nous pourrons lui faire entendre raison.

– Non, non, dit-il en secouant la tête. On fait les choses discrètement, d'accord, mais on suit la procédure légale. Scrupuleusement. Je n'ai pas envie que Lisa puisse dire un beau jour qu'elle a changé d'avis ou qu'elle n'a plus ces… penchants, cracha-t-il, balayant d'un revers de main les lettres qui s'éparpillèrent sur le sol. Je n'aurai plus jamais confiance en elle.

Une douleur si violente transperça le cœur de Hannah qu'elle craignit d'avoir un infarctus.

– Moi non plus, souffla-t-elle.

– Oh, mon Dieu, quelle horreur.

– Oui…

Ils retombèrent dans le silence, prisonniers désormais de ce qu'ils savaient.

– Tu as peut-être raison, dit finalement Adam. Si on joue cartes sur table, elle sera forcée de capituler. Sous peine d'être à nouveau inculpée. De toute manière, ça ne change pas grand-chose : nous avons de fait la garde exclusive de Sydney depuis maintenant plusieurs semaines.

– J'espère que nous aurons gain de cause. Nous devons penser à Sydney. À sa sécurité. C'est l'essentiel.

– Amen, murmura-t-il.

– Tu es donc d'accord qu'il faut essayer de lui parler ?

– Eh bien… oui.

– Maintenant ? demanda Hannah, tout en redoutant la réponse.

– Attendre ne rendra pas les choses plus faciles.

Ils purent faire avertir Lisa de leur visite. Affectée à l'équipe qui travaillait à la blanchisserie, elle n'avait pas la possibilité de répondre au téléphone, mais la standardiste promit de lui transmettre le message par l'intermédiaire d'une surveillante.

Hannah et Adam se regardèrent. Chacun lut dans les yeux de l'autre l'angoisse et la détermination.

– Allons-y, tant qu'on en a encore le courage, dit-il.

Ils firent le trajet en silence – une quarantaine de minutes jusqu'à la prison du comté, construite sur une sinistre friche industrielle aux confins d'une zone commerciale de banlieue. Hannah contemplait le paysage qui défilait derrière la vitre, pourtant, sa vie en eût-elle dépendu, elle eût été bien incapable de le décrire. L'image de sa fille accaparait son esprit. Elle revoyait Lisa à quatre ans, sur les balançoires ; à dix ans, sur son vélo ; à quatorze, déjà bachelière, si frêle parmi ses camarades plus âgés. Lisa avait toujours été singulière, certes. Singulière parce que beaucoup plus intelligente que ses condisciples, mais trop jeune pour participer à leurs activités, aux fêtes d'élèves de terminale. Quant aux gamins de son âge, elle les trouvait puérils. Elle était souvent seule. Hannah l'avait fait suivre par une psychologue, Adam et elle avaient tout mis en œuvre pour lui donner confiance en elle, la persuader qu'elle était spéciale, douée, chanceuse. Pour dissiper ses propres inquiétudes, Hannah s'était répété des milliers de fois que tout finirait par s'arranger pour Lisa, qu'elle trouverait sa place dans la société.

La grossesse de Lisa avait été un coup de tonnerre, elle était enceinte de cinq mois quand Hannah avait remarqué que son ventre s'arrondissait. Lisa s'était résignée à confesser la vérité. Hannah était convaincue qu'un garçon plus âgé avait profité d'elle, lors d'un de ces tournois de jeunes surdoués organisés à travers le pays, auxquels sa fille participait parfois. Mais Lisa refusait de donner le nom du coupable, et elle avait à tout prix voulu garder le bébé, même si Hannah et Adam savaient pertinemment qu'elle n'était pas encore capable de l'élever. Ils avaient accepté de l'aider, sans se douter qu'ils seraient un jour contraints de s'occuper seuls de Sydney.

Adam franchit le mur d'enceinte, surmonté de barbelés, et remonta la longue allée menant à l'entrée de la prison.

– Nous y sommes, dit-il.
– Haut les cœurs, répondit-elle d'un ton lugubre.

Lorsqu'ils entrèrent dans le parloir, Lisa leur tournait le dos. Les lettres DCDOC, acronyme de Davidson County Dept of Corrections*, étaient imprimées sur sa combinaison de détenue. Mais Hannah reconnut immédiatement la tignasse frisée de sa fille.

Ils contournèrent la table et restèrent là, plantés devant Lisa. Elle leva la tête, en les voyant son regard s'éclaira puis, aussitôt, s'emplit de méfiance. C'était plus fort qu'elle : malgré tout ce qu'elle savait, Hannah eut mal au cœur pour son enfant, enfermée dans ce lieu coupé du monde. Elle se pencha et l'embrassa gauchement sur la joue. Adam ne bougea pas, les bras croisés sur la poitrine.

– Papa ?
– Bonjour, Lisa.
– On peut s'asseoir ? dit Hannah.

Lisa agita une main indifférente. Elle étudiait le visage figé de son père. Adam avança une chaise à sa femme et s'assit à côté d'elle.

– Vous avez pris votre temps. J'ai cru que vous ne viendriez jamais.

Hannah évitait le regard de sa fille. Adam, lui, la dévisagea sans ciller, sans sourire.

– Ce n'est pas une visite de courtoisie, dit-il.

Un instant, Lisa eut l'air stupéfaite. Le soutien de ses parents lui avait toujours été acquis, en toutes circonstances. Leur changement d'attitude la déroutait, elle ne comprenait pas.

---

* Direction de l'administration pénitentiaire du comté de Davidson.

– Qu'est-ce qu'il y a ? Vous êtes là pour me faire la leçon ?

– Pas vraiment, répondit doucement Hannah.

– Alors quoi ? C'est à cause du procès ? C'est bien vous qui disiez que je devrais me réjouir d'avoir gagné. Vous vous rappelez ? Et si c'est au sujet du chèque, je vous l'ai expliqué : Troy m'a donné cet argent. Malgré ce qu'ont décidé les jurés, c'est la vérité. Je pensais que mes parents me croiraient.

– Arrête, Lisa, rétorqua Hannah. La question n'est pas là.

– Et pour ta gouverne, renchérit Adam, je ne te crois pas. Ni pour le chèque, ni pour Troy.

– Adam, s'il te plaît, murmura Hannah.

Lisa remonta ses lunettes sur son nez.

– Merci infiniment, papa. J'apprécie. Dans ce cas, pourquoi avez-vous pris la peine de venir jusqu'ici ?

– Nous avons à te parler, répondit Hannah.

Lisa les regarda tour à tour, les yeux plissés.

– De quoi ?

Hannah joignit les mains sur la surface éraflée de la table qui les séparait de leur fille.

– Il s'agit de Sydney.

Lisa n'avait pas l'air de s'en soucier le moins du monde.

– Oui ?

Hannah prit sa respiration, les yeux baissés sur ses mains. Elle n'eut pas le temps d'ouvrir la bouche, Adam dit tout à trac :

– Nous voulons la garde exclusive de Sydney. Officiellement.

La colère flamba dans le regard de Lisa. Elle se tourna vers sa mère, comme pour exiger qu'elle démente les propos de son mari.

– C'est vrai ? Vous êtes venus pour ça ?

Hannah acquiesça.

– Je suis en prison pour deux mois, et vous voulez que je renonce à mon autorité parentale ? fit Lisa, ironique.

– Nous sommes inquiets, et à juste titre, dit Hannah d'une voix qui tremblait.

– Mais pourquoi je ferais une chose pareille ? C'est ridicule !

Adam prit les lettres dans sa poche. Comme s'il manipulait de la dynamite, il les posa sur la table.

– Tu le feras parce que nous avons… ça.

– Adam, attends, murmura Hannah – il allait beaucoup trop vite.

– C'est quoi ?

– Des lettres, trouvées dans ta boîte postale.

Lisa pâlit.

– Quoi ? Mais comment avez-vous… ?

– Quelle importance ? rétorqua-t-il d'un ton las. Nous les avons, c'est tout ce qui compte. Nous te demandons seulement de renoncer à tes droits sur Sydney.

Lisa ne joua pas la surprise. Elle saisit une des lettres, non sans une certaine curiosité, mais la reposa d'un geste brusque. Puis elle darda sur son père un regard dur et étincelant. Le mépris se lisait sur son visage aux traits figés.

– Ah non, sûrement pas.

24

HANNAH CHERCHA le remords sur son visage. Mais dans le regard de Lisa, il n'y avait pas le moindre regret, aucune honte, pas même de l'embarras. Seulement du défi.

– Lisa, nous avons lu ces lettres, dit-elle. Nous savons… tout.

– Mettons les points sur les i. Vous avez pris par effraction mon courrier dans ma boîte postale. C'est un délit fédéral, n'est-ce pas ?

Adam ouvrit la bouche, comme si elle l'avait frappé. Il crispa les poings, il tremblait.

– Tu as le culot de nous parler de délit ?

– Ton père a raison, dit Hannah d'une voix sourde, sifflante. Nous savons que tu as racolé des hommes pour… Je ne peux même pas prononcer ces mots. C'est trop ignoble. Quand je pense à ce que tu leur as proposé, avec ton bébé… Alors, s'il te plaît, un peu de décence.

– Je ne voulais pas que tu le saches, maman, dit Lisa avec une évidente sincérité. J'étais certaine que tu ne comprendrais pas.

– Comprendre ? s'étrangla Hannah. Mais qu'y a-t-il à comprendre ?

– Eh bien, je n'ignore pas ce que les gens pensent des préférences sexuelles… particulières. Je le conçois. Mais un peu d'ouverture d'esprit ! Je ne suis pas comme vous. Je ne doute pas qu'au lit, vous faites la même chose depuis vingt ans. Ça vous convient peut-être, mais moi, ça ne me suffit pas. Et puis, je ne veux pas faire de mal à Sydney. Je ne permettrais à personne de lui faire du mal. Je l'ai d'ailleurs bien stipulé dans la petite annonce. Je veux qu'elle prenne du plaisir.

– Oh, bon Dieu ! s'exclama Adam.

– C'est un crime, tu le sais ?

– Il s'agit de plaisir, répéta Lisa. De désir.

Hannah ferma un instant les yeux.

– Tais-toi, Lisa. Arrêtons de discuter.

– C'est vous qui avez mis ce sujet sur le tapis, rétorqua Lisa, quasiment offensée. Moi, j'essaie juste de vous expliquer. Vous vouliez une explication, non ?

Adam noua ses mains, pour s'empêcher sans doute de la frapper.

– Nous n'avons pas besoin d'explication, Lisa. Je ne sais pas comment tu es tombée dans ce… cette abomination, et peu m'importe.

– Je suis la même qu'avant. Où est passé votre si grand amour pour moi ? Vous me l'avez rabâché toute mon enfance. Que vous m'aimiez par-dessus tout.

Hannah regardait sa fille comme si elle la voyait de très loin. À en croire Lisa, s'entendre dire en permanence qu'elle était aimée lui avait pesé. Était-il vrai qu'elle était toujours la même ? Comment avaient-ils pu vivre avec elle toutes ces années sans remarquer le danger qui les menaçait ? Hannah ressentait parfois un impalpable malaise, qu'elle attribuait au fait que sa fille était plus intelligente que les autres enfants.

Donc imprévisible, et solitaire. Lisa était unique, se disait-elle.

– Tu me croiras si tu veux, répondit-elle, mais je t'aime toujours.

– Tu as une drôle de façon de le montrer, railla Lisa.

– Tu es notre fille, nous n'avons que toi. Nous t'aimerons toujours.

– Pas moi, coupa Adam. Tu me dégoûtes Je ne veux plus jamais te revoir, Lisa.

– Adam, ne parle pas comme ça. Oui, ton père et moi, nous sommes révoltés. Furieux. Mais nous ne cherchons pas à te blesser. Nous ne pouvons pas te laisser t'approcher de Sydney, c'est tout. Tu ne dois pas rester seule avec elle. Plus jamais.

– Et je suis censée vous obéir ? Reconnaître que vous savez mieux que moi ce qui est bon pour Sydney ? dit Lisa, sarcastique. Comme vous saviez ce qui était bon pour moi ?

Hannah et Adam échangèrent un regard, abasourdis par le ton accusateur de Lisa. Est-ce notre éducation qui l'a rendue immorale ? pensa Hannah. Nous l'avons élevée de notre mieux, nous l'avons entourée de tendresse et d'attention, et aujourd'hui elle est là, en prison, à justifier ses désirs pervers.

– C'est une question de bon sens, Lisa, lui dit-elle, presque gentiment. De sens commun.

Un rictus dédaigneux tordit la bouche de la jeune femme.

– Commun, c'est le mot juste. Tous les deux, vous êtes tellement... ordinaires. Tellement médiocres. Je vous rappelle que Sydney est mon enfant. Elle n'est pas obligée de partager vos valeurs. L'idée qu'elle puisse partager les miennes vous a-t-elle jamais effleuré l'esprit ? Avez-vous seulement envisagé que les choix que je fais pour elle puissent lui être bénéfiques ?

Soudain, Hannah eut l'impression d'avoir en face d'elle une étrangère. Quelqu'un qu'elle voyait pour la première fois.

– Quand tu as commencé à sortir avec Troy, tu savais qu'on l'avait accusé de… tripoter une petite fille. Tu le savais, n'est-ce pas ?

Lisa roula des yeux, s'adossant à son siège.

– Tu te creuses beaucoup les méninges, aujourd'hui.

– Tu le savais ?

– Oui, effectivement. Une infirmière qui travaille à la résidence de Grand-mère m'avait parlé de lui. De ce qu'on lui avait reproché. Ça m'a paru intéressant. Je me suis dit que, tous les deux, on avait peut-être des affinités. Mais il se trouve que les enfants, ce n'était pas son truc. En réalité, il était exactement comme vous. Scandalisé.

– Tu as offert Sydney à Troy ? demanda Hannah.

– J'ai suggéré quelques petites choses qui auraient pu nous plaire à tous. Il a pété les plombs. Il a menacé de me dénoncer à la fac. Il m'a dit que, si ça se savait, je serais virée. On aurait pourtant pu croire, vu ce qui lui était arrivé à la colonie de vacances, qu'il n'accuserait pas les gens à tort et à travers. Sans compter que c'était ridicule. Tout ça, c'était entre nous. C'était privé.

– Tu l'as tué, n'est-ce pas ? dit Adam d'une voix éteinte.

Lisa le dévisagea d'un air de défi.

– Le chauffe-eau a explosé. Je n'étais même pas là, je te le rappelle.

– Je n'en crois pas un mot.

– Ça suffit, Lisa, arrête, ordonna Hannah.

– C'est vous qui débarquez ici et qui m'accusez !

– Bon, reprit Adam, on t'explique ce qui va se passer et que tu vas accepter. Point final.

– Et de quoi s'agit-il ?

– Un avocat établira une convention parentale qui ne sera pas révisable et qui nous attribuera la garde exclusive et permanente de Sydney. Tu signeras cet accord. Si tu veux un droit de visite, tu ne verras Sydney qu'en présence de l'un de nous. Ou d'un travailleur social. À toi de choisir. Si tu souhaites toi aussi engager un avocat pour défendre ton point de vue, libre à toi. Mais, cette fois, nous ne paierons pas. Alors bonne chance.

Lisa dévisagea froidement son père.

– Tu as tout prévu, n'est-ce pas ?

– Je ne sais pas, répondit Adam, pointant l'index sur elle. Mais je vais te dire une bonne chose : tu signeras. Tu ne peux pas nous mettre des bâtons dans les roues, parce que nous avons ces lettres. Il sera facile de retrouver la trace des pervers avec qui tu as été en relation. Si tu t'opposes à cet accord, ces types et toi vous ferez les gros titres de l'actualité et vous vous retrouverez très certainement en prison. Car, s'il le faut, je n'hésiterai pas à me servir de ces lettres contre toi devant un tribunal.

– Si tu avais été raisonnable, rétorqua Lisa avec indolence, j'aurais peut-être accepté d'envisager un accord. Mais non, tu me tombes dessus, tu me menaces. Ça ne me donne pas envie de coopérer.

– Tu n'as pas le choix, dit-il amèrement.

Lisa esquissa un sourire, et soudain Hannah sentit la peur, comme une bourrasque glaciale, monter en elle.

– C'est ce que tu crois, susurra Lisa.

Hannah vit passer dans les yeux d'Adam une lueur d'incertitude, une hésitation. Et comprit, atterrée, qu'il avait peur, lui aussi.

– Figure-toi que j'ai fait quelques recherches, poursuivit Lisa, sur le plan médical et psychologique. J'ai appris certaines choses que même un profane pourrait t'expliquer. Quand je me suis aperçue que j'avais ces préférences, et que tout le monde ne les partageait pas forcément, je me suis documentée sur leur étiologie.

– Qu'est-ce que tu racontes ? soupira Adam. Nous ne sommes pas là pour discuter de tes déviances sexuelles.

– Sais-tu d'où viennent ces préférences, dans la plupart des cas ?

Adam ne répondit pas.

– La plupart des pédophiles ont été agressés sexuellement dans leur enfance. Souvent par leur père.

Hannah étouffa une exclamation, battit des paupières, comme aveuglée par les mots de Lisa.

– Alors vas-y, peaufine tes arguments. Tu as raison, les lettres ne joueront pas en ma faveur. Mais, à ton avis, comment réagira un juge quand je lui dirai que j'ai été agressée sexuellement toute mon enfance ? Par mon père ? Tu penses vraiment qu'il te confiera ma fille ?

Ils croyaient avoir touché le fond, mais le cauchemar ne faisait que commencer. Adam... Hannah aurait voulu mourir. Elle se tourna vers son mari, craignant de découvrir tout à coup un être complètement différent. Un monstre. Il regardait fixement sa fille unique. Il était livide, dévasté, on eût dit qu'il contemplait les ruines de son existence.

– Tu es ma fille, mon bébé. Je t'ai adorée, depuis que tu es venue au monde. Comment peux-tu inventer une pareille abomination ? murmura-t-il.

– Je pourrais même dire que tu es peut-être le père de Sydney. Il me semble que ça risque de te porter préjudice en ce qui concerne sa garde. Tu ne crois pas ?

Adam la regardait toujours, comme pour lire dans son âme.

– Pourquoi, Lisa ? Tu sais bien que c'est faux. Un simple test prouverait que tu mens. Alors, pourquoi ? Tu te rends compte de ce que tu dis, de ce dont tu m'accuses ? Tu réalises... ? Cette ignominie... ? Lisa, bon Dieu !

Elle haussa les épaules.

– Je sais juste qu'ils n'oseront pas te la confier. Impossible.

Hannah observait tour à tour son mari et sa fille. Sidérée, comme frappée par la foudre.

– Tu interviens quand tu veux, maman. Pour prendre mon parti, par exemple. C'est moi la victime.

Lisa eut une moue de dégoût.

– Tu parles d'une mère. Tu l'as laissé me faire ça toute mon enfance. Merci infiniment.

– Je ne t'écoute pas, je n'entends pas, dit Hannah tout bas.

– Oui, tu es très douée pour ne pas entendre ce que tu ne veux pas entendre.

– Lisa, insista Adam, je t'ai tout donné. Pourquoi me détestes-tu à ce point ?

– Et pourquoi pas ? ironisa-t-elle. Tu essaies de me prendre ce qui m'appartient. Je le crierai sur les toits si ça me chante.

Hannah se taisait. Elle connaissait ce genre de cas. Des pères qui violaient leurs filles. Il fallait gérer ces situations et leurs répercussions, c'était son métier. Elle avait rencontré des hommes abominables qui martyrisaient leurs enfants. Des femmes qui refusaient d'écouter leurs enfants lorsqu'ils avaient le courage de dire ce qu'ils subissaient. Elle avait travaillé avec ces personnes. Ce que Lisa racontait se produisait effectivement dans certaines familles, ce n'était pas si rare. On préférait croire que c'était rarissime, mais on avait tort.

Elle jeta un coup d'œil à Adam. Il semblait terrassé.

– Comme ça, maman, tu arrêteras peut-être de jouer les épouses dévouées. Tu le verras peut-être sous un autre jour, dit Lisa d'un ton satisfait, presque joyeux.

Hannah scrutait sa fille, tentant de mesurer la profondeur de la cruauté tapie derrière ce regard rieur.

– C'est ce que tu veux ? murmura-t-elle. Que je croie ton père capable du pire ?

– Tu n'as eu aucun mal à m'en croire capable. Alors pourquoi pas lui ?

Secouant la tête, Hannah ramassa les lettres sur la table et les mit dans son sac.

– Ces lettres sont la preuve que tu en es capable. Sans elles, je n'aurais jamais pensé cela de toi. Je n'aurais pas imaginé qu'une chose pareille soit possible.

Lisa haussa les épaules.

– Je me fous de ce que tu penses. On verra bien ce que la justice conclura. Selon toi, ils prendront le risque de lui confier la garde d'une autre enfant innocente ?

Les yeux de Lisa pétillaient.

– Tu trouves ça drôle ? demanda Hannah. Pourquoi tu souris ?

– Parce que je peux vous empêcher d'obtenir ce que vous voulez.

– Ton père et moi aimons notre petite-fille. Nous ne voulons que son bien. On ne peut pas en dire autant de toi.

– Ah oui, et être victime de ce pervers, ce serait mieux pour elle ?

Hannah la dévisagea longuement.

– Tu es irrécupérable, Lisa. À présent, je m'en rends compte.

Adam ne disait rien, et Hannah se demanda s'il n'était pas physiquement atteint. Il paraissait complètement sonné.

– Partons, dit-elle.

Elle se leva. Adam l'imita, il vacillait.

– Nous protégerons Sydney contre toi, déclara-t-elle à sa fille. Je t'en fais le serment.

Ils s'éloignèrent. Lisa les regarda s'en aller, le regard dur, un petit sourire aux lèvres.

25

– MERCI, dit-il en déverrouillant les portières de la voiture.

– Ça va ? s'inquiéta-t-elle.

Il haussa les épaules.

– On sera vite arrivés.

Ils ne dirent mot de tout le trajet. Hannah avait hâte de retrouver leur maison, ce cocon où ils étaient à l'abri. Ils atteignaient leur rue, quand elle pensa brusquement à Sydney.

– Il faut passer chercher Sydney, dit-elle.

– Oui, bien sûr. Désolé, j'ai tellement la tête ailleurs que…

Elle soupira, il fit demi-tour pour aller chez Tiffany.

Sydney les guettait à la fenêtre. Elle saisit son petit sac à dos rose et courut à leur rencontre. Hannah la souleva de terre, humant son odeur si fraîche, si douce. Lisa n'avait pas pu mettre son plan à exécution, se répéta-t-elle, on l'avait arrêtée avant. Sydney était intacte, pure. Par pitié, Seigneur.

Elle porta la petite jusqu'à la voiture. Adam ouvrit la portière et tendit les bras pour prendre Sydney et l'asseoir à l'arrière. Mais il hésita, regarda sa femme.

– S'il te plaît, non, lui dit-elle. N'hésite pas, ne te pose pas la moindre question.

Elle confia Sydney à son grand-père qui l'installa avec tendresse dans son siège-auto. Sydney pépiait :

– Pop, tu viens là.

Ravalant ses larmes, Adam lui sourit :

– Je t'aime, mon chaton.

– T'aime ! claironna la fillette en lui envoyant un baiser.

Hannah mit le CD préféré de Sydney qui chanta gaiement, abandonnant ses grands-parents au souvenir de leur horrifiante conversation avec Lisa.

Ce fut pour Hannah la soirée la plus longue de sa vie. Pas question de parler devant Sydney, pourtant elle avait tant de choses à dire à Adam, tant d'informations à trier qu'elle ne parviendrait pas à décortiquer sans son aide. Par chance, Sydney ne parut pas le ressentir. Elle joua avec entrain, dîna de bon appétit, prit son bain et se lova sur les genoux d'Adam qui lui lut une histoire. Puis, enfin, Hannah la borda dans son lit.

– Elle revient quand, maman ?

– Je ne sais pas.

– Demain ?

– Non, pas demain, répondit tristement Hannah.

– Je veux lui faire un dessin.

Hannah eut l'impression qu'on lui broyait le cœur.

– Ça, c'est gentil. On s'en occupera demain.

Sydney la prit par le cou.

– Je t'aime, Mom.

– Je t'aime aussi. Plus que tu ne pourras jamais l'imaginer.

Hannah sortit de la chambre de Sydney, referma la porte sans bruit et, sur la pointe des pieds, regagna le salon. Adam était dans son fauteuil préféré, où il s'installait souvent pour regarder la télé, mais ce soir il ne l'avait pas allumée. Il contemplait cependant l'écran noir, et n'en détourna les yeux qu'en sentant Hannah s'approcher.

– Elle s'est endormie ?

Hannah hocha la tête.

– Elle était fatiguée.

Là, ce fut lui qui hocha la tête.

– Elle m'a demandé quand sa maman rentrerait à la maison. Elle veut lui faire un dessin.

– Pauvre petit chat, soupira-t-il. Elle ne se rend pas compte.

– Dieu merci. Tu as vraiment mauvaise mine. Comment ça va ?

– C'est comme si une bombe avait explosé tout au fond de moi, je suis complètement détruit.

– Je sais.

Adam leva les yeux. Il avait le visage défait, le teint grisâtre.

– Je n'arrive pas à y croire, Hannah. J'ai entendu ça de mes propres oreilles, mais… je ne peux pas y croire. Comment peut-elle me haïr autant ? Dire des choses pareilles ? Ai-je été un si mauvais père ?

Elle voulait s'asseoir à son côté, lui prendre la main, elle ne supportait pas de voir cette douleur dans son regard. Mais elle ne bougea pas du fauteuil où elle s'était laissée tomber. Ils allaient devoir être forts. Lucides. Ce n'était pas le moment de s'effondrer.

– Tu as été un père merveilleux, dit-elle fermement. Depuis le jour de sa naissance.

Adam la dévisageait, il se cramponnait aux accoudoirs de son fauteuil si fort que ses jointures en étaient toutes blanches.

– J'essaie d'imaginer ce que tu as éprouvé quand elle a lancé cette… accusation. Je… Tu ne t'es pas demandé si c'était vrai ? Je comprendrais que tu te sois posé la question.

Elle faillit nier mais se ravisa. Elle s'efforçait de ne jamais lui mentir. Surtout lorsque c'était important.

– Oui, bien sûr. Je me la suis posée. Évidemment. Une fraction de seconde.

Il tressaillit, blessé. Mais il lui avait demandé ce qu'elle avait pensé, et elle savait qu'il accepterait stoïquement sa réponse.

– Dans mon travail, poursuivit-elle, j'en ai vu, des familles où ça arrive. Des enfants maltraités par les parents ou les grands-parents. Il ne sert à rien de se voiler la face, ce sont des choses qui existent.

Elle avait répondu honnêtement. Adam inspira

– Tu as pensé que c'était possible.

– Tout est possible.

– Écoute, j'essaie de garder mon calme. D'accepter. Personne ne te reprocherait de t'interroger sur… Si tu désires que je passe au détecteur de mensonge… ou que je me soumette à un test de paternité…

Hannah leva les mains, comme pour parer un coup.

– Arrête, s'il te plaît. C'est le choc qui m'a ébranlée, un court instant. J'ai vite repris mes esprits. Je te connais, Adam. Il faut bien qu'il y ait en ce monde quelques vérités fondamentales. Et s'il y a en ce monde une chose dont je suis certaine, c'est que jamais tu ne ferais ce dont elle t'accuse.

– Merci, dit-il humblement.

– Ne me remercie pas.

– À l'entendre, grimaça-t-il, je t'assure qu'il m'a semblé qu'elle y croyait.

– Elle s'en est peut-être persuadée. De toute évidence, elle n'est pas normale.

– Les parents sont censés être les avocats indéfectibles de leur enfant. En toutes circonstances. J'en ai toujours été convaincu. Nous devons les soutenir, prendre leur parti.

– Avec tout ce que nous savons d'elle, à présent ? Après avoir vu ces lettres ?

Un frisson la secoua, comme si elle avait mordu dans quelque chose d'amer.

Il attendit qu'elle poursuive, puis comprit qu'elle n'avait rien à ajouter. Car elle lui disait qu'il n'avait rien à lui prouver. Il l'avait déjà fait, tout au long de leur vie commune. Voilà ce qu'elle essayait de lui dire.

– Tu n'imagines pas ce que ça signifie pour moi, murmura-t-il.

L'amour déferlait de lui comme une vague qui allait étourdir Hannah et l'engloutir. Il avait envie de venir près d'elle, de la prendre dans ses bras. Il avait envie de s'imprégner de sa chaleur, de lui faire partager, sans avoir à le traduire en mots, tout ce qu'il éprouvait. Mais Hannah l'en dissuada d'un geste.

– J'en ai parfaitement conscience, sois-en sûr.

Il eut un petit sourire, fugace éclaircie dans un ciel plombé.

– Tu me surprendras toujours. J'ai eu de la chance que tu acceptes de m'épouser.

– Et moi aussi.

Adam poussa un soupir. Hannah ne voulait pas céder au besoin qu'ils avaient de se réconforter mutuellement, serrés l'un contre l'autre, parce qu'ils devaient parler de trop de choses.

– Je n'arrête pas de voir son visage, dit-il. Et de me demander pourquoi elle s'en est prise à moi de cette façon.

– Je crois qu'elle raconterait n'importe quoi pour obtenir ce qu'elle veut. Tu sais : ça c'est à moi, et tu l'auras pas.

– Oui, exactement. Est-ce vraiment Sydney qu'elle veut ? J'ai quelquefois l'impression qu'elle s'en fiche un peu. Elle n'a jamais de temps à consacrer à son enfant. Je lui ai toujours trouvé des excuses. Sa jeunesse. Ses études…

– Moi aussi, peut-être même plus que toi. Après tout, c'est moi qui ai servi à Lisa de modèle maternel. Longtemps je me suis dit qu'il existait plusieurs manières d'être mère. Quelle idiotie, n'est-ce pas ? Je cherchais à me convaincre que Lisa était seulement un peu distante. Comme ma propre mère.

– Je suis au regret de dire, ma chérie, que ta mère n'est pas vraiment le parangon de l'amour maternel.

– Elle a essayé, soupira Hannah. Mais elle était…

– Négligente.

– Non, pas vraiment négligente, plutôt… centrée sur sa petite personne. Mais c'est encore une excuse. Pamela n'a pas été une bonne mère, mais elle ne m'a pas fait de mal. Aucune comparaison avec ce que Lisa envisageait pour Sydney. Seigneur. Même dans ses pires moments, Pamela n'imaginerait rien de tel. Lisa est différente. Je ne voulais pas voir ce qui crevait les yeux.

– Et à présent tu penses la comprendre ?

– Jamais je ne la comprendrai, évidemment. Mais je vois maintenant à quel point elle est instable quand on s'oppose à elle. Et dangereuse.

– Ce qui explique son attitude à mon égard.

– Elle sait très bien ce qu'elle fait. En lançant ces accusations contre toi, elle nous empêche d'obtenir la garde de Sydney. Elle ne peut rien prouver, mais un juge ne prendra jamais le risque de nous confier Sydney.

– Même si nous montrons au juge ce qu'elle projetait de faire avec Sydney ? Car nous avons les lettres. Nous ne sommes pas forcés d'expliquer comment nous nous les sommes procurées. Nous les avons, nous pouvons nous en servir.

– Je n'ai pas dit que la justice lui rendrait Sydney, objecta-t-elle posément. Ce ne serait sans doute pas le cas. Mais jamais on ne nous la confierait. Et Lisa mise là-dessus. Sur le fait que nous n'oserons pas porter l'affaire devant les tribunaux, pour ne pas risquer de perdre définitivement Sydney.

– Si nous n'en avions pas la garde, qu'arriverait-il à Sydney ?

– Elle serait placée.

– En foyer…

– Et peut-être plus d'un. Ces affaires traînent parfois pendant des années. En attendant, Sydney irait d'un foyer à l'autre. Sans personne, sans rien à elle.

Adam enfouit son visage dans ses mains.

– Seigneur, gémit-il. Je ne peux pas croire que Lisa irait jusque-là. Qu'elle abandonnerait sa propre enfant, innocente et sans défense, à des étrangers. Uniquement pour nous damer le pion.

– Il y a peu de temps encore, moi non plus je n'y aurais pas cru. Mais maintenant…

– La situation est inextricable ! Si nous nous taisons, Lisa sera libre d'emmener sa fille n'importe où. De lui faire n'importe quoi. Et si nous réagissons, si nous tentons de l'arrêter, elle n'aura qu'à m'accuser et nous perdrons notre petite-fille.

– C'est à peu près ça.

Ils restèrent un moment silencieux, à réfléchir à ces deux sinistres scénarios.

– Peut-être que…, marmonna-t-il.
– Oui ?
– L'essentiel, c'est Sydney, nous sommes bien d'accord.
– Oui, absolument.
– Elle compte plus que nous, que notre vie. Cette enfant doit avoir une chance d'être heureuse.
– Évidemment.
– Alors, écoute-moi bien… Cette idée m'est insupportable, mais… Lisa nous a mis dans une situation inextricable.
Adam la dévisagea sans ciller et poursuivit :
– Dis à tout le monde que les accusations de Lisa contre moi sont justifiées. Demande le divorce. Je ne m'y opposerai pas. Ça pourrait aller très vite. Une fois que j'aurai quitté cette maison, on t'accordera peut-être la garde de Sydney.
Hannah ne broncha pas.
– Eh bien ? s'énerva-t-il. Il vaut mieux pour elle qu'au moins l'un de nous puisse la protéger contre Lisa.
– C'est insensé…
– Je sais bien, mais j'essaie de trouver une façon de…
– Nous ne pourrions plus jamais nous voir ! dit-elle, le regard plein d'effroi. Tu es sérieux ?
– Oui. Avec toi, Sydney serait en sécurité.
– Tu ferais ça ? Tu te laisserais… déshonorer ? Pour Sydney ?
– Il faut la protéger. Elle n'a que nous. C'est notre devoir.
– Je sais, murmura Hannah, essuyant ses larmes d'un revers de main, émue par son abnégation.
– Je ne vois pas d'autre solution.
Hannah se tut, puis :

– Moi aussi, j'ai réfléchi.

– Et… ?

Elle embrassa du regard le salon confortable. Sur le manteau de la cheminée, Lisa et Sydney lui souriaient. Les lampes – pied en porcelaine bleue, abat-jour en parchemin – éclairaient les tentures qu'elle avait cousues de ses mains et les piles de livres sur les petites tables placées à côté des fauteuils. Les jouets de Sydney traînaient encore sur le tapis, devant le téléviseur. Dehors, les réverbères s'étaient allumés, et l'ombre des feuillages des grands arbres de leur jardin tachetait la rue. Seuls le ronronnement des rares voitures qui passaient et le chant des grillons venaient troubler la paix de cette douce nuit du Sud.

S'arrachant à la contemplation du décor familier de sa maison, Hannah planta ses yeux dans ceux, pleins d'inquiétude, de son mari.

– Nous pourrions nous enfuir, dit-elle.

26

Philadelphie

– ELLE VA GUÉRIR, Mamie ?

Hannah et Sydney étaient allongées côte à côte sur le lit étroit de la fillette. La lune projetait sur la courtepointe l'ombre anguleuse de l'escalier de secours qu'on voyait par la fenêtre. Les quelques jouets que Sydney possédait étaient rangés dans un carton, près de la commode qu'ils avaient dénichée pour elle dans un bric-à-brac, et qu'ils avaient repeinte. La chambre était minuscule. Cosy, disait Hannah, terme que Sydney avait adopté. Si elle regrettait son ancienne chambre du Tennessee, beaucoup plus spacieuse, elle n'en parlait jamais. Comme si sa vie d'avant n'avait jamais existé.

– Je suis sûre qu'elle guérira. Nous en saurons plus demain, répondit doucement Hannah.

Elle écarta les cheveux qui balayaient les joues rondes de Sydney. La fatigue, les larmes et la peur avaient rougi les grands yeux bleus de la fillette. Mais son visage était aussi beau et délicat qu'une rose en été. Autrefois, Hannah contemplait de la même manière le visage de Lisa. Elle s'émerveillait devant cette extraordinaire créature, sa fille, son unique enfant. À présent, toute sa vie tournait autour de la nécessité de soustraire Sydney à sa mère. Souvent elle se demandait comment ils avaient pu en arriver là, à ce choix radical. Mais, quand elle regardait Sydney, elle savait qu'ils avaient eu raison.

– Je l'aime bien, Mamie, murmura Sydney en se blottissant au creux du bras de Hannah. Elle me laisse l'aider.

– Oui, mon petit chou, dit Hannah en embrassant ses cheveux qui sentaient si bon. Tu la verras dès qu'elle reviendra à la maison.

Sydney bâilla.

– Bientôt ?

– Oui.

Après sa soirée cauchemardesque, Sydney avait refusé de se coucher. Hannah avait dû lui chanter toutes ses chansons préférées et lui lire une bonne demi-douzaine d'histoires. Elle s'assoupissait enfin, et Hannah dérivait au rythme de sa respiration, profonde et ralentie. Elle s'endort, songea-t-elle, et elle aussi sombra dans le sommeil, avec Sydney tout contre elle, sur le lit étroit.

Combien de temps dormit-elle ? Elle n'aurait su le dire, mais quand elle se réveilla, son bras était tout engourdi. Elle se dégagea avec précaution, sortit sans bruit de la chambre et se dirigea vers le salon, au bout d'un petit couloir – une pièce peu spacieuse mais qui avait deux bow-windows en vis-à-vis.

Adam était installé devant l'ordinateur d'occasion, qu'il avait remis à neuf et qu'ils utilisaient uniquement pour surfer sur Internet. Pas de mails, pas de compte Twitter ni aucun autre réseau social.

– Elle a fini par s'endormir, dit-elle.

Adam fit pivoter sa chaise de bureau et regarda sa femme d'un air désolé.

– Il nous faut partir.

– Partir ? répéta-t-elle, déconcertée.

– Nous devons quitter cette maison. Philadelphie. Nous devons nous en aller.

– Quoi ? Mais pourquoi ?

– C'est sur YouTube. Ça ne date que de quelques heures, pourtant la vidéo a déjà été regardée un millier de fois.

Hannah s'approcha. Il remit le clip au début.

Ce n'était pas long. Isaiah Revere félicitait Dominga Flores d'avoir réagi si vite, et profitait de l'occasion pour déplorer la façon dont on traitait les vétérans dans le pays. En un sens, c'était assez émouvant. Et pertinent, il fallait le reconnaître. Et puis, tout au bord de l'image, apparaissait Hannah, avec Sydney dans ses bras. Elle disait au journaliste qu'elle était reconnaissante à Dominga. Cela ne durait qu'une poignée de secondes. Elle sentit le feu lui monter aux joues, à se voir ainsi, en train de parler au journaliste, d'étaler leur secret au grand jour.

– Elle ne le verra peut-être pas, Adam, dit-elle, pour se rassurer autant que pour rassurer son mari. Chaque jour, il y a des milliers de vidéos postées sur Internet, sur YouTube. Il faudrait qu'elle les regarde une par une.

– Et si quelqu'un d'autre tombe dessus et lui en parle ? Non, il faut partir.

– Je suis désolée. Mais que pouvais-je faire ? Tourner le dos à la femme qui a secouru la petite ?

– Je n'ai pas dit que tu étais coupable, rétorqua sèchement Adam. Je ne t'accuse de rien.

– Ce n'est pas l'impression que j'ai.

– J'ai essayé de te prévenir. Pourquoi ne m'as-tu pas écouté ? s'énerva-t-il.

Mets-la en sourdine, se tança-t-elle. Elle regarda son mari. Combien de temps encore supporterait-il le stress de leur vie clandestine ? C'était un roc, depuis le début, mais Hannah mesurait à certains signes combien cette expérience était usante pour lui. Elle craignait parfois qu'il ne puisse plus assumer cette existence de fugitifs.

– J'étais encore sous le choc, expliqua-t-elle en s'efforçant de garder son calme. Je ne pouvais pas m'en aller. J'ai compris trop tard ce que tu me disais.

– J'avais vu le camion-régie.

– Je n'ai pas imaginé qu'ils allaient filmer. Une vieille dame qui a une attaque… il n'y a pas vraiment de quoi faire l'actualité.

– Son fils est un politicien. Pour lui, c'était une aubaine.

– Oui, bien sûr, soupira-t-elle. Maintenant je m'en rends compte. Mais je n'ai pas réfléchi, je n'ai pensé qu'à Sydney. J'ai cru que l'ambulance était là pour elle. J'ai été tellement soulagée qu'elle n'ait rien.

– Je sais.

– Il me semblait que se méfier de tout le monde, être prudent, était devenu pour moi une seconde nature. Mais quand j'ai vu cette ambulance devant la maison, j'ai perdu les pédales. Je me suis dit, oh non, on a tout sacrifié pour la protéger, on la laisse un moment, deux ou trois heures à peine, et tout s'écroule…

– J'ai compris, Hannah. Vraiment, je comprends. Mais j'essaie d'être réaliste. Que ça nous plaise ou non, une fois qu'on est sur Internet, on n'y peut plus rien. Même si Lisa ne regarde pas cette vidéo, quelqu'un d'autre la verra et lui en parlera. Si nous restons ici, elle nous trouvera. Et ensuite…

– … nous aurons la justice sur le dos.

– Nous avons enlevé son enfant. C'est un crime.

– J'en suis consciente, dit-elle d'une petite voix. Mais je n'ai pas le courage de partir. Pas maintenant. C'est au-dessus de mes forces.

Adam s'adossa à son siège, les pieds bien à plat sur le sol. Il se frotta la figure.

– Nous n'avons pas le choix.

– Ce n'est qu'un petit clip.

– Gangnam Style* aussi, c'était un petit clip, dit-il avec un sourire en coin.

Malgré elle, Hannah se mit à rire.

– Je ne crois pas que nous soyons aussi fascinants.

Adam l'enveloppa d'un regard plein de tendresse.

– Je sais bien que tu n'as pas envie de t'en aller. Moi non plus, je t'assure. Nous commençons tout juste à trouver nos marques. Mais rester ici est impossible.

– On ne pourrait pas attendre un petit moment ? Le temps que l'orage se calme.

– Et si Lisa débarque ? Ou la police ? Il nous faudra fuir comme ça, avec juste les vêtements que nous aurons sur le dos. Il ne vaudrait pas mieux anticiper ? Comme la dernière fois. Au moins, nous avons pu nous organiser.

La dernière fois. Ce qui remontait à un peu plus d'un an. Une fois leur décision prise, ils avaient agi vite, quoique avec une extrême prudence. Sur le plan financier, ils avaient donné procuration à leur avocat, afin que Lisa, à sa sortie de prison, ne soit pas sans argent. Ils n'avaient pas emporté grand-chose. Des papiers. Quelques affaires. Uniquement ce qui leur était indispensable.

---

* Chanson parodique du chanteur sud-coréen Psy. Le clip est devenu en quelques mois le plus visionné de l'histoire de YouTube, dépassant le milliard de vues.

Ils n'avaient dit au revoir à personne. Ni à Rayanne et Chet, ni même à Pamela.

Étonnamment, le plus dur pour Hannah avait été de quitter sa mère. Elles n'étaient pourtant pas proches, comme le sont les mères et leurs filles, mais à l'idée de ne plus jamais revoir Pamela, Hannah avait failli renoncer. Elle se sentait responsable de sa mère, tout en sachant qu'elle se débrouillerait très bien toute seule. S'en aller comme ça, sans un mot, semblait si brutal et cruel. Sa dernière visite à La Véranda avait été un supplice. Hannah avait tenté de mettre Pamela sur la voie sans se trahir, sans rien révéler de leur projet, pour qu'elle puisse, plus tard, repenser à leur dernière conversation et comprendre pourquoi ils avaient opté pour cette solution radicale. Elle avait dit qu'Adam et elle commençaient à douter des capacités de Lisa en tant que mère.

Pamela avait vrillé sur elle son regard perçant.

– Pourquoi ?

– Je préfère ne pas répondre, maman. Disons juste que... savoir ce que je sais maintenant de ma fille... est très perturbant.

– Eh bien, dans ce cas, il faut agir.

Hannah avait regardé sa mère droit dans les yeux, consciente qu'elle la voyait peut-être pour la dernière fois.

– C'est aussi notre avis. Et c'est ce que nous allons faire.

Elles s'en étaient tenues là, mais Hannah avait eu l'impression que sa mère lui donnait sa bénédiction. Ou peut-être avait-elle simplement besoin de le croire. Aujourd'hui, elle ne savait même pas si Pamela était toujours en vie. Ils s'étaient complètement coupés de leur monde. Il le fallait, mais cela n'avait pas été facile.

– À quoi penses-tu ? demanda Adam.

– Là, tout de suite, je pensais à ma mère.
– Cette fois partir sera moins déchirant. Nous avons pris garde à ne pas trop nous lier aux gens.
– Adam, murmura-t-elle d'un ton suppliant. Comment arriverons-nous à… ?
– Nous nous sommes juré de tout faire pour protéger Sydney, l'interrompit-il. Nous savions que c'était une éventualité.
– Mais pour l'instant il ne s'est rien passé. Peut-être qu'il ne se passera rien.
– Tu veux courir le risque ?
– Je suis prête à tout pour cette enfant, tu le sais. Mais pourquoi ne pas attendre un peu ? Sydney en a déjà beaucoup supporté. Elle a des camarades. Elle aime bien Mamie, elle se plaît à la crèche. Sa vie ici commence à prendre tournure. Et si nous lui faisions plus de mal que de bien, à force de la transbahuter d'un endroit à l'autre ? Nous devons nous préparer, j'en conviens. Nous organiser. Prévoir ce que nous pourrions emporter, où nous pourrions aller. Et même, à la rigueur, avoir nos bagages prêts.
Les sourcils froncés, Adam tourna les yeux vers la fenêtre. Quelque part dans la rue, du verre se brisa – probablement une bouteille de bière. Des motos passèrent en vrombissant. Une femme éclata d'un rire gras. Pour le quartier, c'était une nuit paisible.
– Écoute, Adam. Nous nous sommes sans doute un peu trop reposés sur nos lauriers. Il faut nous organiser pour pouvoir lever le camp à tout moment. Considérons cet épisode comme un avertissement, et la prochaine fois nous serons prêts à partir immédiatement.
Adam reporta son attention sur elle.
– La prochaine fois, j'espère que nous aurons le temps de partir.

27

Lorsque deux semaines se furent écoulées sans incident, après ses malencontreux débuts sur YouTube, Hannah respira un peu mieux. Durant les jours qui avaient suivi la publication de la vidéo, ils étaient si inquiets qu'ils hésitaient à quitter leur l'appartement. Ils avaient manqué le travail, prétextant une grippe. Parfois, quand c'était absolument nécessaire, l'un ou l'autre – col relevé, couvre-chef baissé sur les yeux – courait acheter de quoi manger. Hormis ces sorties, tous trois ne bougeaient pas de chez eux et passaient de longues heures pelotonnés sur le lit, à lire ou regarder la télé. Hannah s'affairait dans leur minuscule cuisine, elle leur mitonnait leurs plats préférés. Souvent ils tiraient les rideaux et scrutaient anxieusement la rue, comme s'ils craignaient d'y voir une cohorte de policiers, menés par leur fille, marchant droit sur leur demeure. Chaque fois que leur portable sonnait, ils faisaient un bond. Pour Sydney, tout cela était un jeu et, le temps s'étant par chance mis au froid, elle était contente de rester à l'intérieur avec ses grands-parents.

Comme elle l'avait promis à Adam, Hannah fit les bagages, plusieurs valises qu'elle rangea dans le grenier auquel on accédait par un escalier escamotable, au deuxième étage. Une fois vidés, les placards parurent abandonnés, mais cela apaisa Adam. Il ne cessait de répéter qu'ils risquaient de devoir partir d'une minute à l'autre.

Il avait bien sûr de bonnes raisons de s'inquiéter, mais à mesure que les jours passaient sans nouvelles de Lisa ou de la police, lui aussi commença à se détendre, à croire qu'ils avaient peut-être réussi à échapper au danger.

Mamie Revere n'était toujours pas de retour, ce dont Sydney se désolait. Sa crise cardiaque l'avait laissée paralysée du côté droit, et son fils Isaiah l'avait fait admettre dans un centre à l'extérieur de la ville, à Blue Bell, où elle suivait un programme intensif de rééducation.

Un samedi matin, Hannah descendait l'escalier avec Sydney – elle avait décidé de s'aventurer dehors – quand elle entendit la porte d'entrée s'ouvrir. Elle se figea, puis fut tellement soulagée de voir Isaiah entrer qu'elle dut s'appuyer contre le mur.

Il leva les yeux vers elle et Sydney qu'elle tenait par la main, leur dit bonjour.

– On croirait que vous avez vu un fantôme, fit-il remarquer.

– Non, mais je ne… J'ai été surprise.

– Je viens prendre le courrier de ma mère.

– Comment va-t-elle ? Elle revient bientôt ?

Il entreprit de trier le courrier posé sur la console, dans le hall, fronçant les sourcils devant la pile de prospectus publicitaires.

– Revenir ici ? marmonna-t-il. Pas si je peux l'éviter.

– Comment ça ?

– Quand elle sortira du centre de rééducation, j'espère la convaincre de s'installer dans une résidence médicalisée. Il y en a une très bien, à dix minutes de l'endroit où nous vivons, ma femme et moi. Elle y aura un appartement flambant neuf, et elle sera sous la surveillance du personnel soignant.

– Ma mère réside dans un établissement de ce genre.

Hannah se mordit la langue d'avoir dit ça. Mais, heureusement, le conseiller Revere, tout à ses préoccupations, ne releva pas.

– Cette situation ne peut plus durer, ajouta-t-il, brandissant des enveloppes et embrassant le hall du regard.

– Elle est très attachée à cette maison.

– J'y ai grandi, dans cette maison, et j'en ai soupé. Mes gamins refusent de mettre les pieds dans le quartier. Cette baraque tombe en ruine, ma mère n'a plus les moyens de l'entretenir. Non, je considère que cette crise cardiaque est une opportunité à ne pas laisser passer. Ma mère n'aura pas le choix.

– Et la maison ? Vous comptez la vendre ?

– Rien ne me ferait plus plaisir que de m'en débarrasser sur-le-champ, mais je m'efforce d'avoir au moins l'air de prêter attention aux désirs de ma mère. Pourquoi ? Vous vous inquiétez pour votre logement ?

– Eh bien, je... Nous nous y plaisons. Mais s'il le faut, nous trouverons un autre appartement. Encore que Mamie nous manquera.

– Elle a eu mon dessin, Mamie ? demanda Sydney.

– Absolument, répondit Isaiah. Et elle m'a chargé de te remercier. Elle l'a affiché dans sa chambre. Bon, il faut que je me dépêche...

– Monsieur Revere, avez-vous pu donner un coup de pouce à Dominga ? Il y a un moment que je ne l'ai pas vue dans les parages.

– Dominga ? répéta-t-il. Qui est-ce ?

Qu'il ne se rappelle pas le nom de la femme qui avait sauvé sa mère froissa Hannah.

– Dominga Flores. L'ex-militaire qui s'est introduite dans la maison la nuit où Mamie a eu son attaque. Celle qui a entendu Cindy pleurer.

– Ah oui, répondit Isaiah Revere d'un ton impatient. Je lui avais dit de contacter mon bureau, je ne sais pas si elle l'a fait. J'ai beaucoup d'administrés et peu de personnel, voyez-vous.

Adam avait raison. Isaiah s'était servi de Dominga pour se faire mousser devant les caméras de télévision, mais une fois les projecteurs éteints, il n'avait plus accordé une pensée à Dominga et ses problèmes. Hannah se promit de soumettre dès que possible à Frank Petrusa la question des vétérans sans-abri. Il y avait des limites à l'ingratitude.

Ils finirent par reprendre le travail et ramener Sydney à la crèche. À la Maison des Vétérans, comme tout le monde s'inquiétait de sa santé, Hannah dut inventer des symptômes à sa « maladie ». Quand on recommença à la traiter normalement, ce fut un soulagement. Et lorsqu'elle croisa Frank Petrusa, qui ne manqua pas de lui demander comment elle se sentait, elle réussit à changer de sujet et à parler de Dominga. Elle n'avait pas participé au groupe de parole depuis un moment, lui dit-il, mais le père Luke savait peut-être où elle était.

Une semaine après son retour, en fin d'après-midi, elle alla donc frapper à sa porte. Il la pria d'entrer dans le bureau, avec le sourire agréable dont il ne se départait pas. Cet homme-là ne semblait jamais pressé.

– En quoi puis-je vous aider ?

– Je sais qu'il vous est impossible de suivre les gens à la trace, mais je me demandais si…

Il l'invita d'un geste à s'asseoir en face de lui.

– Oui ?

– Eh bien, c'est au sujet de Dominga Flores. Je lui suis vraiment reconnaissante d'avoir secouru la vieille dame qui gardait Cindy, le soir où elle a eu une attaque.

– Ah oui, j'ai vu ça aux informations.

Hannah sentit son estomac se contracter, comme chaque fois que quelqu'un disait avoir vu le reportage. Cela dut se lire sur son visage car le père Luke ajouta :

– Quel est le problème ?

– Je n'ai pas croisé Dominga depuis. Je me demande où elle en est. Le conseiller Revere avait promis de s'occuper d'elle, mais il n'a pas tenu parole.

– Je suppose que, son speech terminé, il a complètement oublié Dominga. Ah, les politiciens…, soupira-t-il. Je suis désolé, mais je ne l'ai pas croisée depuis un bon bout de temps. Pourquoi la cherchez-vous ?

– J'aimerais l'aider. De toute évidence, elle a un problème d'alcool, et elle est à la rue. Le tableau complet. Or je connais bien les programmes d'aide auxquels elle a droit. Si je pouvais lui en parler…

– Je vais me renseigner et je vous avertirai si j'apprends quelque chose.

Le lendemain, une radieuse journée de novembre, ensoleillée et venteuse, Hannah déposa Sydney à la crèche avant de se rendre à la Maison des Vétérans. À regret, car il faisait si beau qu'on n'avait pas envie de s'enfermer. Elle pendait sa veste à la patère quand elle avisa le père Luke qui lui faisait signe. Elle le rejoignit dans son bureau.

– J'ai localisé Dominga Flores, annonça-t-il.
– Formidable. Où est-elle ?
– En cure de désintoxication dans le centre-ville.
– C'est un bon début. Elle réussira peut-être à reprendre sa vie en main.
– J'ai discuté avec l'un des conseillers qui la suit. Elle va sortir, elle n'a nulle part où aller et pas de projet. Je leur ai dit qu'elle pouvait venir ici, temporairement.
– Je voudrais vraiment l'aider, soupira Hannah. J'ai une dette envers elle.
– Vous allez pouvoir faire quelque chose. J'ai averti son conseiller que je vous envoyais là-bas avec les formulaires qu'elle doit remplir pour séjourner ici. Ça vous permettra de lui expliquer les diverses solutions qui s'offrent à elle. Encouragez-la à participer aux réunions de Frank. À mon avis, elle a besoin de ce genre de soutien.
– J'irai là-bas avec plaisir, dit-elle avec un grand sourire. Mais… et le travail ?
– Ça en fait partie, dit-il gentiment. Il n'y a rien ici qui ne puisse attendre. Si cette fille sort de cure pour se retrouver dans la rue, elle replongera aussitôt. Savoir que vous vous souciez d'elle, que vous vous donnez du mal pour elle, lui fera un bien fou. Elle paraît seule au monde.
– Merci, père Luke.

Elle prit congé, récupéra sa veste et son sac et quitta le bâtiment. Comment se rendre au centre de cure ? En bus, peut-être. Elle profiterait du beau temps et de la balade. À condition de trouver une place assise. Dans ce quartier, on ne pouvait pas toujours compter sur les transports en commun.

Finalement, elle opta pour le plus rapide – le métro – et à ses yeux le plus détestable. Ça empestait l'urine, des graffitis couvraient les murs. La plupart du temps, des marginaux alcoolisés traînaient sur les quais, et les lycéens resquilleurs faisaient du raffut. Mais c'était le plus pratique, et cela lui permettrait de passer plus de temps au centre-ville.

En route vers la station de métro, elle s'arrêta au kiosque pour acheter un journal. Si elle se plongeait ostensiblement dans sa lecture, les gamins surexcités ou les poivrots seraient moins tentés de l'embêter.

À cette heure-ci, il y avait encore du monde dans la station, mais le rush des lycéens étant passé, c'était un peu plus calme. Hannah descendit les marches qui menaient au quai.

Elle inséra le coupon de sa carte d'abonnement dans le portillon et, bloquant sa respiration pour ne pas être suffoquée par la puanteur ambiante, se fraya un chemin parmi les passagers. À mesure qu'on s'éloignait du tourniquet, la foule se clairsemait, mais Hannah n'alla pas jusqu'au bout du quai. Mieux valait ne pas trop s'isoler. Elle se mit un peu à l'écart, et se concentra sur son journal, évitant soigneusement le regard des gens, tout en tenant fermement son sac.

Elle s'étonnait elle-même de tant de précautions. Une année à Philadelphie l'avait endurcie, elle qui avait grandi dans le comté semi-rural de Franklin et trouvait Nashville gigantesque. Elle avait appris à ne pas sourire, à ne pas dire bonjour. À ne regarder personne. À rester sur le qui-vive et à se cramponner farouchement à son sac. À moins, bien sûr, d'avoir le couteau sous la gorge. Dans ce cas, il fallait lâcher prise sans discuter. Un sac ne valait pas qu'on y laisse sa peau.

Elle se concentrait donc sur son journal, quand un mouvement sur les rails attira son attention. Une forme furtive qu'elle reconnut avec un coup au cœur

– un rat de la taille d'un chat trottinait sur le ballast, droit vers l'échelle de secours au bout du quai.

Cette répugnante créature comptait-elle monter sur le quai ? Les rats grimpaient-ils aux échelles ? Avec ces animaux-là, qui s'adaptaient si bien à la vie citadine, on pouvait s'attendre à tout. Si ce rat déboulait sur le quai, Hannah n'avait aucune envie d'être la première sur sa route. Aussi se rapprocha-t-elle des autres passagers qui, d'ailleurs, n'avaient pas l'air si redoutables. Il y avait là des femmes à la mine fatiguée qui allaient sans doute à leur travail. Des collégiennes, vêtues de l'uniforme d'une institution catholique se taquinaient en s'esclaffant bruyamment. Un type à la barbe broussailleuse, ses dreads ramassées dans un énorme bonnet pareil à un frisbee vert, jaune et rouge, se balançait sur ses talons. Complètement stone, jugea-t-elle. Un autre type, capuche sur la tête et lunettes de soleil sur le nez, était vautré sur le sol, adossé contre le mur carrelé, le menton sur la poitrine, les mains dans les poches. Les suspects habituels, autrement dit.

Elle entendit un coup de sifflet dans le tunnel, entrevit les lumières de la rame. Tant mieux, il était temps. Il fallait réfléchir à ce qu'elle dirait à Dominga. Elle devait rassurer l'ancienne militaire, lui montrer qu'elle n'était pas seule au monde, qu'on pouvait l'aider, que la vie méritait d'être vécue.

Le train arrivait en ferraillant. Coinçant son journal sous son bras, Hannah s'approcha de la bordure du quai avec les autres passagers, en essayant de calculer où s'arrêterait le wagon.

Soudain, perçant le grondement de la rame à la sortie du tunnel, des cris s'élevèrent :

– Hé, vous !

– Non !

Elle voulut se retourner, mais à cette seconde elle sentit qu'on la poussait violemment. Elle chancela, perdit l'équilibre. Une lumière jaune surgit. Malgré le fracas du train lancé à toute allure sur les rails, le silence se fit. Le seul bruit qu'entendit Hannah lorsqu'elle bascula en avant sur les rails, fut le battement précipité de son cœur.

Elle atterrit à quatre pattes sur les graviers coupants du ballast. Une fraction de seconde, elle fut trop abasourdie pour pouvoir bouger. Elle réussit cependant à se remettre debout, mais elle avait du mal à respirer. La rame, son aveuglante lumière jaune, fonçait droit sur elle.

Je vais mourir.

Des sons emplirent de nouveau ses oreilles. Le hurlement des roues sur les rails, les cris des gens sur le quai. Elle se figea, les yeux rivés sur le train. Une grosse femme noire, chargée d'un cabas, se pencha et lui tendit une main qu'elle agita comme pour dire : Vite, prenez ma main, je vais vous hisser sur le quai. Hannah étira le bras, frénétiquement, mais elle était trop loin, elle n'arriva même pas à effleurer ses doigts. Sur le quai les gens n'étaient plus qu'une masse floue. Certains appelaient à l'aide, gesticulaient pour avertir le conducteur qu'il devait stopper. Une collégienne sanglotait.

Un homme noir, qui portait l'uniforme de la compagnie de transport écarta rudement la dame au cabas.

Il va me laisser mourir.

Mais il la regarda dans les yeux. Elle vit qu'il lui parlait. Que disait-il ? Impossible, dans le vacarme assourdissant, de l'entendre. Il désigna l'échelle au bout du quai. Hannah le dévisagea.

– Courez, articula-t-il.

Malgré sa terreur, son hébétude, et malgré le bruit, elle l'entendit distinctement. Courir ? Sans doute prononça-t-elle ce mot à voix haute, car l'homme, son regard calme rivé au sien, hocha vigoureusement la tête et pointa de nouveau le doigt vers l'extrémité du quai. Courir ? Aller plus vite que le train ? C'était absurde. Impossible.

Une seconde encore, elle resta immobile. Non, elle ne bougerait pas. Puis, tout à coup, elle comprit. Il lui disait que c'était son unique chance. Il était bien placé pour le savoir. Il n'y avait pas d'autre solution.

Elle avança un pied. Faire ce qu'il lui disait de faire. Courir. Un pied, puis l'autre, puis elle s'élança. De toutes ses forces, pour sauver sa peau, trébuchant sur le ballast, pleurant. Le monde entier vibrait à l'approche de la rame. Elle pensa à Adam, à Sydney. Elle pensa fugacement à Lisa, à tout ce qui était à jamais perdu. Elle pensa au rat, et soudain elle se souvint de l'échelle.

Le train qui ralentissait, le fracas des freins. L'échelle était là, à portée de main. Elle s'agrippa aux montants, se hissa, puis, le choc.

28

ELLE REPRIT CONNAISSANCE dans une pièce faiblement éclairée. Le cœur battant, elle tâta avec précaution sa tête serrée dans des bandages. Lorsqu'elle essaya de s'asseoir, une douleur cuisante la transperça. Elle portait une mince blouse d'hôpital, elle avait le torse bandé, un bras plâtré. Des élancements irradiaient de sa jambe au sommet de son crâne.

L'espace d'un instant, elle fut incapable de se remémorer comment elle était arrivée dans cette pièce, pourquoi elle était dans ce triste état. Et puis, brusquement, cela lui revint. Un coup de sifflet strident, la lumière jaune, au fond du tunnel, qui se ruait vers elle. On l'avait poussée par-derrière. Oppressée, elle se mit à pleurer.

Vivante. Je suis vivante. Merci, Seigneur.

Elle pensa à Adam. Savait-il qu'elle s'en était tirée ? Ou même qu'elle était ici ?

À peine cette question lui effleurait-elle l'esprit que la porte s'ouvrit sur l'homme avec qui elle avait vécu plus de la moitié de son existence. Voûté, il semblait porter le poids du monde sur ses larges épaules. Il gardait les yeux baissés.

– Hé…, souffla-t-elle.

Il se figea, leva la tête. Ils se regardèrent. Ce fut comme voir le lever du soleil en accéléré. Les yeux d'Adam s'arrondirent, un sourire d'abord timide, puis heureux, éclaira son visage.

– Ma chérie !

Elle essaya de parler, mais ses lèvres étaient aussi sèches que du parchemin. Il la prit dans ses bras.

– Non, hoqueta-t-elle. Non, ça fait mal.

Il la lâcha à contrecœur. Il tremblait. Elle caressa doucement sa tête penchée. De nouveau ils se regardèrent. Longuement, en silence. J'ai cru te perdre, se dirent-ils ainsi, sans un mot. J'ai eu si peur.

Hannah ferma les paupières. Ce qu'elle éprouvait pour lui était trop déchirant, presque insupportable. Elle sentit un baiser tendre sur sa joue.

Puis Adam approcha un fauteuil du lit. Ils nouèrent leurs mains.

– Quand on m'a prévenu, qu'on m'a dit que tu étais passée sous une rame de métro…

– J'ai cru mourir, soupira-t-elle. D'ailleurs, je devrais être morte.

– Beaucoup de gens ont assisté à la scène. Quelqu'un t'a poussée.

– Apparemment. Est-ce qu'on a arrêté le type qui m'a fait ça ?

– Pas encore. Personne ne l'a vraiment vu.

– Je ne me rappelle rien. Seulement que je suis tombée sur le ballast, que j'étais pétrifiée. Et que la rame arrivait.

– Comment as-tu… ?

– Il y avait un employé de la compagnie sur le quai. Tout le monde hurlait. Le train sortait du tunnel. Le bruit était infernal. Mais cet homme… il m'a simplement regardée droit dans les yeux et il m'a dit de courir. Dieu sait comment, j'ai compris. Je l'ai entendu.

– Courir ? Mais comment peut-on aller plus vite qu'un train ?

Hannah souleva son bras plâtré.

– On ne peut pas, répondit-elle avec un pauvre sourire.

– On m'a dit que ça t'avait malgré tout sauvé la vie. Le conducteur a fait le maximum pour stopper le train. Et comme tu avais atteint l'extrémité du quai, que tu grimpais à l'échelle, ça t'a évitée de…

– D'être écrasée. Tuée. Je sais. Chéri, tu me donnes un peu d'eau ?

Il s'empressa de lui tendre une tasse et une paille qu'il lui glissa dans la bouche.

Hannah avala une gorgée, et ce fut comme si elle découvrait le goût de l'eau.

– Tu sais, cet homme me disait de courir, et moi je trouvais ça aberrant, pourtant j'entendais sa voix au creux de mon oreille, comme la voix de Dieu. Je me souviens d'avoir pensé : c'est un employé du métro. Il sait ce qu'il fait. Et voilà, j'ai obéi.

– Heureusement.

– Mais je ne me souviens pas du choc. C'est le trou noir.

Elle jeta un regard circulaire dans la pièce.

– Où est Sydney ?

– Avec Kiyanna et Frank.

– Ah, tant mieux.

– Ils ont été formidables. Ils m'ont énormément aidé. Sydney est chamboulée, perdue. Elle fait des cauchemars. C'est affreux.

– Pauvre petit chat… Ça fait combien de temps que je suis ici ? C'est grave ? Je veux dire…

– L'accident date de trois jours. Tu as la tête emmaillotée parce que tu as un hématome au cerveau. Tu as aussi un bras cassé, et cinquante points de suture à la jambe. J'ai failli te perdre.

– Jamais de la vie, murmura-t-elle dans un sourire.

Il lui rendit son sourire, posa la main sur sa joue. Ils restèrent ainsi un moment, silencieux, incapables d'exprimer tout ce qu'ils ressentaient. Mais ce n'était pas nécessaire.

– Il y a une chose dont nous devons parler. Les policiers veulent t'interroger.

– Tout de suite ?

– Dès qu'ils sauront que tu as repris tes esprits.

– D'accord.

– Hannah, écoute..., poursuivit-il à voix basse. Quand ils t'interrogeront, signale-leur bien que tu refuses d'être photographiée. Dis que, comme ils n'ont pas arrêté ce type, tu as peur des représailles. Il ne faut pas qu'on voie ta photo partout.

Hannah ferma les yeux.

– Tu as raison. Je ne dirai rien.

– Bravo. Veux-tu que je t'amène Sydney, tout à l'heure ?

– Oui, s'il te plaît. Si tu penses que ça ne risque pas de l'effrayer.

– Au contraire, je crois que ça lui fera du bien.

– C'est surtout à moi que ça fera du bien.

Adam demeura près d'elle, lui étreignant la main, baisant le bout de ses doigts. Puis la porte s'ouvrit, et une infirmière apparut, armée d'une seringue sur un petit plateau.

– Mais vous êtes réveillée !

– Quelle chance j'ai, rétorqua Hannah en regardant Adam.

L'infirmière s'empressa de répandre la nouvelle, si bien qu'en une heure Hannah eut la visite de deux médecins et d'un aumônier. Adam annonça qu'il allait chercher Sydney. Ils s'embrassèrent tendrement, et il partit.

Épuisée, Hannah se laissa retomber sur ses oreillers. Elle allait vivre, c'était merveilleux, mais il faudrait du temps avant qu'elle puisse quitter le lit. Elle ferma les yeux et s'endormit aussitôt.

Un coup frappé à la porte de sa chambre la tira du sommeil. Avant qu'elle ait pu reprendre ses esprits, deux hommes en costume-cravate apparurent sur le seuil.

– Madame Anna Whitman ? demanda le plus imposant.

Il avait le visage rubicond, des cheveux blancs avec une frange. Il semblait grave et déterminé.

– Oui, c'est moi.

Il adressa un signe de tête à son coéquipier, plus frêle et de type asiatique. Tous deux s'avancèrent pour se camper près du lit.

– Je suis l'inspecteur O'Rourke, madame. Et voici l'inspecteur Trahn. Nous souhaiterions vous parler de ce qui vous est arrivé dans le métro.

Hannah essaya de se concentrer. Heureusement qu'Adam lui avait remémoré leur situation. Couchée dans ce lit, dans cette chambre anonyme, en chemise d'hôpital, avoir conscience de sa propre identité n'était déjà pas chose facile, alors se rappeler de dissimuler la réalité et s'en tenir à la biographie qu'ils s'étaient inventée…

– Oui, d'accord, murmura-t-elle.

– Cela ne vous ennuie pas qu'on s'asseye ? demanda O'Rourke.

Hannah fit non de la tête. Sur un signe de son collègue, Trahn approcha deux sièges. Ils s'assirent. O'Rourke posa son porte-documents sur le sol.

– Racontez-nous ce qui s'est passé.

Elle leur relata ce qu'elle avait vu dans la station de métro, les passagers sur le quai, la rame dans le tunnel… Elle s'interrompit là.

– Vous ne vous souvenez pas de la suite ? dit gentiment Trahn.

– Franchement, non.

- Avez-vous vu la personne qui vous a poussée ? interrogea O'Rourke.

– Non.

– Vous avez seulement senti… qu'on vous poussait.

– Oui. Et je n'arrive pas à le croire. Je n'aurais jamais pensé qu'une chose pareille puisse se produire. J'ai senti un coup dans les reins, et puis… plus rien. Je n'ai rien entendu, rien vu. Le trou noir. Comment est-ce possible ?

– En fait, c'est assez fréquent chez les victimes de traumatismes. Pendant quelques secondes, le cerveau se débranche. Sans doute pour se défendre contre une réalité trop atroce.

– Sans doute.

– Vous n'avez donc pas vu la personne qui vous a poussée.

– Non.

– Et ensuite, de quoi vous souvenez-vous ?

– J'étais sur le ballast. Une femme m'a tendu sa main, mais je n'ai pas pu la saisir. Et puis il y a eu cet employé du métro, qui m'a dit de courir. Et figurez-vous que je l'ai entendu. Vous vous rendez compte ? Je l'ai entendu. Malgré le bruit, l'agitation générale, j'ai entendu sa voix. Et j'ai fait ce qu'il me disait. J'ai couru.

O'Rourke consulta son calepin.

– Les dépositions des témoins varient sur certains points. Mais tous sont d'accord sur une chose : vous avez été poussée par un individu qui portait une capuche. La taille, le poids, tout ça, les avis divergent. Mais tous les témoins se souviennent de la capuche. Et des lunettes noires.

– On n'a pas essayé de l'arrêter ?

– C'est classique, soupira O'Rourke. Les gens ont eu peur, ils se sont focalisés sur vous et sur la rame qui arrivait…

Hannah frissonna.

– D'après les témoins, il s'est enfui à toute allure. Il a monté l'escalier et il est sorti dans la rue. Jusqu'ici, on ne l'a pas coincé.

– J'espère que vous réussirez à l'attraper.

– On l'attrapera, déclara Trahn, catégorique. Ce n'est qu'une question de temps. Cet individu est vraisemblablement un détraqué, madame Whitman, il vous a choisie au hasard, mais nous devons malgré tout vous poser la question : avez-vous une raison de penser que quelqu'un pourrait s'en prendre à vous de cette manière ?

Hannah hésita. Brusquement, une idée surgit dans son esprit, qui lui coupa le souffle. Mais elle la repoussa

– Non.

– Et votre couple ? enchaîna O'Rourke. Ça se passe bien avec votre mari ? Il ne pourrait pas considérer que… qu'il serait mieux sans vous ?

– NON, inspecteur ! répondit-elle sèchement. Notre mariage est tellement solide que… Il est aussi solide que possible. Bien sûr, nous avons eu nos problèmes, comme tous les couples. Nous sommes mariés depuis plus de vingt ans, alors évidemment, ça n'a pas été sans quelques anicroches. Mais pour répondre à votre question : non.

O'Rourke hocha la tête.

– Bien. Et maintenant…

Il prit un iPad dans sa serviette.

– Nous avons là des images captées dans le métro par une caméra de surveillance. Vous dites que vous n'avez même pas entrevu votre agresseur…

– C'est le cas.

– Eh bien, tout est là, dans cet enregistrement. Mais visionner ces images risque d'être pénible.

Pénible ? Se faire agresser et pousser sous une rame de métro, puis revoir le film des événements : oui ; c'était pénible.

– Vous semblez bouleversée. Préférez-vous attendre d'être rétablie ?

Hannah hésita encore.

– Non, décida-t-elle. Il est peut-être sur un autre quai de métro, en ce moment même. En train de repérer un autre passager qui ne se méfie pas. Montrez-moi ces images. Je veux les voir.

– Très bien, je suis content que vous réagissiez comme ça. Trahn, tu mets ce foutu truc en marche, bougonna O'Rourke en tendant l'iPad à son coéquipier.

Trahn posa l'appareil sur le plateau incliné de la table de lit, et fit démarrer le film.

– Vous voyez bien ?

Hannah acquiesça, les yeux rivés sur l'écran, fascinée et écœurée à la fois. Peu à peu, elle reconnut certaines personnes croisées sur le quai. Les collégiennes, le type au bonnet, la dame qui avait tenté de la sauver. Le cœur de Hannah s'emplit de gratitude. Il émanait de cette femme immobile, avec son cabas, une impression d'isolement calculée. Son langage corporel était clair : ne m'adressez pas la parole, ne vous approchez pas de moi. Pourtant, c'était elle qui avait tendu sa main à Hannah.

Puis elle se vit franchir le tourniquet, longer le quai. Passer devant le gars à la capuche, assis par terre contre le mur. Était-ce lui ? Il avait l'air complètement ailleurs.

Elle s'arrêtait, un peu à l'écart, se figeait tout à coup, le regard fixé sur les rails. Ah oui, elle se rappelait. Le rat. L'infecte créature n'était pas visible sur la vidéo, mais la réaction de Hannah l'était – elle reculait, vers le milieu du quai, vers ses compagnons de voyage.

Bien que le film fût muet, on comprenait, à la réaction des gens, que la rame arrivait. Toutes les têtes, dont celle de Hannah, se tournaient vers le tunnel. Toutes sauf une.

– Maintenant, regardez bien, dit l'inspecteur O'Rourke.

Soudain, à la vitesse de l'éclair, le gars à la capuche se détachait du groupe de passagers, se rapprochait de Hannah en deux enjambées, tendait les bras.

Et la poussait dans le vide. Hannah en eut des sueurs froides, mais elle se força à rester concentrée. C'était lui qu'ils recherchaient. Le type à la capuche qui la poussait et qui, en se retournant, était un instant face à la caméra. Un instant, bref mais suffisant.

– Vous le voyez, madame ? Est-ce quelqu'un que vous connaissez ?

Hannah fit non de la tête, Trahn remit la vidéo au début. Elle pressa son poing sur sa bouche pour s'empêcher de gémir, regarda de nouveau son agresseur, affalé contre le mur, bondir sur ses pieds, courir droit sur elle, la pousser. Sans la moindre hésitation. Dans le vide, sur les rails.

– Il ne vous paraît pas familier ? Il n’y a aucun détail qui vous évoquerait quelqu’un ?

– Non, rien du tout, répondit Hannah.

C’était un mensonge.

29

ADAM, qui tenait Sydney par la main, poussa la porte de la chambre. La lumière était allumée au-dessus du lit vide. Dans la fenêtre s'encadrait le ciel charbonneux du crépuscule et un croissant de lune se dessinait au-dessus des arbres. Depuis le seuil de la pièce, Adam voyait la salle de bains, dont la porte était entrebâillée. Mais il n'y avait personne.

– Elle est où, Mom ? geignit Sydney.

– Je ne sais pas. On va demander à l'infirmière.

Justement une jeune infirmière dont la tunique s'ornait gaiement de pandas passait dans le couloir.

– Excusez-moi, mademoiselle…

– Oui, je peux vous aider ?

– Ma femme… Elle n'est pas dans sa chambre, or elle a beaucoup de mal à marcher.

– Votre femme, oui… Oh, je suis vraiment désolée. Franchement, c'est dingue. Il faut être sur ses gardes en permanence.

– Que voulez-vous dire ? s'affola-t-il.

– Je parle de ce dingue qui l'a poussée dans le métro, répondit l'infirmière, surprise de sa réaction.

– Ah oui, bien sûr. Heureusement, elle se rétablit, grâce à vous tous qui prenez bien soin d'elle. Mais savez-vous où elle est ?

– Dans le solarium. J'ai vu qu'une aide-soignante l'y emmenait tout à l'heure.

– Merci, fit Adam, soulagé. Viens, je sais où est Mom, dit-il à Sydney.

La fillette ne se fit pas prier pour le suivre. En réalité, elle voulut même le précéder et gambader dans le long couloir au sol luisant, mais Adam la tint fermement par la main. Ils mirent le cap sur le salon. Des gens allaient et venaient dans le couloir, mais personne n'entrait dans le solarium. Adam accéléra le pas.

Le salon, qui avait des faux airs de jardin d'hiver, était plongé dans une semi-pénombre. Adam le crut d'abord désert, puis il avisa la silhouette de Hannah. Perdue dans un peignoir trop grand, elle était assise dans un fauteuil roulant, près d'une baie vitrée, à moitié cachée par les plantes qui s'épanouissaient dans la pièce en principe ensoleillée. Elle regardait dehors, même s'il faisait trop sombre pour distinguer quoi que ce fût.

– Chérie…

Elle ne bougea pas. Sans les bandages qui enveloppaient sa tête, Adam aurait pensé que cette femme immobile dans l'ombre n'était pas la sienne. Mais Sydney, elle, n'hésita pas. Avec un cri joyeux, elle se précipita vers Hannah et essaya de grimper sur le fauteuil roulant.

– Arrête, Sydney, lui dit Adam. Mom a beaucoup de points de suture.

Il s'approcha et lut le désespoir sur le visage de Hannah. Elle ne protesta pas quand Sydney réussit à s'asseoir sur ses genoux. Elle grimaça mais referma des bras protecteurs autour de l'enfant.

– Comment va ma grande fille ? murmura-t-elle.

– Tu me manques.

– Toi aussi, tu me manques. Mais Pop m'a dit que tu étais avec Kiyanna et Frank. Tu t'amuses bien ?

La fillette hocha tristement la tête.

– Tu les aimes bien, Kiyanna et Frank ? dit Adam avec douceur. Ils sont gentils, n'est-ce pas, mon chaton ?

– Je veux Mom. Et Pop aussi.

Hannah leva vers son mari un regard surpris.

– Tu n'étais pas à la maison ?

– J'ai dormi ici. Ils m'ont installé un lit pour que je sois là à ton réveil.

Hannah étreignit sa main, si chaude et familière.

– J'aurais dû m'en douter.

– Viens là, mon chaton, dit Adam à Sydney. Tu veux bien regarder un film ? Je te mets Clifford ? proposa-t-il en extirpant de sa poche un petit lecteur de DVD.

Sydney raffolait de Clifford le gros chien rouge, héros d'une série de livres et de dessins animés.

– Viens regarder Clifford pendant que je parle avec Mom.

Mais quand il voulut prendre Sydney, elle se débattit en criant :

– Non, non !

– Ne me donne pas de coups de pied, mon ange, dit Hannah. Tu me fais mal.

La fillette, effrayée, posa une main potelée sur la joue de sa grand-mère.

– Pardon, Mom.

– Ce n'est rien. Va avec Pop. Je suis là, je ne pars pas.

Sydney obéit à contrecœur et se laissa installer sur un divan, serrant entre ses doigts le petit écran.

Adam revint s'asseoir auprès de Hannah. Il l'enveloppa d'un regard inquiet.

– Qu'est-ce que tu as, ma chérie ? Cet après-midi, tu semblais en meilleure forme. Il est arrivé quelque chose ?

– Oui, j'ai été interrogée par la police.

– Ça s'est bien passé ?

Hannah tourna de nouveau la tête vers la baie.

– Ils avaient des images de l'accident.

– Tu parles d'un accident, grommela-t-il.

– Oui, souffla-t-elle.

– Ils t'ont demandé de visionner la vidéo ?

– Je l'ai visionnée, oui.

– Pas étonnant que tu sois bouleversée. Ce doit être traumatisant de voir les choses se dérouler sans pouvoir rien faire.

– Ce n'est pas ça.

– Quoi donc, alors ?

– La personne qui m'a poussée était bien visible sur les images. « Le type à la capuche », comme ils disaient. Mais j'ai entrevu son visage… une fraction de seconde.

– Et… ?

Hannah, cette fois, le regarda droit dans les yeux.

– Les policiers m'ont demandé si je reconnaissais cette personne. Au cas où je n'aurais pas été agressée par hasard. Je leur ai répondu que j'ignorais qui c'était.

Adam la dévisagea en silence, redoutant manifestement ce qu'elle allait dire.

– J'ai menti, Adam. Je ne l'ai vue qu'une fraction de seconde, avec ses lunettes noires, sa capuche. Mais ça m'a suffi. C'était elle.

– Mon Dieu, murmura-t-il. Tu en es sûre ?

– Je la reconnaîtrais n'importe où, dit-elle avec désespoir. Ma propre fille m'a poussée sous cette rame de métro.

Adam baissa la tête.

– Seigneur...

– Comment puis-je vivre avec ça ?

– Je ne sais pas.

Ils se turent. Adam serrait la main de Hannah, toute molle et inerte dans la sienne. Sydney, couchée sur le divan devant son film de Clifford, se mit soudain à rire.

Il poussa un soupir.

– Elle nous a retrouvés. Elle a dû voir le reportage sur YouTube. Et remonter la piste.

– Elle était sans doute à l'affût.

– Tu leur en as parlé ? Aux policiers ?

– Je ne pouvais pas, répondit-elle d'un ton lugubre. Nous sommes des fugitifs. Des kidnappeurs.

– Oui, je sais.

– Elle a dû épier l'immeuble. Et me filer jusqu'au métro.

– Probablement.

– Tu n'es pas retourné là-bas, n'est-ce pas ? À l'appartement ?

– Comme je te l'ai dit, j'ai dormi ici. Et Sydney était chez Kiyanna.

Hannah hocha la tête, les doigts crispés sur les accoudoirs de son fauteuil, contemplant le ciel de Philadelphie. La nuit tombait.

– Tu ne peux pas retourner là-bas, dit-elle.

– Où donc ?

– À l'appartement. Il ne faut pas y revenir.

Elle lança un coup d'œil à Sydney, qui se régalait toujours de son film. Son regard s'adoucit un bref instant, puis une expression résolue se peignit sur son visage.

– J'ai beaucoup réfléchi.

– À quoi ? demanda-t-il, circonspect.

– Mon hospitalisation est une aubaine.

– Comment ça ?

Elle lui prit la main, le dévisagea longuement.

– Adam, Lisa ignore dans quel état je suis. Elle sait que je suis ici, évidemment, c'est à cause d'elle que j'y suis. Et les journalistes en ont parlé. Il lui suffit de téléphoner pour demander de mes nouvelles. On ne me la passerait pas, mais on lui répondrait que je suis toujours là. On lui dirait peut-être même comment je vais.

– Et alors... ?

– Alors elle sait que je suis encore à l'hôpital.

– Elle se fiche bien de ton état de santé.

De son poing serré, il frappa la paume de sa main.

– Je te jure, Hannah, je pourrais la tuer.

– Tu ne le ferais pas, énonça-t-elle, impassible.

– Sans doute pas, et je m'en veux presque. Comment a-t-elle pu te pousser sous le métro ! Tu l'as aimée, tu as été une mère merveilleuse. Qu'elle nous en veuille de lui avoir enlevé Sydney, d'accord. Mais elle sait pertinemment pourquoi nous l'avons fait. Elle l'a cherché. Il fallait bien que nous protégions la petite.

– Et c'est justement pour ça qu'elle nous hait.

– Oui, parce qu'elle ne voit pas ce qu'il y a de mal à offrir son enfant aux pervers les plus abominables. Quel monstre avons-nous élevé ? Elle est complètement insensible, et moi... je me sens tellement impuissant. Une question m'obsède : pourquoi n'ai-je rien vu ? Comment est-il possible que, durant toutes ces années, je ne me sois douté de rien ? Elle a vécu avec nous toute sa vie, pourtant nous ne la connaissions pas. Nous ne savions rien d'elle. Et aujourd'hui, je ne me rappelle même plus ce que j'aimais en elle.

– Moi si, je m'en souviens, soupira Hannah.

Adam s'essuya les yeux d'un revers de main.

– Moi aussi. C'est bien ça le plus fou.

– Il faut arrêter d'y penser. Pensons plutôt à ce que nous devons faire. J'y ai réfléchi tout l'après-midi.

Il posa la main sur la tête emmaillotée de Hannah.

– Tu es autorisée à réfléchir ? dit-il avec un petit sourire.

– Sans doute pas, mais on ne m'en empêchera pas. Ça ne va pas te plaire…

Il fronça les sourcils.

– … mais écoute-moi. Au fond, rien n'a changé : l'essentiel, c'est Sydney. Ne laissons pas passer cette chance.

– Où veux-tu en venir ?

– Tu te souviens des valises que j'ai mises au grenier ? Elles vont enfin servir. On demandera à quelqu'un d'aller les récupérer. Ne le fais pas toi-même, elle risquerait de te voir. Et de te filer. Donc quelqu'un prendra les bagages et te les apportera. Là où tu seras.

– Là où je serai ?

– Comme ça, tu auras tout le nécessaire.

– Pour quoi faire ?

Hannah le regarda sans ciller.

– Pour redémarrer. Toi et Sydney, vous devez partir.

– Pardon ? Partir… Quitter Philadelphie ?

– Exactement. Quitter Philadelphie.

– Et te laisser ici toute seule ? Allons, Hannah. Ne sois pas ridicule.

Elle se pencha vers lui, approchant son visage du sien.

– Écoute-moi, Adam. Elle te connaît. Elle sait que jamais tu ne m'abandonnerais alors que je suis à l'hôpital. Voilà justement pourquoi c'est une chance en or. Elle ne s'attend pas à ça, elle est sans doute en train de préméditer son prochain coup. Quand je sortirai d'ici, que nous aurons réintégré l'appartement. Il faut saisir cette chance. Tu dois emmener Sydney loin d'ici.

– Non mais tu t'entends ? s'exclama-t-il, incrédule. Elle veut te détruire, elle l'a clairement démontré. Et tu t'imagines que je vais t'abandonner ?

Hannah referma ses doigts glacés sur le poignet de son mari.

– Je ne céderai pas, Adam. Je n'ai pas perdu la tête. C'est la seule solution, j'en ai la certitude absolue. Quoi qu'il arrive avec Lisa, j'y ferai face. Sydney mérite que nous la protégions coûte que coûte.

– C'est suicidaire.

– S'il te plaît, essaie de comprendre. Tout m'indiffère à présent. Mon enfant, la chair de ma chair, a essayé de me tuer. Je ne m'en relèverai pas. Dire que je suis désespérée serait un euphémisme.

– Oui, c'est atroce. Mais tu ne peux pas renoncer si vite. Nous suivrons ton idée, mais ensemble.

– Non, Adam. Tu n'as que cette possibilité de t'enfuir avec Sydney sans éveiller les soupçons de Lisa. Elle ne te surveillera pas. Je ne sortirai pas de l'hôpital avant plusieurs jours, et elle pensera que tu es à mes côtés. Elle ignore peut-être ce que sont la tendresse et la fidélité, mais elle sait que ce n'est pas ton cas. Voilà justement pourquoi il te faut partir immédiatement.

– Il n'en est pas question.

– Chéri, dit-elle d'une voix sourde, pressante, ce n'est pas ainsi que nous imaginions notre vie. Mais c'est comme ça. Nous avons eu Lisa, nous l'avons élevée, et Dieu sait pourquoi elle est… amorale. Elle n'a aucune conscience, aucun sens… du bien et du mal. On peut me dire que la psychopathie est innée et non acquise, ça ne me console pas. Elle est là dehors, libre de s'en prendre à qui bon lui semble. J'éprouve un sentiment d'échec incommensurable.

– Tu es injuste. Nous avons fait le maximum. Elle a grandi dans un foyer heureux, elle n'a jamais manqué de rien. Nous l'avons encouragée, dans tout ce qu'elle entreprenait. Tu as été la meilleure mère du monde. Toujours de son côté. Toujours soucieuse de son bonheur. Tu n'as pas de reproches à te faire.

– Je m'en fais, pourtant. Je me sens responsable.

– Moi aussi, bien sûr. Mais c'est inutile. Malgré tous nos efforts, le résultat est là. Et nous n'y pouvons rien.

– Effectivement, mais nous devons veiller à ce que Sydney ne pâtisse pas de la démence de Lisa. De notre aveuglement. Nous le devons à tout prix. Puisque Lisa ne s'attend pas à ce que tu t'en ailles, tu vas emmener Sydney loin d'ici, immédiatement.

– Et te laisser à sa merci ?

– Je suis prête. C'est mon destin, j'y ferai face.

– Ne parle pas comme ça, c'est absurde.

– Je suis décidée, Adam. Je ne peux pas effacer les actes de Lisa. Je crois qu'elle a tué Troy Petty pour ensuite, au tribunal, le calomnier. Et moi, j'ai cautionné ça. Cette idée me rend malade. Il m'est impossible de racheter cette faute qui m'épouvante. Quand je pense à la famille de ce garçon…

Hannah s'interrompit, secouant la tête.

– Je suis la mère de Lisa. J'ai beaucoup à me faire pardonner.

– Lisa a beaucoup à se faire pardonner. Tous les parents auraient agi comme nous.

– Peut-être, ou peut-être pas. Aujourd'hui, il ne me reste plus qu'une tâche à accomplir : protéger Sydney. Veiller à ce qu'il ne lui arrive rien. Tu es le seul à qui je puisse confier cette mission. Tu dois t'en charger. Pour moi. Emmène-la et va-t'en. Ne te retourne pas.

– Et toi, que feras-tu ? s'insurgea-t-il.

– Continuer à me rétablir. Et quand je serai prête, je rentrerai à l'appartement.

– Tu plaisantes ? L'appartement ? Un stand de tir dont tu serais la cible ! Tu crois que je vais te laisser là, à attendre qu'elle vienne terminer le boulot ?

– Je trouverai bien un moyen de me défendre. Ou pas. En réalité, cela n'a plus aucune importance. Ma fille unique a essayé de me tuer. Je ne veux pas me lever chaque matin avec cette pensée à l'esprit. Mais toi, tu dois éloigner Sydney. Coûte que coûte. Il faut que tu t'en ailles.

– Non, dit-il, les larmes aux yeux. Je ne te quitterai pas.

– Tu n'as pas le choix, murmura-t-elle tristement.

Elle entrelaça ses doigts avec les siens.

– Nous n'avons pas le choix.

30

– IL EST L'HEURE de retourner dans votre chambre ! annonça l'infirmière, interrompant leur tête-à-tête. Le dîner sera bientôt servi.

Hannah leva vers elle un regard coupable.

– Encore deux minutes…

– Bon, d'accord. Mais je reviens dans exactement deux minutes.

Hannah acquiesça, et l'infirmière ressortit dans le couloir.

– Si vite ? protesta Adam. Non, ce n'est pas possible. Je ne suis pas prêt.

Elle regarda Sydney. Ses lèvres tremblaient, mais elle ravala ses larmes.

– Chaton, dit-elle, il faut que tu ailles dîner avec Pop.

– Je veux que tu viennes !

Hannah, montrant ses bandages, s'arracha un sourire.

– Je dois obéir au docteur et rester ici jusqu'à ce que je sois guérie. Mais toi, tu t'en vas avec Pop.

Sydney se rua sur elle pour l'embrasser. Hannah la serra dans ses bras, aussi fort que le lui permettait la douleur.

Puis elle se tourna vers Adam, agrippant farouchement sa main.

– Tu es le seul être en qui j'ai eu une totale confiance, durant toute mon existence et en toutes circonstances. Aujourd'hui encore, il n'y a que sur toi que je peux me reposer.

Ils échangèrent un long regard, empli de désarroi. Un instant, Hannah craignit qu'il refuse. Un instant, elle le souhaita. Mais il hocha la tête.

– Tu peux compter sur moi.

– Je n'en ai jamais douté. Au revoir, mon amour. Veille sur notre petite-fille.

Adam l'étreignit comme s'il voulait la broyer. Hannah s'accrocha à lui, éperdue, puis se dégagea.

– Je vous aime tous les deux, dit-elle d'un ton ferme. Pour toujours.

Adam se leva.

– Viens, Sydney, dit-il, tendant la main à sa petite-fille. Viens avec Pop.

Après leur départ, l'infirmière ramena Hannah dans sa chambre et l'aida à se coucher. Hannah s'écroula sur les draps rugueux. Quelques minutes plus tard, une aide-soignante lui apporta son plateau-repas qu'elle posa sur la table de lit. La vue de la nourriture lui souleva le cœur. Elle fit non de la tête.

– Je ne peux pas. S'il vous plaît, enlevez-moi ça.

L'aide-soignante obéit sans commentaire. Hannah se laissa retomber sur le lit, contemplant son reflet sur les vitres obscurcies de la fenêtre. Avait-elle pris la bonne décision ? Ils ne pouvaient pas rester les bras croisés à attendre que Lisa vienne chercher Sydney. Il n'y avait pas d'alternative. Elle songea à Adam et Sydney qui, à cette heure, roulaient dans la nuit. Où iraient-ils ? Avant de se séparer, ils avaient rapidement envisagé diverses possibilités, sans rien décider. Adam avait promis de s'acheter un portable prépayé et de l'appeler dès qu'ils seraient loin. Les reverrait-elle un jour ? Était-ce un adieu ?

Les larmes coulaient sur ses joues, elle les essuya rageusement. Ne pleure pas. C'est ton châtiment, il est mérité. Tu aurais dû t'apercevoir, à un moment ou un autre, que ta fille était inhumaine. Tu aurais dû t'en rendre compte et demander de l'aide, au lieu de lui trouver sans cesse des excuses.

Elle se fustigea ainsi un moment, mais cela ne menait à rien. Or elle avait encore une tâche à accomplir, un plan à mettre en œuvre.

Elle tendit la main vers le téléphone, sur la table de chevet. Ce simple mouvement – se tourner sur le côté, saisir le combiné – était une torture. Il lui fallut quelques minutes pour récupérer. Puis elle composa le numéro de la Maison des Vétérans. Le père Luke décrocha après quelques sonneries.

– Père Luke ! s'exclama-t-elle, sincèrement soulagée. Je suis contente de vous entendre.

– C'est vous, Anna ?

– Oui, je... je suis toujours à l'hôpital.

– Ça ne m'étonne pas, vu l'état dans lequel vous étiez.

– J'aimerais vous parler. Pourriez-vous passer à l'hôpital demain ?

– Mais bien sûr, ma chère.

– Et, si ce n'est pas trop demander, pourriez-vous venir avec Spencer ?

– Spencer, mon... M. White ?

– Oui. Je souhaiterais le voir, vraiment.

– Bon..., dit le père Luke sans enthousiasme. Je lui proposerai de m'accompagner.

– Merci. Dites-lui que c'est important.

– Comptez sur moi.

– Et si vous pouviez aussi... transmettre un message à Kiyanna et Frank ?

– Je les appellerai, bien sûr. À l'heure qu'il est, ils sont déjà rentrés chez eux.

– Dites-leur que – Hannah eut une hésitation –... qu'ils n'auront pas à s'occuper de Cindy ce soir. Adam et elle passeront la nuit à l'hôpital.

– Je le leur dirai. Y a-t-il autre chose ?

– Non, rien d'autre.

– Parfait. Eh bien, à demain.

– À demain, père Luke. Merci.

– Essayez de ne pas vous faire trop de souci. Je prierai pour vous.

Hannah raccrocha, songeant aux dernières paroles du prêtre défroqué. Elle remerciait souvent le ciel de ses bienfaits, et il lui était arrivé parfois de demander à Dieu de lui donner de la force. Mais elle n'avait pas l'habitude de la prière.

Pourquoi ne pas essayer ? Peut-être cela allégerait-il cette souffrance intolérable. Alors elle se mit à prier, pour trouver le courage d'affronter son malheur. Et elle s'endormit aussitôt.

On la secouait. Elle ouvrit les yeux, jeta un regard hébété autour d'elle. Tout à coup, elle se souvint. Elle était à l'hôpital, Adam et Sydney étaient partis. Elle se rappela tout ce à quoi elle devait faire face. Des idées noires la submergèrent. Par la fenêtre, elle vit que l'aube se levait à peine. Elle se tourna avec précaution dans le lit. Elle n'avait pas bougé de la nuit, son corps était tout engourdi et endolori.

Une infirmière au teint pâle et aux yeux cernés se penchait sur elle.

– Vous avez de la visite.

– Mais ce n'est pas encore l'heure des visites.

– C'est le père Luke. Il n'est pas soumis à nos horaires.

– Ah oui, je lui ai demandé de passer. Dites-lui d'entrer.

L'infirmière sortit, et un instant après, le père Luke entra, suivi de Spencer White. Le prêtre défroqué était un homme sec et nerveux, au regard malicieux, à la chevelure d'un blanc de neige. Spencer, au contraire, était massif et très digne, la peau foncée, les cheveux crépus. Il portait des lunettes à monture en corne, un costume classique sur une chemise havane ornée d'une cravate à motifs géométriques.

Les deux hommes se campèrent près du lit. Le père Luke sourit à Hannah et lui prit la main.

– Désolé d'être si matinaux. Spencer a un audit à préparer, à Media, alors nous avons décidé de venir vous voir de bonne heure, avant qu'il se mette en route.

– Merci d'être là. Merci à vous deux.

Le père Luke balaya ses remerciements d'un geste de la main.

– Je suis intrigué. Pourquoi teniez-vous à ce que Spencer soit là ?

Hannah les regarda tour à tour. Spencer l'observait d'un air circonspect, ne sachant pas à quoi s'attendre. Elle inspira profondément.

– Ceci doit rester strictement confidentiel.

– Naturellement, dit le père Luke.

Spencer hocha la tête.

– J'ai découvert hier que ce qui m'est arrivé n'était pas dû… au hasard. Ma vie… nos vies sont en danger. Je ne peux pas vous en dire plus.

– Avez-vous averti la police ? questionna le père Luke, effaré.

– Je ne peux pas, répondit-elle d'un air accablé. J'ai de bonnes raisons.

– Mais c'est trop grave.

– Je sais, c'est justement pour cela que j'ai fait appel à vous.

– Ah… mais… qu'attendez-vous de nous ? Alan est-il au courant ? Dans le cas contraire, vous devriez sûrement lui en parler.

– Alan et Cindy sont partis. Sans prévenir personne.

– Vous voulez dire que… ils ont quitté l'hôpital ?

– L'hôpital. Philadelphie. L'État. Ils sont partis vers l'ouest.

– Et ils vous ont laissée toute seule ?

– Ne me plaignez pas, c'est ce que je voulais, dit-elle fermement. Ils ne sont pas en sécurité dans cette ville. Ils devaient s'en aller. Le problème, c'est que nous avions nos valises prêtes, au grenier. Chez Mamie Revere, au-dessus de notre appartement. Mais la maison est probablement… surveillée.

La réprobation se lisait sur le visage de Spencer White. Le père Luke, lui, n'était que compassion.

– Oh, Anna, tout cela est épouvantable.

Sa sollicitude troubla Hannah qui dut faire un effort pour garder son cap.

– Voilà pourquoi j'ai besoin de votre aide. Il faudrait que vous alliez chercher nos bagages et les fassiez parvenir à Alan, dès qu'il aura trouvé un point de chute.

– Mais oui, je le ferai.

– Eh bien… je voudrais que ce soit plutôt Spencer qui s'en charge, dit-elle en tournant son regard vers lui.

Il eut un mouvement de recul.

– Pourquoi moi ?

Hannah hésita, de crainte de le froisser. Son choix était purement pragmatique. Spencer était noir, il se fondrait dans le décor, et nul ne s'étonnerait de le voir pénétrer dans la demeure. Tandis que le père Luke risquait de déclencher le radar.

– La personne qui… nous surveille croit que mon mari et notre… enfant sont ici, à l'hôpital, avec moi. Il ne faut pas qu'elle soupçonne Alan de préparer son départ. J'essaie de lui donner un peu de marge. Or il est probable que la personne en question connaît déjà le père Luke et la Maison des Vétérans. Si c'est lui qui va chercher les valises, cela lui mettra sans doute la puce à l'oreille. Elle finira par comprendre. Fatalement. Tandis que si c'est vous qu'y allez… ça ne paraîtra pas suspect. Mamie Revere est en centre de rééducation, il est normal qu'un membre de sa famille vienne récupérer des affaires dont elle a besoin.

– Mais cette personne sait donc tout de votre vie ? s'étonna le père Luke.

– Je n'en suis pas certaine, mais je dois tout prévoir. Envisager le pire.

Elle s'interrompit, dévisageant les deux hommes. Spencer avait l'air sceptique.

– Tout cela est bizarre, j'en ai conscience, vous me trouvez sans doute paranoïaque. J'aimerais pouvoir vous en dire plus.

– Moi aussi, rétorqua sévèrement Spencer.

– Anna souffre, lui dit le père Luke. Elle a besoin de nous.

Spencer poussa un soupir.

– Vous voulez donc que j'aille là-bas prendre des valises et que je les sorte de l'immeuble. Et ensuite, j'en fais quoi ? Je les garde chez moi ?

– Eh bien, oui… Quand les choses se tasseront, je vous indiquerai où les expédier.

– Je suis peut-être obtus, mais tant pis, je vous pose la question : vous comptez bien retourner chez vous lorsque vous serez rétablie ? Vous ne pouvez pas les expédier vous-même ?

– Cette personne pourrait me filer et découvrir à quelle adresse j'envoie les bagages.

Les sourcils froncés, Spencer dit à son compagnon :

– Ça ne me plaît pas du tout.

– À toi de décider, répondit le père Luke en haussant les épaules. Si tu ne veux pas, ne le fais pas. On ne t'oblige à rien, n'est-ce pas ?

– Bien sûr, murmura Hannah, les yeux rivés sur ses mains, inertes sur le drap.

– Donnez-moi les clés, ajouta le père Luke, et on verra ce qu'on peut faire.

Elle ouvrit le tiroir de la table de chevet, y prit les clés qu'elle tendit au prêtre défroqué.

– Je ne vous demanderais pas ça si je n'étais pas aux abois.

Spencer, lui, secouait la tête.

– Il est très respectueux de la loi, s'excusa le père Luke.

– Mais je ne vous demande pas d'enfreindre la loi ! protesta-t-elle.

Spencer consulta sa montre avec impatience.

– On y va, Luke ? dit-il d'un ton glacial. Je suis attendu à Media. Je vous souhaite un prompt rétablissement, ajouta-t-il en tournant les talons.

Hannah hocha la tête, complètement découragée.

– Ne vous inquiétez pas, chuchota le père Luke. Je le connais. Il le fera, il lui faut juste un peu de temps pour assimiler la chose. Mais franchement, Anna, vous comptez vraiment rentrer chez vous toute seule ? En sachant que la personne qui vous a poussée sous le métro est là, dehors, à vous épier et qu'elle a toujours de mauvaises intentions à votre égard ?

Hannah était à bout de nerfs : faire face à Spencer qui renâclait l'avait abattue. Elle refusait de penser à ce qui se produirait à son retour à l'appartement. Elle refusait surtout d'en discuter.

– J'ai quelques jours devant moi. Je ne suis pas encore tout à fait… remise.

Le père Luke l'enveloppa d'un regard soucieux.

– Je vous laisse, il faut vous reposer, dit-il en posant une main sur les siennes. Voulez-vous que nous priions ensemble ?

Cela ne servira pas à grand-chose, songea-t-elle, submergée par le désespoir. Mais elle hocha la tête.

– Volontiers. J'ai besoin de toute l'aide possible.

31

QUELQUES JOURS PLUS TARD, Hannah fut autorisée a quitter l'hôpital, et le père Luke dépêcha Frank Petrusa pour venir la chercher. Elle comprit aussitôt pourquoi il avait choisi Frank. Il craignait que, de retour au domicile de Mamie Revere, elle ne soit agressée. Ex-marine des forces spéciales, Frank était tout désigné pour affronter ce genre de situation. Même amputé d'une main, il paraissait indomptable.

Hannah l'attendait, assise dans le fauteuil roulant que lui avait apporté l'infirmière, son sac sur les genoux. Elle scrutait le ciel gris et se demandait quelles nouvelles calamités allaient s'abattre sur elle. Si Lisa surveillait toujours la maison, elle devinerait, en la voyant arriver dans la voiture d'un inconnu, qu'Adam et Sydney étaient partis. Comment réagirait-elle ?

Imaginer la rage de sa fille précipita les battements de son cœur, qui s'accélérèrent encore lorsque son portable sonna. Ça ne pouvait pas être Lisa, seuls Adam et le père Luke avaient ce numéro.

Adam l'avait appelée plusieurs fois au cours de la semaine, il lui avait parlé brièvement, disant qu'il n'avait pas encore trouvé d'endroit où s'installer. Il se dirigeait vers l'ouest, vers Chicago, mais elle ne savait même pas dans quel État il était actuellement. Il préférait rester dans le vague.

– Moins tu en sais, mieux c'est, disait-il.

Elle fut soulagée d'entendre sa voix. Spencer White, lui expliqua-t-elle, avait malgré ses réticences récupéré les valises, sans anicroche. Mais on n'avait toujours pas d'adresse où les expédier. N'est-ce pas ?

– Toujours pas, soupira Adam. Et toi, comment te sens-tu ?

– Mieux.

– Vraiment mieux ?

– Je rentre à l'appartement aujourd'hui.

Adam resta silencieux.

– Frank Petrusa vient me chercher. Je suis entre de bonnes mains.

– Jusqu'à ce qu'il s'en aille, objecta-t-il, lugubre. Je regrette d'avoir accepté tout ça, Hannah.

Il y avait du désespoir dans sa voix, mais elle fit la sourde oreille.

– Et Sydney, comment va-t-elle ?

Il lui avait raconté que la fillette s'était montrée docile et particulièrement calme durant le voyage.

– Une enfant peut être déprimée ? demanda-t-il.

– Tout à fait.

– Alors elle est déprimée.

– Je n'en suis pas surprise.

À cet instant, Frank s'encadra sur le seuil et toqua au chambranle de la porte ouverte. Hannah lui fit signe d'entrer.

– Je dois te quitter, Adam. Frank est là.

Sans lui laisser le temps d'épancher son angoisse, ses craintes, elle murmura qu'elle l'aimait et raccrocha.

– Vous êtes prête ? dit Frank.

Elle acquiesça.

– Pas de bagages ?

– Juste mon sac à main.

– Eh bien, allons-y.

Il débloqua les freins du fauteuil roulant.

– On y va, dit Hannah, la gorge nouée.

Durant le trajet jusqu'aux quartiers ouest de Philadelphie, ils bavardèrent. Frank lui annonça que Dominga Flores avait achevé sa cure de désintoxication, qu'elle logeait à présent à la Maison des Vétérans et participait au groupe de parole des anciens combattants atteints de trouble de stress post-traumatique.

– Oh, que je suis contente, dit Hannah. J'allais justement lui rendre visite au centre de cure le jour où…

– Le jour de l'accident.

– Oui. Ça me paraît incroyablement loin. Qu'elle revienne au centre est une bonne chose, elle a besoin de ce soutien-là.

– Effectivement. Quand vous reprendrez le travail, vous aurez sûrement l'occasion de l'aider à s'organiser.

– Si je reprends le travail.

– Pourquoi vous ne le feriez pas ?

– Oui, il n'y a pas de raison.

Elle se sentait soudain trop lasse pour s'expliquer Elle regarda les rues défiler derrière la vitre, songeant aux projets qu'ils avaient quand ils s'étaient installés dans cette ville. Emmener Sydney au théâtre, au zoo et au Please Touch Museum*. Ils en avaient concrétisé certains, mais ils avaient toujours du mal à se

* Musée de Philadelphie destiné aux enfants et qui leur propose de nombreuses activités interactives favorisant l'apprentissage par le jeu.

détendre et à profiter pleinement de ces balades à travers Philadelphie. Ils restaient en permanence sur le qui-vive. Ils espéraient retrouver un jour leur joie de vivre, ils en rêvaient. À présent, Hannah doutait que ce jour arrive. Étrangement, elle était presque soulagée que Lisa l'ait rattrapée. Elle n'aurait plus à fuir, ni à attendre longtemps avant de la revoir. C'était pour bientôt.

Frank conduisait habilement dans le dédale des rues de Philadelphie. Enfin il s'arrêta le long du trottoir devant la maison de Mamie Revere. Hannah fut surprise de découvrir, sur le petit carré d'herbe jaunie, au pied du perron, un panneau « À vendre ».

– Ça alors, dit-elle, c'est incroyable. Il vend la maison.

– Qui donc ?

– Isaiah Revere.

– Le conseiller municipal ?

– Lui-même. Il a grandi ici, sa mère, Mamie, est la propriétaire de cette maison qu'elle adore. Jamais elle ne la quitterait volontairement.

Frank haussa les épaules.

– Parfois on est trop vieux pour rester chez soi.

– Oui, sans doute, soupira-t-elle.

Une fraction de seconde, le souvenir de Pamela lui serra le cœur. Elle ne devait pas penser à sa mère, qui vivait seule, sans famille, dans sa résidence médicalisée. Pour l'instant, elle ne pouvait pas s'en préoccuper. Elle-même se sentait trop fragile pour supporter la solitude. Mais ça passerait, il suffisait de mettre un pied devant l'autre et d'avancer.

Malgré son anxiété, elle ouvrit la portière.

– Merci infiniment de m'avoir ramenée. Et merci à vous et Kiyanna d'avoir pris soin de Cindy pendant mon hospitalisation.

– Ce fut un plaisir pour nous deux. Cindy est tellement mignonne.

– Je peux vous parler comme une grande sœur ? poursuivit Hannah d'un air faussement sévère. Vous devriez épouser Kiyanna, c'est une perle. Vous me direz que ce ne sont pas mes oignons, mais...

– Je ne le dirai pas, parce que je suis d'accord avec vous.

Elle lui sourit et s'apprêta à sortir de la voiture.

– Attendez un instant..., dit Frank.

De sa main valide, il farfouilla sous le siège et en extirpa un coffret en bois éraflé qu'il posa entre eux.

– J'ai quelque chose pour vous.

– Qu'est-ce que c'est ?

Frank jeta un regard à la ronde. La rue était paisible, cette belle journée d'automne s'achevait. Il s'assura que personne ne rôdait près de la voiture, et souleva le couvercle de la boîte. Hannah poussa une exclamation.

Elle avait sous les yeux un pistolet semi-automatique.

– Vous connaissez un peu les armes à feu ?

Elle fit non de la tête.

– Celle-ci est très simple. Il serait judicieux pour vous d'être armée, si vous voulez mon avis. On monte ça chez vous, et je vous montre comment vous en servir.

– C'est votre pistolet ?

– J'en ai d'autres. Ne vous inquiétez pas, ils sont sous clé. Cindy ne s'en est jamais approchée, parole d'honneur.

– Rangez ça, Frank. Vous êtes très gentil, mais...

– Je sais que tout cela vous est étranger, mais vous devez être parée. Contre toutes les éventualités. Une petite leçon et au moins, en cas d'urgence, vous saurez tirer.

De nouveau, elle secoua la tête.

– Non, pas question.

– Anna, insista-t-il patiemment, si vous ne vous trompez pas, nous avons affaire à quelqu'un qui n'a pas hésité à vous pousser sous le métro. Vous craignez encore pour votre vie, d'après le père Luke. Il vous faut une arme. Vous serez peut-être obligée de vous en servir.

Quoique perturbée par la vue du pistolet, Hannah s'efforça de réfléchir lucidement aux propos de Frank. Et encore une fois, elle fit non de la tête.

– Je ne pourrai pas. C'est inutile, je ne pourrai pas.

– Vous n'imaginez pas de quoi on est capable quand on est face à la mort.

Hannah détourna les yeux de l'arme pour regarder droit devant elle, à travers le pare-brise de la vieille Jeep.

– Vous avez sans doute raison. Mais elle, je ne pourrais jamais lui tirer dessus.

– Elle ? répéta-t-il, plissant le front. C'est une femme ?

– Oui, souffla-t-elle.

– Eh bien, vous vous surprendriez vous-même. Si elle menaçait votre vie, vous tireriez même sur une femme. Prenez ce pistolet, juste par précaution.

Hannah se retourna vers lui. Les yeux de Frank luisaient dans la pénombre qui baignait l'habitacle.

– Croyez-moi sur parole, Frank : quoi qu'il arrive, je ne pourrai pas.

– Vous la connaissez, n'est-ce pas ?

– Oui. Cette personne… elle croit que je l'ai trahie.

– Et c'est le cas ?

Hannah resta un moment silencieuse.

– J'ai essayé de ne pas la trahir. Mais… oui, je l'ai fait.

Frank referma lentement le coffret.

– Merci malgré tout d'y avoir pensé, ajouta-t-elle. Vous cherchez à me protéger, je le sais. Vous, Kiyanna et le père Luke. Vous avez tous été si gentils avec moi. Mais nous avons atteint le point de non-retour. La suite, je dois l'affronter seule.

– Anna, si une personne de votre connaissance vous traque, il faut avertir la police. On vous mettra sous protection. Il n'y a aucune raison de devenir... une cible humaine.

– Ce n'est pas si simple. Écoutez, il n'y a que le père Luke et vous qui soyez au courant de la situation. Il faut que ça reste entre nous. Je peux compter sur votre discrétion ?

Frank poussa un soupir.

– Avez-vous au moins un plan ? demanda-t-il.

J'y ai beaucoup réfléchi, répondit-elle, hésitante.

Il attendit qu'elle poursuive, mais elle n'en fit rien.

– Je suis épuisée, dit-elle. Je rentre.

– Laissez-moi vous accompagner.

– Volontiers.

La demeure était plongée dans l'obscurité. Frank ordonna à Hannah de s'asseoir pendant qu'il faisait le tour.

– Ici nous sommes chez Mamie Revere, protesta-t-elle. Elle a le rez-de-chaussée et le premier étage. Nous vivons au second.

– Je suis certain qu'elle ne verra pas d'inconvénient à ce que vous restiez là quelques minutes. J'ai l'impression qu'il n'y a eu personne ici depuis un bout de temps.

– C'est vrai, soupira Hannah. C'est une maison vide, à présent.

Elle fut soulagée de pouvoir s'asseoir. Sa sortie de l'hôpital l'avait exténuée. Elle se recroquevilla sur le sofa rembourré du salon, contemplant avec tristesse la pièce immobile, qui était naguère le cœur d'un foyer chaleureux. Chaque photo, chaque bibelot semblait attendre le retour de Mamie. Mais cela ne se produirait sans doute pas, et la maison serait vendue. La vie continuerait.

Elle entendit Frank monter bruyamment l'escalier, parcourir les étages. Des portes grincèrent, des fenêtres s'ouvrirent et se refermèrent. Quand elle l'entendit redescendre du second, elle lui cria de prendre garde à la rampe branlante. Mais il ne ralentit pas pour autant le pas, en un clin d'œil il la rejoignit au salon.

– Tout est en ordre, dit-il.

– Merci, Frank, répondit-elle en se levant. Vous devriez rentrer chez vous. Il va me falloir un moment pour grimper ces marches.

– J'aimerais que vous reveniez sur votre décision. Vous pourriez vous installer chez nous. Vous ne nous dérangeriez pas.

Hannah ne voulait pas reprendre cette discussion. L'offre de Frank était sincère, elle n'en doutait pas, mais elle ne pouvait pas l'accepter. Ce qui devait advenir adviendrait, et elle y ferait face. Il n'y avait plus rien à dire.

– Allez donc retrouver Kiyanna, Frank. Je vous remercie du fond du cœur.

Il allait insister, mais il se ravisa.

– Appelez si vous avez besoin de moi.

– Je n'y manquerai pas.

Elle n'en ferait rien. Elle avait déjà suffisamment impliqué Frank dans ses problèmes. Désormais, elle les affronterait seule. Avec crainte, mais détermination.

Elle voulait se convaincre qu'elle n'avait rien à redouter de Lisa. Malheureusement, la douleur que chacun de ses pas réveillait lui rappelait que ce n'était pas vrai. Quand Frank fut sorti, elle verrouilla la porte, alluma la lumière dans l'escalier, et leva la tête vers le palier du deuxième étage. Une ascension impossible, pensa-t-elle.

Pourtant elle posa résolument le pied sur la première marche.

32

HANNAH MONTA péniblement au deuxième étage. Elle entra dans l'appartement désert, posa son sac et regarda autour d'elle. Ils avaient malgré tout vécu des moments heureux entre ces murs. Ils avaient enduré les privations de bon cœur, sûrs qu'ils étaient d'avoir fait la seule chose possible. Tout cela était maintenant anéanti.

Avec un lourd soupir, Hannah ouvrit le réfrigérateur, craignant ce qu'elle allait y découvrir. Effectivement, à cause de leur départ précipité, les aliments oubliés sur les étagères étaient flétris, gâtés ou couverts de moisissures. Tu devrais jeter tout ça, se dit-elle.

Elle prit une bouteille d'eau et referma la porte. Demain. Peut-être que demain je me sentirai d'attaque.

Pour l'heure, ce spectacle la désespérait. Elle se traîna jusqu'au placard en bois qui leur servait de garde-manger et en inspecta le contenu. Boîtes de conserve, bocaux. Elle ne mourrait pas de faim.

Puis elle alla s'asseoir dans le salon plongé dans la pénombre. Mamie absente, Adam et Sydney partis, il régnait dans la grande maison un silence sépulcral.

Elle était toute seule, assise dans son fauteuil, à l'affût du moindre bruit, rassemblant son courage en prévision du moment où cette fragile quiétude serait fracassée par le plus enragé des intrus. Car Lisa viendrait, inéluctablement. Ce n'était qu'une question de temps.

Hannah alluma la télévision, mais le son l'empêcherait d'entendre un craquement suspect. Elle éteignit la télé et prit un livre. Elle ferait peut-être mieux de se coucher pour lire. Elle était éreintée.

Elle emporta son téléphone dans la chambre et le posa sur la table de chevet d'Adam. Le lit qu'ils avaient partagé paraissait abandonné, et cela lui fut insupportable. Elle s'y assit, pour ne plus le regarder.

Après avoir avalé ses cachets, elle s'allongea. Elle ouvrit son bouquin qui, aussitôt, lui tomba des mains. Comme si on l'avait bourrée de calmants, elle sombra dans un sommeil agité d'où elle émergeait au moindre bruit, incapable de bouger, sonnée et paniquée, le cœur battant. Puis elle se rendormait. Mais l'effroi ne la quittait pas, même au plus profond des rêves. Quand l'aube se glissa dans la pièce, Hannah ouvrit les yeux, aussi exténuée que si elle avait fait une nuit blanche. Sous les couvertures, son corps était de plomb. Elle avait tenu le coup, passé la première nuit qui avait, semblait-il, duré une éternité.

Ça ne marchera pas, pensa-t-elle, clignant des paupières car la lumière la blessait. Impossible. Si elle continuait comme ça, elle ressemblerait vite à un rat de laboratoire privé de sommeil à fins d'expérimentation. Elle avait peur de sortir de la maison, et elle avait peur de rester là. Bon Dieu, elle avait même peur de sortir de son lit. La déprime l'écrasait, elle ployait sous le poids de l'angoisse et d'un pénible sentiment de vacuité, un cocktail qui achevait de la paralyser.

Par-dessus tout, elle aurait voulu parler à Adam. Mais si elle l'appelait et lui disait dans quel état d'esprit elle était, il reviendrait sur-le-champ. Ce n'était pas envisageable. Il devait poursuivre sa route avec Sydney. Le plus loin possible. Quant à elle, il lui faudrait se débrouiller seule.

Immobile dans son lit, elle réfléchit longuement à ce qu'elle pouvait faire. Tôt ou tard, elle aurait à affronter la colère de Lisa, ses accusations et, vraisemblablement, ses redoutables desseins. Après tout, Lisa avait déjà essayé de la tuer. Attendre passivement sa prochaine tentative était infernal. Puisque cela se produirait de toute façon, pourquoi ne pas prendre les devants ? Provoquer la rencontre et en assumer les conséquences. Tout valait mieux que cette incertitude intolérable, cette terreur continuelle, ce supplice.

Hannah se leva avec difficulté, enfila son peignoir et de grosses chaussettes. Puis elle prit son portable, sur la table de chevet, et s'assit sur le bord du lit.

Elle fit défiler les noms du répertoire, jusqu'à celui de Lisa. Avait-elle changé de numéro ? Sans doute. Hannah avait résilié leurs abonnements lorsqu'ils avaient quitté le Tennessee, sachant qu'ils devraient désormais utiliser des téléphones prépayés pour qu'on ne puisse pas les localiser. Tant pis, elle tentait le coup.

Que vais-je lui dire ? Elle n'en savait rien. Elle ne savait qu'une chose : elle refusait de vivre plus longtemps dans l'expectative. Autant affronter l'inévitable.

Elle appela l'ancien numéro de Lisa et approcha le téléphone de son oreille. Son cœur cognait. Un message s'enclencha : « Le numéro que vous avez demandé n'est plus attribué. »

Hannah poussa un soupir accablé. Elle avait fourni un effort considérable, pour rien, car elle ne voyait pas du tout comment se procurer les nouvelles coordonnées de sa fille. Elle resta un moment prostrée, le téléphone dans la main, quand soudain une idée lui vint. Qui lui permettrait aussi de résoudre un problème douloureux. Elle allait se découvrir, pousser Lisa à faire de même. Ce n'était plus la peine de se cacher.

Elle composa le numéro qu'elle connaissait par cœur. La sonnerie retentit. Décroche, s'il te plaît.

Enfin une voix chevrotante résonna à son oreille.

– Allô ?

– Maman ?

Une exclamation, à l'autre bout du fil.

– C'est moi, Hannah.

– Je t'avais reconnue, figure-toi.

– Maman, je sais que tu es furieuse contre moi. Mais il faut que je te parle. J'ai besoin de ton aide.

Silence.

– Comment vas-tu, maman ? Bien ?

– Je vais très bien, dit Pamela d'un ton sec. Et ce n'est pas grâce à toi.

– Tu m'en veux, c'est normal. Mais si je suis partie comme ça, c'est que j'avais de bonnes raisons. Je ne te demande pas de comprendre ce que…

– Je comprends, coupa Pamela. Je suis vieille, d'accord, mais pas idiote. Tu aurais aussi bien pu me mettre au courant. Je ne suis pas bouchée. Tu es partie à cause de Lisa, je le sais pertinemment. Quoique, à en croire ta fille, elle n'a rien à se reprocher dans toute cette histoire.

Hannah ne fut pas dupe de cette insinuation à peine voilée pour qu'elle morde à l'hameçon. Désolée, maman.

– C'est justement pour ça que je t'appelle. Tu es en contact avec Lisa ?

– Pourquoi cette question ? Et d'abord, où es-tu ? Je ne sais même pas où tu es. Et Sydney ? Est-ce qu'elle va bien ? Et Adam ?

– Nous allons tous très bien, répondit Hannah qui sourit malgré elle. Pour l'instant, nous habitons à Philadelphie.

– Et tu ne pouvais pas me le dire, il y a un an ? J'aurais apprécié que tu donnes signe de vie.

– Je vais être franche avec toi, maman. J'ai jugé préférable que tu ne saches rien. De cette façon, Lisa ne pouvait pas t'extorquer des informations.

Silence.

– Lisa est restée en contact avec toi, à sa sortie de prison ?

– Oui, un certain temps, dit Pamela. Elle est venue me voir plusieurs fois. Et puis, quand elle a compris que j'ignorais où vous étiez, elle a coupé les ponts.

– Je suis désolée, maman. Pour tout ça.

Pamela se tut, et Hannah se prépara mentalement à de nouvelles réprimandes. Mais sa mère lui dit :

– Pour être honnête, Hannah, je ne pense pas que tu aies eu tort de partir. Il y a quelque chose qui ne tourne vraiment pas rond chez cette gamine.

Entendre ces mots, de la bouche de sa mère… ce fut comme si Pamela la serrait dans ses bras.

– Elle ne t'a pas fait de mal, j'espère ? demanda Hannah.

– Elle m'a menacée, déclara tranquillement Pamela. Elle a dit que, si je ne coopérais pas, elle ne donnait pas cher de ma vie. Je l'ai flanquée à la porte. J'ai même dû appeler le vigile. Après ça, elle s'est mise à me téléphoner juste pour m'asticoter. Au point que je ne supportais plus de lui parler. Elle est complètement… déséquilibrée. Je m'en suis toujours doutée.

Hannah éprouva un tel soulagement qu'elle en eut presque honte.

– Alors tu comprends. C'est à cause de ça que nous sommes partis. Nous devions le faire pour Sydney.

– Vous aviez vos raisons, bien sûr.

– Je ne voulais pas te quitter de cette façon, rétorqua Hannah d'une voix sourde. Mais je ne pouvais pas t'expliquer. Je ne pouvais en parler à personne.

– Et maintenant ?

– Elle m'a retrouvée.

– Oh, fit Pamela, alarmée.

– Elle me traque. C'est terriblement... éprouvant. Hannah décida de ne pas mentionner l'agression dans le métro. À quoi bon ? Cela ne servirait qu'à effrayer sa mère.

– J'ai l'intention de l'appeler, je veux la voir. Mais comme j'ai résilié nos abonnements, j'ignore où la joindre. Tu n'aurais pas son numéro de portable ?

– Mais pourquoi diable tiens-tu à la voir ?

– Je suis constamment sur mes gardes, à craindre... l'imprévu. Je désire simplement en finir.

– Sais-tu au moins à quel point elle te hait ?

Hannah pensa à ces mains dans son dos, qui la poussaient dans le vide, sur les rails du métro.

– Oui, je crois.

– Sois prudente, Hannah. Elle est dangereuse.

– Je le sais. Mais je suis touchée que tu t'inquiètes pour moi. Je serai prudente. Tu as son numéro, maman ?

– Oui, je l'ai là.

Hannah vit mentalement sa mère cherchant le répertoire en cuir blanc orné d'une orchidée en relief, dont elle ne s'était jamais séparée. Puis Pamela s'éclaircit la gorge et lut le numéro que Hannah enregistra sur son téléphone.

– Merci, maman.
– Sois très prudente, répéta Pamela. Elle n'est pas… comme tout le monde.
– Je sais. C'est sans doute à cause de moi si…
– Allons donc ! Les mères ne sont pas responsables de tout. Regarde-toi. Tu es beaucoup plus gentille que moi.
Hannah ne put s'empêcher de rire.
– Ça, je n'en suis pas sûre, répliqua-t-elle, modeste. Mais en ce qui concerne Lisa, il me semble que j'aurais dû être plus lucide. Plus vigilante. Ne pas tolérer certains comportements. Je lui trouvais toujours des excuses. Son intelligence hors du commun était un prétexte commode pour justifier tout ce qui clochait. J'ai eu tort.
– Tu n'aurais rien pu changer. Elle est née comme ça, voilà ce que je pense. Vous avez été de bons parents. Elle n'avait aucune raison de devenir aussi… impitoyable.
Hannah hocha la tête. Le qualificatif était bien choisi.
– Merci, maman, murmura-t-elle humblement.
– Tu reviendras à la maison ?
– Je ne sais pas. Mais je t'avertirai, d'accord ?
– Fais attention à toi. Je ne plaisante pas.
Moi non plus, songea Hannah. Elle dit au revoir à sa mère, et lui dit aussi qu'elle l'aimait. Pamela en fut tellement estomaquée qu'elle put seulement grommeler : « Fais attention à toi. » Hannah raccrocha, rassérénée. Elle avait parlé à sa mère. Quoi qu'il advienne, elle avait dit à Pamela qu'elle l'aimait. Et cela la réconfortait.

Elle déchiffra le numéro de téléphone, hésita. Mais en peignoir et chaussettes, elle se sentait trop vulnérable. Elle entreprit donc de s'habiller, ce qui n'était pas de tout repos. Elle enfila son pantalon de yoga, un gros pull : cela lui donnait l'impression de contrôler encore les choses.

Retournant à la cuisine, elle se servit à boire et, en refermant la porte du réfrigérateur, décida de passer immédiatement à l'action. Elle s'assit à la petite table, respira à fond et composa le numéro.

Son cœur cognait dans sa poitrine, ses mains tremblaient tellement qu'elle lâcha le téléphone. Elle le ramassa prestement et le colla à son oreille. Ça sonnait. Puis il y eut un déclic. Un bruit de friture et la voix familière : « Laissez un message. »

Hannah hésita de nouveau, déçue de tomber sur le répondeur. Elle allait raccrocher, mais se ravisa.

– Lisa, c'est moi… ta mère. Je t'appelle parce que je veux te voir. Il faut que je te parle. Je sais que c'était toi… dans le métro. J'ai vu les enregistrements de vidéosurveillance. Comment tu as pu… je ne comprends pas, mais peu importe. De toute évidence, tu as de sérieux griefs contre moi. Je veux te parler. Je suis à l'appartement, je suis sûre que tu connais l'adresse. Arrêtons de jouer au chat et à la souris. Je veux te voir. Malgré tout, je tiens toujours à toi. Rappelle-moi, s'il te plaît. Nous devons discuter.

Elle donna son numéro de téléphone et raccrocha. Puis elle resta là, les yeux dans le vide, s'efforçant de calmer les battements désordonnés de son cœur.

33

HANNAH se fit une tasse de café noir et s'obligea à ingurgiter des céréales, sans lait. Elle demeura longtemps assise à la même place, incapable de faire un mouvement, à attendre que le téléphone sonne ou que sa fille frappe à la porte. Elle était persuadée que Lisa répondrait à sa convocation. Elle l'avait accusée de l'avoir poussée sous le métro et mise au défi de se présenter devant elle. Lisa n'avait jamais été du genre à ne pas relever un défi. C'était même l'une des qualités que Hannah admirait le plus chez elle.

Elle jeta un coup d'œil à la porte d'entrée. Montre-toi. Finissons-en.

Mais le téléphone restait muet, et Lisa ne se montrait pas. Hannah aurait donné n'importe quoi pour se recoucher et se cacher sous les couvertures. Tu ne peux pas, donc tu ferais bien de te remuer.

Elle se leva lourdement, prit un grand sac-poubelle sous l'évier et ouvrit le réfrigérateur. Autant commencer par le moins ragoûtant. Cela lui donna la nausée et la désespéra, mais elle connaissait le remède contre le désespoir : couper le mal à la racine.

Elle se mit à trier, inspectant les aliments un à un. La plupart allèrent directement à la poubelle. Elle posa sur la paillasse ceux qui n'avaient pas dépassé la date de péremption. Quand il ne resta plus rien dans le réfrigérateur, hormis le ketchup, la moutarde, la mayonnaise et autres condiments, elle s'empara d'une éponge propre, la trempa dans de l'eau savonneuse et récura les étagères.

Elle en était à la dernière quand la sonnette retentit. Il lui sembla que ce bruit se répercutait dans tout son corps, comme si elle était un paratonnerre. Elle se redressa, se cramponnant à la porte du réfrigérateur.

Lisa.

Des émotions contradictoires livraient bataille en elle. C'étaient les projets pervers que Lisa nourrissait pour Sydney, sans oublier ses odieux mensonges au sujet d'Adam, qui les avaient contraints à fuir leur foyer et tout ce qui faisait leur vie. Pour cela, Hannah détestait sa fille. Et c'était Lisa qui l'avait pistée et poussée sous une rame de métro. Pour cela aussi, Hannah la détestait.

Mais c'était Lisa. Sa fille, son unique enfant. En dépit de tout, l'habitude de se tracasser pour elle, de l'aimer, reprit le dessus.

On sonna de nouveau, impatiemment. Très bien, se dit Hannah. Vas-y, affronte-la et essaie de comprendre pourquoi elle a agi de cette manière.

Elle sortit de l'appartement et descendit péniblement l'escalier. Parvenue dans le hall, elle s'approcha de la porte, posa la main sur la poignée. Sa fille lui paraîtrait-elle changée, maintenant qu'elle la savait capable de tuer et résolue à le faire ?

Tu oublies qu'au moment du procès, tandis que vous preniez sa défense, elle avait déjà, probablement, le meurtre de Troy Petty sur la conscience. Dire qu'ils n'avaient pas eu le moindre soupçon… À leurs yeux, Lisa était toujours la même.

Comment ai-je pu ne rien remarquer ? songea Hannah. Ce genre de déficience devrait être visible, comme une flétrissure. Mais le visage de Lisa, son regard, étaient restés pour elle aussi précieux qu'à l'accoutumée. Elle n'avait rien vu du tout.

Elle prit une grande respiration et ouvrit la porte. Dominga Flores, celle qui avait secouru Mamie Revere le soir de sa crise cardiaque, se tenait sur le paillasson.

Hannah fut déçue. Soulagée, cependant. Elle se força à sourire.

– Bonjour, Dominga... Comment allez-vous ?

Dominga se dandinait gauchement. Elle portait toujours son pantalon de camouflage, son sweat informe. Ses cheveux, qui avaient un peu poussé, se hérissaient sur son crâne à grand renfort de gel. Elle avait les traits moins tirés que la dernière fois où Hannah l'avait vue, le teint moins blafard et ses cernes s'étaient estompés. Les effets bénéfiques de la cure de désintoxication.

– Bonjour, madame Whitman. Je savais pas si vous vous souviendriez de moi.

– Mais comment aurais-je pu vous oublier ? Vous êtes notre héroïne. Je venais justement vous voir, quand j'ai eu... cet accident, dit Hannah, montrant sa tête toujours bandée, son bras et sa jambe blessés.

– Oui, je sais.

– Alors comme ça, vous logez maintenant à la Maison des Vétérans ?

Dominga acquiesça.

– Mais entrez donc. Que puis-je pour vous ?

La jeune femme suivit Hannah qui referma la porte. Elle resta plantée dans le hall, gênée comme souvent. Elle était manifestement timide, mal dans sa peau.

– Ben, vous savez... Frank Petrusa... c'est lui qui m'envoie.

– Frank ?

– Ben oui. Il m'a dit que vous aviez de la place chez vous. Et que peut-être je pourrais vous louer une pièce.

Hannah comprit aussitôt. Frank avait vu en Dominga le garde du corps idéal. Pour veiller sur Hannah, s'embusquer dans une chambre et guetter son agresseuse, une ancienne militaire était effectivement tout indiquée. Hannah devait admettre que c'était une bonne solution, imaginée dans l'urgence. Frank cherchait seulement à la protéger, et elle lui en était reconnaissante. Mais c'était trop exiger de Dominga. Il ne fallait pas l'embarquer dans cette histoire qui risquait de tourner au désastre.

– Il n'y a qu'une petite chambre en haut, dit-elle. Tout le rez-de-chaussée est pris, il appartient à Mme Revere : la dame que vous avez secourue, et qui est en maison de retraite. Elle ne reviendra pas.

– J'ai pas besoin de beaucoup d'espace, insista la jeune femme. J'ai rien à moi. Je vivais dans la rue.

– Mais je ne crois pas que ce soit une bonne chose pour vous de vous installer ici, soupira Hannah. Vous savez que la maison est en vente ?

– Oui, y a la pancarte dehors.

– Vous risquez de devoir déménager très vite.

Dominga lui décocha un regard perplexe.

– Je compte pas rester ici éternellement. Ma vie, de toute façon, c'est que du provisoire.

– Je crains que Frank ne se soit un peu trop avancé et…

– Je peux la voir, la chambre ? la coupa Dominga.

– Il vous a dit de faire la sourde oreille si je refusais. N'est-ce pas ?

– Je vois pas de quoi vous parlez, rétorqua Dominga d'un air angélique.

Hannah soupira de nouveau, touchée. Dominga était de mèche avec Frank, tous deux se donnaient du mal pour elle.

– Alors, je peux la voir ?

– Vous n'avez qu'à monter. Moi, je récupère. Il m'a fallu dix minutes pour descendre cet escalier. La porte est ouverte. C'est la chambre avec le petit lit. C'était celle de ma fille. Mais le lit est vraiment étroit et...

Dominga ne lui prêtait plus attention. Elle grimpa les marches quatre à quatre, et disparut dans l'appartement.

Hannah s'appuya au pilastre de la rampe, écoutant les rangers de Dominga ébranler le plancher du deuxième. Elle ne voulait pas d'une colocataire dans un espace si exigu. De quoi pourrait-elle parler avec cette jeune femme taciturne ?

Mais, malgré son intention d'affronter seule la situation, l'idée d'avoir près d'elle une militaire aguerrie, pour veiller au grain, était indéniablement réconfortante.

Au bout de quelques minutes, Dominga reparut sur le palier et se pencha par-dessus la rampe.

– C'est vraiment super, dit-elle.

– C'est minuscule.

– Oh, c'est bien assez grand pour moi.

– Vous ne m'avez même pas demandé le montant du loyer.

– Frank m'a dit que mes allocations suffiraient.

– Ça, c'est sûr. Comme je ne peux pas vous faire de bail, vous n'aurez qu'à payer à la semaine. Mettons... cinquante dollars ?

– Ben d'accord.

– Avant de redescendre : il y a un trousseau de clés, accroché au tableau, à côté de la porte. Vous n'avez qu'à le prendre.

– OK !

Dominga rentra dans le vestibule, revint en agitant des clés.

– Celles-là ?

– C'est ça.

Dominga les fit sauter dans sa main tout en dévalant l'escalier. Elle s'arrêta sur la dernière marche et, les sourcils froncés, dévisagea Hannah.

– Vous êtes salement amochée, hein ?

– Je m'estime heureuse d'être encore en vie.

– Alors, quand est-ce que je peux emménager ?

Hannah eut presque envie de rire. La jeune femme posait peu de questions et ne semblait pas le moins du monde intéressée par les réponses. Elle exécutait la mission dont l'avait chargée Frank.

– Demain ? suggéra Hannah.

– Le plus tôt sera le mieux.

Là-dessus, Dominga fourra les clés dans sa poche et s'en fut. Hannah verrouilla la porte, ramassa le courrier éparpillé sur le sol et le posa sur la console. Le téléphone, chez Mamie, se mit à sonner. Hannah faillit aller décrocher, mais y renonça. On ne lui avait rien demandé et, de toute façon, il y avait un répondeur. Isaiah Revere écouterait les messages quand il viendrait récupérer le courrier.

Elle se dirigea vers l'escalier. Il était temps de remonter. Cramponnée à la rampe, elle entama son ascension jusqu'au deuxième étage, s'arrêtant à tout bout de champ pour se reposer.

Elle atteignit enfin l'appartement, dont Dominga avait laissé la porte entrebâillée, et regarda en bas. Elle aurait dû descendre avec son sac à provisions et en profiter pour aller faire les courses, songea-t-elle avec dépit. Trop tard. Les courses attendraient. Elle avait ses médicaments et de quoi se nourrir. Un bon bouquin à lire. Ça suffisait amplement.

Dans l'appartement, il faisait plus froid que tout à l'heure, lui sembla-t-il. Elle entra dans la chambre de Sydney. Comment Dominga pourrait-elle se plaire dans une chambre d'enfant ?

Il faudrait peut-être enlever les posters qu'elle avait mis aux murs et évacuer les peluches entassées sur le lit. Elle avait remisé dans le placard du vestibule deux aquarelles encadrées, achetées aux puces et destinées à égayer le logement. Elle n'avait qu'à les accrocher ici, pour rendre la pièce plus accueillante.

La penderie était quasiment vide, Dominga aurait assez de place pour sa garde-robe, qui se limitait apparemment à des treillis, des rangers, des T-shirts et quelques pulls. Voire seulement un de chaque. Cette jeune femme avait besoin d'un chez-soi. Indiscutablement. Cette cohabitation serait peut-être un bienfait pour l'une comme pour l'autre.

Hannah choisit deux peluches sur le lit. Je vais les mettre sur le mien, je me sentirai moins seule. Serrant les peluches sur son cœur, elle sortit de la pièce et gagna sa chambre, au bout du petit couloir. Elle les adossa aux oreillers, recula pour juger de l'effet produit.

– Bonjour, maman.

Hannah poussa un cri, se retourna. Toute de noir vêtue, Lisa était assise devant le secrétaire, les jambes croisées, un pied battant impatiemment la mesure. Elle observait sa mère.

– Lisa, souffla Hannah.

Sa fille eut un sourire qui ne réchauffa pas son regard.

– Tu voulais me voir, me voilà.

34

– COMMENT ES-TU ENTRÉE ?

– Par l'escalier de secours et par la fenêtre. Elle n'est pas très solide, elle a cédé tout de suite.

Hannah étudiait sa fille. Elle avait minci, ses cheveux frisés étaient ramassés en un petit chignon serré, perché au sommet de son crâne. Derrière les lunettes, son regard était inflexible. Malgré tout, Hannah était étrangement heureuse de la voir. Elle dut se retenir de la prendre dans ses bras.

– Tu as vu Dominga ?

– Qui ? Oh, tu parles de la goudou qui se trimballait dans l'appartement en tenue de camouflage ? J'étais sur l'escalier quand elle a débarqué. Elle ne m'a pas aperçue. C'était elle sur YouTube, n'est-ce pas ?

Et voilà, pensa Hannah, comme ils le craignaient, Lisa était tombée sur la vidéo et les avait reconnus.

– En effet.

– Pas de bol pour vous, son histoire avait de quoi vous tirer des larmes, du coup plein de gens ont vu la vidéo. Je ne m'y serais pas intéressée, mais quelqu'un m'a dit de la regarder. Et ça m'a permis de vous trouver, ajouta Lisa d'un ton satisfait. Facilement. J'ai une dette envers cette militaire.

– Effectivement. Elle a porté secours à Sydney.

– Je devrais peut-être lui faire un cadeau pour la remercier.

Hannah contemplait le visage de Lisa, sa bouche tordue dans un rictus sarcastique. Quel fossé entre Dominga, qui ne songeait qu'à la protéger, et sa propre fille, qui avait tenté de la tuer !

– Pourquoi es-tu entrée par la fenêtre ? Je t'ai invitée. Tu savais bien que je t'attendais.

– Je me suis dit que ta petite invitation était peut-être un traquenard, répondit Lisa avec un sourire froid.

Hannah se pencha pour arranger les peluches sur le lit.

– Il n'y a pas de piège.

– Elles sont à Sydney, ces peluches ?

– Oui.

– Où elle est ?

– Allons dans le salon.

– Je t'ai posé une question, maman.

Hannah ne réagit pas. Elle sortit de la chambre, passa dans le salon exigu et s'assit dans un fauteuil devant la fenêtre. Elle regarda dehors. Les arbres avaient perdu leurs feuilles. Leurs troncs, les branches, le trottoir, la rue, le ciel, tout était gris et sinistre. Il n'y avait que de rares passants, emmitouflés dans leurs manteaux. L'automne touchait à sa fin, l'hiver était déjà là.

Lisa la rejoignit et prit place sur le canapé. On eût cru que cette journée n'avait rien de particulier. Une mère et sa fille s'installaient confortablement pour bavarder. Prendre le thé, peut-être. Sauf qu'à voir ainsi sa fille devant elle, Hannah avait du mal à respirer.

– Tu peux ôter ton manteau.

– Non merci.

Lisa glissa la main dans sa poche, comme pour en vérifier le contenu. Puis elle étudia le décor passablement miteux.

– Vous êtes dans ce gourbi depuis combien de temps ?

– Depuis que nous avons... posé nos valises. Je reconnais que ce n'est pas vraiment luxueux.

– Luxueux ? ricana Lisa. C'est un taudis.

– Nous y sommes bien, pourtant. Et toi, tu es toujours à la fac ?

Haussant les épaules, Lisa détourna les yeux et enfonça ses mains dans ses poches.

– J'ai laissé tomber. Ils m'enquiquinaient.

– Pourquoi ?

Lisa écarquilla des yeux incrédules.

– Tu le demandes ?

– Tu étais tellement douée.

– J'ai eu du mal à bûcher, figure-toi, vu que mes parents avaient kidnappé ma gamine.

– Je pensais que ta condamnation pour vol leur avait peut-être déplu.

Lisa lui décocha un regard haineux.

– Ça te ferait plaisir, pas vrai ? Tu sais, quand j'ai eu ton message, j'ai failli alerter les flics. Pour leur dire qu'une kidnappeuse se cachait dans cette baraque.

Hannah soutint son regard sans ciller.

– Et moi, j'aurais pu leur dire que je t'avais reconnue, sur les images de videosurveillance. Leur dire que c'est toi qui m'as poussée sous le métro.

– Eh bien, nous sommes quittes.

– Comment oses-tu ? s'insurgea Hannah. Tu as essayé de me tuer, Lisa. Et tu as failli réussir.

Effectivement, nous ne sommes pas tout à fait quittes. Je veux toujours récuperer Sydney.

Hannah eut envie de lui crier dessus, mais elle se réfréna.

– Où vis-tu, à présent ?

– À la maison. Tout est bien briqué, t'inquiète !

– Aujourd'hui, j'ai eu ta grand-mère au téléphone. Elle m'a dit que tu étais restée en contact avec elle un certain temps.

– Elle est horrible, celle-là, rétorqua Lisa avec une grimace de dégoût. Je lui aurais flanqué des baffes. Elle savait que vous vous planquiez ici ? Elle prétendait mordicus n'être au courant de rien.

– Elle ne mentait pas.

– Tu as drôlement bien tiré ton épingle du jeu, pas vrai ? dit Lisa d'un ton brusque. Tu en as fini avec tes affres de mère. Tu en as fini avec moi. Et tu as gardé Sydney.

– Je n'ai jamais voulu en finir avec toi. Je t'aimais. Je t'ai aimée depuis le jour de ta naissance. Mais quand j'ai découvert tes projets abjects pour Sydney, quand tu as menacé de rejeter la faute sur ton père... nous avons dû partir, nous n'avions pas le choix.

– N'importe quoi ! C'est pathétique. Tu me voles ma fille, et ensuite tu t'inventes des justifications. Tu es une kidnappeuse. Voilà ce que tu es aux yeux de la loi. J'espère au moins que ça en valait la peine.

– Ces deux dernières années ont été les pires de mon existence. Mais oui, ça en valait la peine. Pour protéger Sydney de toi.

– Bon, on arrête de dire des conneries. Réponds-moi . où est-elle ? Je croyais qu'elle était avec lui à l'hôpital.

– Lui, elle ? C'est comme ça que tu parles de ton père et de ta fille ?

– Ne te fous pas de moi, articula Lisa dans un grondement. Tu sais très bien ce que je veux dire.

Hannah joignit les mains. Elle voulait bien choisir ses mots, exprimer exactement sa pensée.

– Lisa, tu es une jeune femme remarquablement intelligente. J'ai une question à te poser, parce que je n'arrive pas à comprendre : as-tu toujours été comme ça ?

– Comme quoi ?

– Indifférente. Les gens qui t'aiment ne comptent pas. Tu n'as donc aucune tendresse pour eux ?

– Bien sûr que si, répondit Lisa avec froideur. Je tiens à Sydney. Tu as estimé avoir le droit de me la prendre. Juste parce que tu la voulais rien que pour toi. Et papa, lui, voulait disposer d'elle à sa guise. Comme il l'a fait avec moi.

Hannah bouillait de colère, mais, encore une fois, elle se contint.

– C'est faux, Lisa. Tu sais très bien que c'est complètement faux.

– Parce que tu étais avec nous tout le temps, peut-être ? la nargua Lisa. Non, tu me laissais souvent seule avec lui. Qu'est-ce qui te permet d'affirmer que, la nuit, il ne se faufilait pas dans ma chambre pour m'enlever ma petite culotte ?

Cette image ignoble fit frémir Hannah, mais elle garda son calme.

– D'une part, ma chérie, je ne te crois plus. Tu ne dis que des mensonges. Je me demande même si tu sais ce qu'est la vérité. Et d'autre part, je connais ton père.

Lisa la dévisagea, le front plissé, l'air sceptique.

– Et qu'est-ce que ça prouve ? Tu le connais ? Ça signifie quoi, au juste ?

– Tu l'ignores, n'est-ce pas ? Pour moi, c'est le plus affligeant. Tu n'as apparemment aucune idée de ce que connaître quelqu'un, avoir confiance en lui, représente.

Lisa sauta sur ses pieds et se mit à marcher de long en large.

– Et toi qui affirmes le connaître, que sais-tu réellement de cet homme ? Qu'il s'appelle Adam Wickes, qu'il est ton mari. Tu sais où il est né, quel âge il a, etc. Mais ce qu'il fera demain ? Ou ce qu'il a fait ? Tu l'ignores.

– Tu as tort, rétorqua Hannah avec force. Je connais sa personnalité. Je sais ce qu'il a dans le cœur. J'ai confiance en lui. Je crois ce qu'il me dit.

Lisa pivota, pointant l'index vers elle.

– Oh, je vois ! Tu le crois, mais moi, tu ne me crois pas.

– Comment je le pourrais ?

– Je suis ton enfant.

– Lisa, tu as tenté de me tuer. Tu m'as poussée sous le métro.

Lisa roula des yeux exaspérés.

– J'avais une bonne raison. Tu m'as pris ma fille.

– Pour la protéger de toi !

- J'en ai marre d'entendre ça. Où elle est ? gronda Lisa. Tu as intérêt à me répondre. Je compte jusqu'à dix.

Hannah s'adossa à son siège, détournant son regard de celui, venimeux, de sa fille.

– Ils sont partis. Ils sont loin. Tu ne les retrouveras jamais.

Lisa empoigna une chaise par le dossier et la balança violemment contre le mur dont le plâtre se lézarda. Hannah poussa un cri.

– Tu peux pas me faire ça ! Elle est à moi. Vous allez me la rendre !

– J'ignore où ils sont. Nous avons jugé préférable que je ne sache rien.

– Salope ! Je te crois pas.

Lisa bondit sur elle et referma une main sur son cou. Ses longs doigts appuyèrent sur sa trachée.

– Où est ton téléphone ?

Hannah secoua la tête. Elle ne pouvait plus respirer. Lisa se pencha et lui fouilla les poches.

– Tu l'avais toujours sur toi, tu... Ah, le voilà ! Attends que je jette un coup d'œil...

Lisa manipulait le portable d'une main, sans lâcher le cou de sa mère. Celle-ci s'évertuait à desserrer l'étau de ses doigts, pour faire entrer un peu d'air dans ses poumons. Lisa épluchait le journal d'appels.

– Ah ah ! s'exclama-t-elle. Ce doit être ça !

Elle appela le numéro, retira sa main de la gorge de Hannah qui, pantelante, se laissa aller contre le dossier du fauteuil et fondit en larmes. Lisa tenait le téléphone de sorte que sa mère entende bien les sonneries, et la voix familière :

– Chérie ? C'est toi ?

– Salut, papa, susurra Lisa. Surprise !

Il y eut un silence sur la ligne, puis :

– Où est ta mère ?

– Ici avec moi. Dis-lui quelque chose, maman.

Lisa approcha le téléphone.

– Adam, chuchota Hannah qui n'avait pas encore repris sa respiration.

– Ça va ? Tu n'as rien ? Elle ne t'a pas fait de mal ?

– N'écoute pas ce qu'elle raconte, balbutia Hannah d'une voix éraillée.

– Salope, répéta Lisa en écartant le téléphone. Alors voilà, enchaîna-t-elle. Je la laisse vivre si tu me ramènes Sydney. Sinon, je termine le boulot que j'ai commencé dans le métro.

Hannah entendit Adam crier, essayer d'argumenter. Lisa coupa la communication.

– Ça le fera venir, commenta-t-elle. On n'a plus qu'à patienter.

35

FRANK PETRUSA était au téléphone avec le dispensaire des anciens combattants, il essayait de localiser Titus, qui n'avait pas participé au groupe de parole. Il avait un mauvais pressentiment : le vétéran était dépressif, il oscillait entre l'optimisme et le désespoir sans parvenir à trouver un juste milieu.

– Je ne quitte pas, d'accord.

Avec un soupir, il se passa la main sur la figure. Les gens disparaissaient sans arrêt dans le labyrinthe du système. Il discutait longuement avec un type qu'il adressait ensuite, avec des instructions détaillées, à un organisme quelconque. Et il n'avait plus aucune nouvelle. Il avait parfois l'impression de garder une horde de chats sauvages.

Dominga Flores se campa sur le seuil de la salle de réunion.

– Sergent ?

Frank baissa le combiné.

– Vous êtes allée chez les Whitman ?

– Ouais.

– Vous lui avez dit que c'était moi qui vous envoyais ?

– Je crois qu'elle a deviné toute seule.

– Et comment ça s'est passé ?
– Je peux m'installer là-bas demain.
– Pourquoi pas aujourd'hui ?
Dominga grimaça. Le sergent n'était pas content d'elle.
– J'ai pas voulu être trop... Vous comprenez... insister trop.
– Oui, évidemment. Eh bien, j'espère que ça ira
– Au fait, pourquoi vous tenez tellement à ce que j'emménage chez elle ?
– Vous savez ce qui lui est arrivé dans le métro.
Dominga fit oui de la tête.
– Vu ce qui s'est passé, il m'a semblé préférable qu'elle ait auprès d'elle quelqu'un qui ait une formation militaire. Qui soit capable de faire face à un éventuel... problème.
– Un genre de garde du corps, quoi.
– Ça m'étonnerait qu'on aille jusque-là, mais comme vous aviez besoin d'une chambre, je me suis dit que ce serait un bon arrangement.
– Oh, je suis d'accord avec vous. Elle est gentille, cette dame. Mais qui voudrait lui faire un coup pareil ? La pousser sous une rame ?
– Je l'ignore.
Dominga fit tinter le trousseau de clés.
– En tout cas, c'est officiel. Elle m'a filé les clés.
– Tant mieux.
– Bon, faut que j'y aille. Je me suis inscrite à des cours de mécanique auto.
– D'accord. Et merci de me rendre ce service. Je serai plus tranquille quand vous serez installée chez elle.
Dominga ébaucha un salut militaire et tourna les talons. Frank continua à écouter la musiquette qui résonnait à son oreille et à patienter. Finalement il

eut au bout du fil une infirmière qui avait vu Titus. Il était entre les mains d'un kinésithérapeute.

– Merci, je suis soulagé, soupira Frank – il savait au moins où Titus avait atterri. Dites-lui que j'ai téléphoné. Qu'il me rappelle. Et dites-lui aussi que le groupe de parole l'attend.

L'infirmière promit de lui transmettre le message. Frank raccrocha, rassuré, et se remit à la paperasse. Mais, comme il pensait toujours à Anna, il s'interrompit pour composer son numéro Il tomba sur la boîte vocale. Il hésita, puis :

– Anna, c'est Frank. Rappelez-moi, s'il vous plaît.

À cet instant, Kiyanna apparut à la porte, le téléphone dans la main.

– Frank, je te passe quelqu'un

Il saisit le combiné.

– Frank, bredouilla une voix fébrile. C'est Ad... Alan, le mari d'Anna.

– Oh, bonjour. Justement, j'ai essayé de la joindre, mais elle ne répond pas. Où êtes-vous ? Elle m'a dit que étiez parti vers l'ouest.

– Elle a voulu que j'emmène Sydney loin d'ici. Dans un endroit sûr. Mais je ne suis pas parti. Je n'ai pas pu. Il n'était pas question pour moi de la laisser toute seule. Elle nous croit en route pour Chicago. En réalité, nous n'avons pas quitté Philadelphie. On rase les murs. Écoutez, Frank. Je viens d'avoir un coup de fil. Elle m'a appelé.

– Qui ? Anna ?

Un silence. Puis, Adam dit d'une voix sourde :

– Non, pas elle. Notre fille.

– Votre fille ? s'exclama Frank. Il y a un problème avec Cindy ?

– Pas Cindy.

Nouveau silence.

– Cindy n'est pas notre fille, avoua Adam. C'est notre petite-fille. Notre fille s'appelle Lisa. Et elle est mentalement dérangée. En ce moment, elle est avec Hannah. Je cours là-bas, mais je vous ai téléphoné parce que vous êtes à deux pas de l'appartement. J'ai affreusement peur de ce que notre fille pourrait faire. Elle est très… instable.

– Anna m'a en effet confié qu'elle connaissait la personne qui l'a agressée. Je voulais lui donner une arme pour se protéger, mais elle m'a répondu que jamais elle ne tirerait sur cette personne. Est-ce que…

– Oui, soupira Adam. Quand les policiers lui ont montré les images de vidéosurveillance, Hannah a reconnu Lisa.

– Oh, bon Dieu…

– Frank, ça m'ennuie de vous demander ça, mais…

– Un instant, s'il vous plaît.

Frank éloigna le combiné de sa bouche.

– Rattrape Dominga avant qu'elle quitte le bâtiment, dit-il à Kiyanna. On a besoin des clés d'Anna. Dominga les a. Si elle est déjà partie, débrouille-toi pour la retrouver. Vite.

Kiyanna sortit au pas de course.

– Bon, reprit Frank. Expliquez-moi tout ce que je dois savoir.

Lisa fouillait les poches de son manteau.

– Tu peux enlever ton manteau, chuchota Hannah – son larynx était encore douloureux. Ils ne sont pas près d'arriver.

– Combien de temps il leur faudra ? bougonna Lisa, sans lui prêter attention. Et d'ailleurs, ils viennent d'où ?

– Je te répète que je n'en sais rien. J'ignore où ils sont.

– Tu mens.

Hannah regardait sa fille, envahie par un sentiment d'échec qui lui donnait le vertige. Lisa était son enfant, elle l'avait tant aimée.

– Je ne mens pas. Ils devaient aller dans la région de Chicago, je n'ai pas voulu savoir où exactement. Et ton père ne l'a pas précisé, délibérement.

- Le salaud.

– J'ai une question à te poser.

– Laquelle ?

– Est-ce que tu es... responsable de cette explosion où Troy Petty a trouvé la mort ?

– C'est quoi, cette question ? rétorqua Lisa d'un air incrédule. Tu bosses pour la police ? Tu m'enregistres ?

– Je veux seulement savoir. Tu étais furieuse contre lui parce qu'il n'était pas intéressé par... par les enfants ?

– Il s'est effectivement révélé très différent de l'homme que j'imaginais, dit Lisa d'un ton aigre.

– Il ne ressemblait pas aux sales types à qui tu écrivais. Tu pensais le contraire, et tu t'es trompée. Je suis tellement navrée pour sa famille. Sa sœur. Nous avons traîné le nom de ce garçon dans la boue pendant le procès. Il ne méritait pas ça.

Lisa haussa les épaules.

– De l'eau est passée sous les ponts.

– Mais pourquoi tu ne l'as pas laissé tranquille ? Il ne te causait aucun tort. Pourquoi a-t-il fallu que tu...

– Que je le tue ? acheva Lisa, dédaigneuse. Dis-le donc, maman. On m'a acquittée, on ne me rejugera pas. Même si je le criais sur les toits, on ne pourrait rien contre moi. En réalité, il représentait un danger pour moi. Il voulait me dénoncer, que tout le monde le sache, à la fac.

Hannah secoua la tête.

– Quoi ? lança Lisa.

– Qu'est-ce que j'ai fait ? Je n'arrête pas de m'interroger : quelle mère ai-je donc été ? Comment se fait-il que tu sois devenue comme ça… si insensible ? Et ne me réponds pas que c'est parce que ton père a abusé de toi. Nous savons toutes les deux que ce n'est pas vrai.

Lisa éclata de rire.

– Oh, maman !

Cette scène semblait si banale, soudain, que Hannah en eut un coup au cœur. Les années s'effaçaient, Lisa avait douze ans et mettait sa mère au défi de nommer son chanteur préféré. Une fraction de seconde, Hannah crut que tout cela n'était, pourquoi pas, qu'une atroce plaisanterie, destinée à lui faire perdre pied, à la faire douter de soi en tant que mère. Si c'était bien le cas, elle passerait l'éponge, elle s'en remettrait.

– Quoi ? bredouilla-t-elle d'une voix où vibrait une note d'espoir.

– Tu es vraiment grotesque avec ce bandage autour de la tête. C'était comment, quand tu es tombée sur les rails ? Tu as eu peur ?

Hannah tourna les yeux vers la fenêtre. Elle aurait voulu s'envoler. Ne pas avoir entendu ce qu'elle venait d'entendre. Puis elle regarda son enfant.

– J'ai parlé de toi à une psychiatre. Elle m'a dit que tu étais probablement psychopathe.

– Le charabia des psys… Elle ne me connaît même pas. De toute façon, les psys cherchent toujours à mettre les gens dans des cases. Ils ne savent pas par quel bout prendre quelqu'un qui sait ce qu'il veut et se débrouille pour l'obtenir. Ils me traitent de psychopathe, de sociopathe ? Et alors ? Qu'est-ce que ça signifie, en réalité ?

– Je vais te le dire, rétorqua posément Hannah. Cela signifie que nous ne te rendrons pas Sydney. En aucun cas. Ton père a probablement alerté la police, à l'heure qu'il est. Ils seront là d'une minute à l'autre.

– Ne sois pas stupide, maman. Il n'osera pas appeler la police. Pour les flics, c'est lui le criminel. Pas moi. Et tu vas me redonner Sydney. L'aventure nous attend.

– Il n'en est pas question. Écoute... si tu t'en vas, je ne parlerai pas de ce qui est arrivé dans le métro. Laisse-nous Sydney.

Lisa se leva brusquement, dardant sur sa mère un regard mauvais.

– Elle est à moi. Tu ne m'arrêteras pas. Rien de ce que tu peux dire ne m'arrêtera.

Hannah soutint le regard de sa fille.

– Je te jure que, tant que j'aurai un souffle de vie...

– Justement.

Lentement, Lisa extirpa de sa poche un revolver dont le canon noir reflétait la lumière.

– Mais où as-tu trouvé ça ? s'exclama Hannah.

– Allons, maman, je n'ai pas dix ans. Je l'ai acheté. C'est parfaitement légal. Je l'ai acheté et je vais m'en servir pour me défendre contre les personnes qui ont kidnappé mon enfant.

Hannah en eut le souffle coupé, comme si elle avait reçu un direct au plexus.

– Lisa, tu ne peux pas. Tu te retrouveras en prison.

– Parce que j'aurai fait le nécessaire pour reprendre mon enfant à ses ravisseurs ? Ça m'étonnerait qu'on partage ton point de vue.

Hannah se leva à son tour et s'approcha de sa fille. Mais Lisa pointa son arme sur elle.

– Plus un pas. Tu penses que je plaisante ? Je comptais attendre que papa débarque, mais je peux aussi bien te tuer tout de suite. Pourquoi pas ? Quand il arrivera, je lui montrerai ton cadavre. Je préférerais te descendre devant lui, mais je m'adapte.

Hannah dévisagea sa fille unique avec stupeur.

– Tu nous as toujours haïs autant ? Nous avons fait tout notre possible pour toi. Nous t'aimions tellement.

– Je ne vous hais pas.

– Ah bon ? fit Hannah qui avait du mal à le croire.

– Je suis en colère contre vous, mais je n'ai pas de haine. Tu as été une mère sympa. Pareil pour papa. Oui bon, d'accord, je le reconnais, parce qu'on est entre nous, il a été un père tout à fait correct. Le seul problème, c'est que vous étiez simplement des gens ordinaires, pas armés pour vous occuper d'un enfant ayant les dons que j'ai. J'ai toujours trouvé aberrant de me conformer à vos règles, alors que vous ne m'arriviez pas à la cheville. Vous étiez toujours en train de cogiter pour déterminer la meilleure manière de m'élever. Franchement, c'était cocasse. Mais tout ça n'a plus d'importance. Vous avez commis des erreurs, et vous les avez aggravées en me prenant Sydney. Vous m'avez humiliée. Vous m'avez ridiculisée devant tout le monde. Comme si j'étais une mère incompétente. Comme si cette gamine était mieux ailleurs, partout sauf avec moi. Je ne peux pas laisser passer ça.

– Mais si tu ne nous détestes pas, argua Hannah, essayons de parler… Il y a peut-être une solution…

– Il n'y en a pas, coupa Lisa d'un ton abrupt. C'est comme ça. Et ne prends pas cet air offusqué. Et assieds-toi.

– J'allais me servir un verre d'eau. Pour avaler mes médicaments.

– Tu n'as plus besoin de médicaments, dit froidement Lisa. Tu t'assieds.

36

FRANK PRIT LE PISTOLET dans son coffret, sous le siège de la voiture. Il le cacha sous sa veste et s'élança vers la maison de Mamie Revere. Les clés de Dominga tintaient dans sa main valide, il les coinça avec sa prothèse, pour étouffer le bruit. Il avait la célérité et la souplesse d'un félin. Comme tout bon marine des forces spéciales, il savait se déplacer en toute discrétion. Il savait aussi ce qui pouvait se produire s'il commettait une erreur. Les séquelles de ses blessures étaient là pour le lui rappeler. Il gravit les marches du perron et s'accroupit devant la porte pour introduire la clé dans la serrure, le plus silencieusement possible. Il entendit le déclic du pêne et, avec précaution, tourna la poignée. La porte s'ouvrit.

Le hall de la bâtisse était sombre. Seule la lumière d'un reverbère, filtrant par la fenêtre, perçait l'obscurité. Sur le palier du deuxième, on distinguait un rai de lumière. Sur la pointe des pieds, Frank s'approcha de l'escalier. Tendant l'oreille, il perçut des voix, hachées, des bribes de dialogue. Il jaugea la distance à parcourir. Comment monter là-haut sans qu'on l'entende ? Et si la fille, cette dingue, ouvrait la porte et le voyait ? Si elle le descendait ? Elle avait peut-être une arme. J'aurais dû prévenir les flics. À quoi bon jouer les héros ? Mais il repensa à Anna, à sa tête bandée, au désespoir inscrit sur son visage, à ce qu'Alan lui avait dit en confidence sur leur fille, à son angoisse. Malgré ce qu'elle avait fait à sa mère, ils cherchaient encore à la protéger.

Et lui, imbécile qu'il était, marchait dans la combine.

Kiyanna avait voulu alerter la police avant qu'il quitte la Maison des Vétérans. Il lui avait fait promettre de ne pas bouger. Elle avait menacé de ne plus lui adresser la parole, mais il avait posé sa main valide sur sa joue brune et douce. Fais-moi confiance, lui avait-il murmuré. Je serai prudent. Je reviendrai.

Elle lui avait tourné le dos, fâchée, mais il savait qu'elle tiendrait parole : elle ne donnerait pas l'alarme.

Donc nous y voilà, songea-t-il. Et maintenant ? Il monta l'escalier, testant chaque marche avant d'y prendre appui, veillant à ce que le bois ne craque pas. Il atteignit ainsi le premier palier et en fut immensément soulagé. Encore un étage.

Il allait se remettre en marche quand il entendit un bruit en bas. Pivotant vivement, il vit la porte s'ouvrir. Kiyanna ? Qu'est-ce qu'elle fabriquait ?

Mais ce fut un homme qui franchit le seuil et traversa le hall.

Frank le reconnut aussitôt. C'était Alan. Et il ne se souciait manifestement pas d'être discret. Lorsqu'il fut sur le palier, tout près de Frank, celui-ci chuchota :

– Psst...

Adam sursauta, étouffa un cri en voyant la silhouette tapie dans l'obscurité. Les deux hommes se regardèrent.

– Frank...

À cet instant, la porte de l'appartement, au deuxième, s'ouvrit. Lisa sortit sur le palier, elle tenait un revolver.

– Qui est là ?

Adam vit que Frank lui faisait signe de se cacher, mais il s'y refusait. Lisa était en haut, avec Hannah, elle était armée. Pas question de rester là.

Il se campa au pied de la volée de marches menant à l'appartement, leva la tête vers sa fille.

– C'est moi.

La figure de Lisa s'éclaira.

– Tiens, tiens, quelle surprise ! Tu arrives de Chicago ?

Sans répondre, Adam commença à gravir l'escalier.

– Je t'ai posé une question, insista Lisa d'un ton tranchant. Tu as pris l'avion ? Comment tu as fait pour arriver si vite ?

Adam s'arrêta devant elle.

– Je peux entrer ? demanda-t-il poliment.

Lisa recula d'un pas.

– Mais je t'en prie. Justement, je t'attendais.

– Adam ! s'écria Hannah en le voyant entrer, suivi de Lisa qui le tenait en respect avec son arme.

– Assis ! aboya Lisa.

Hannah obéit, les yeux rivés sur son mari qui la rejoignit.

– Comment tu… ? bafouilla-t-elle.

– Oui, papa, comment tu as fait ton compte ? Raconte-nous.

– Nous n'avons pas quitté la ville.

– Oh, Adam…

– Je n'ai pas pu partir sans toi. C'est ce que tu voulais, mais je n'ai pas pu.

Hannah lui tendit la main, mais Lisa la foudroya du regard, agitant son revolver.

– Non, pas ça.
– Je suis désolé, dit Adam à sa femme.
– Bon, toute la bande est là. Ou presque. Où est Sydney ?
– En lieu sûr, répondit Adam.
– Tu crois peut-être que c'est un jeu ? Où as-tu laissé ma fille ?
– Lisa, pose cette arme. Discutons.
– Tu penses vraiment que je vais t'obéir ?
– Tout cela est absurde. Essayons de parler.
Lisa agrippa Hannah par le col de son pull, pour la forcer à se mettre debout, et braqua le revolver sur sa tête.
– Il n'y a rien à discuter. Sydney m'appartient. Dis-moi où elle est.
Adam leva les mains, en un geste d'apaisement.
– Arrête, je vais te mener jusqu'à elle. Lâche ta mère.
– Comme si j'allais te croire…
– Pourquoi, Lisa ? dit-il avec tristesse. Pourquoi en est-on arrivé là ?
– C'est à moi que tu poses la question ? Après ce que vous m'avez fait ? Je moisis en prison et, vous, vous disparaissez avec ma gosse. Je suis libérée, je m'attends à ce qu'on fête mon retour à la maison, et qu'est-ce que je découvre ? Que vous avez tous les trois disparus dans la nature !
– Je regrette que nous ayons dû agir de cette manière, rétorqua Adam d'un ton las. Mais nous n'avions pas le choix.
– Bien sûr que si ! Vous auriez pu vous mêler de vos oignons, par exemple. Ce que je faisais avec ma fille ne vous regardait pas.
– C'est notre petite-fille. Une enfant innocente et vulnérable. Un bébé.

– Ce n'est pas un bébe. Tu m'as toujours opposé cet argument pour essayer de me dicter ma conduite. Convaincu de savoir mieux que moi ce qu'il fallait à Sydney. Ce qu'il me fallait à moi. Convaincu de pouvoir tout contrôler. Eh bien, tu ne peux plus décider à ma place. J'espère qu'à présent, c'est clair. Maintenant, c'est moi qui tiens les rênes. Moi qui vais vous dire quoi faire.

Lisa se tourna vers sa mère.

– Allez, on se bouge. On s'en va.

Hannah lança un regard désespéré à Adam. Elle lut un avertissement dans ses yeux, mais ne comprit pas ce qu'il tentait de lui dire.

– Adam ?

– Oublie-le un peu, maman. Pour une fois, essaie de te passer de ta béquille. Avance.

Hannah sentait sur sa tempe le canon froid du revolver, le souffle de Lisa sur son cou. Elle craignait que ses jambes ne la portent pas, mais Lisa ne lui laissait pas le choix.

– Toi, tu passes devant, ordonna Lisa à son père. On va chercher Sydney. Et ensuite… vous ne me servirez plus à rien. Ni l'un ni l'autre. Allons-y.

Adam ouvrit la porte et sortit sur le palier. Hannah le suivit, Lisa la tenant par son pull et la menaçant de son arme. Adam s'immobilisa.

– On descend, commanda Lisa.

Soudain, dans l'angle du palier, Hannah vit un homme caché dans l'obscurité. Il était armé. Elle reconnut la silhouette : c'était Frank qui venait à leur secours. Il la regardait fixement, secouant la tête pour lui intimer de ne pas réagir. De faire comme si de rien n'était.

Elle aurait dû éprouver du soulagement. De la gratitude. Mais son instinct édictait sa propre loi : il lui criait que Frank était un soldat entraîné à tuer. Ce fut un réflexe, irrationnel mais impérieux – la volonté, malgré tout, de protéger son enfant.

– Non, Frank ! s'écria-t-elle. Lisa, attention, il est armé !

– Qui ? grogna Lisa. Maman, s'il te plaît, je ne suis pas une gamine crédule.

– Écoute-moi, je t'assure que…

– Posez ce revolver, mademoiselle.

Lisa fouilla des yeux la pénombre.

– Vous êtes qui ?

– Fais ce qu'il dit, Lisa, implora Adam. Finissons-en.

– Oui, je vais en finir ! s'énerva Lisa qui, brusquement, braqua son arme sur Frank.

Adam comprit son intention – abattre Frank, cet homme bon et serviable. Il se jeta devant lui, sans la moindre hésitation. Lisa tira. La balle projeta Adam en arrière. Il s'écroula sur le sol.

– Adam ! s'exclama Hannah qui voulut se précipiter vers lui. Oh, mon Dieu !

– Non, ne bouge pas, lui ordonna Adam en se tenant l'épaule.

À cet instant, une deuxième détonation retentit. Hannah poussa un cri, se retourna vers sa fille.

Le canon du pistolet de Frank fumait. Une expression de surprise sur le visage, Lisa était immobile.

– Lisa ! hurla Hannah, comme pour la prévenir. Non !

Alors les yeux de Lisa se révulsèrent, ses jambes cédèrent sous elle. Elle bascula en avant dans l'escalier.

– Lisa !

Hannah essaya de la retenir, ses doigts se refermèrent sur sa veste. Mais le corps de Lisa n'était déjà plus qu'un poids mort qui tombait. Le tissu glissa entre les doigts de Hannah, et sa fille dégringola les marches jusqu'au palier du premier étage.

Trébuchant, continuant à quatre pattes, Hannah se précipita vers Lisa qui gisait, la tête contre la rampe, une jambe sur le palier, l'autre sur une marche. L'un de ses bras pendait selon un angle bizarre.

Hannah essaya de soulever son enfant. Lisa fixa sur elle un regard vitreux, comme si elle était déjà très loin

– Maman, souffla-t-elle.

– Je suis là.

Hannah regarda la vie s'éteindre dans les yeux de sa fille, emportant tous les espoirs qu'elle avait nourris. Et, serrant contre elle son enfant perdue, elle se mit à pleurer.

37

– VENEZ VOUS ASSEOIR DEHORS, dit Hannah.

Kiyanna la suivit sur la terrasse et s'assit lourdement dans un fauteuil. Hannah lui sourit, montrant le ventre rebondi de la jeune femme, que découvrait sa veste légère.

– Je vois que vous m'avez caché quelque chose.

Kiyanna lui rendit son sourire.

– Je me suis dit que vous aviez d'autres soucis.

Hannah hocha la tête. Effectivement, durant ces derniers mois, elle n'avait pensé qu'à sa famille, et à rien d'autre. Mais aujourd'hui, c'était différent. Aujourd'hui, leurs amis leur rendaient visite. Adam et elle, accompagnés de Sydney, étaient allés chercher Kiyanna et Frank à l'aéroport de Nashville, puis les hommes étaient partis acheter de quoi déjeuner, tandis que les femmes profitaient du soleil printanier et que Sydney jouait dans le jardin avec son petit chien.

– Quand doit arriver ce bébé ? demanda Hannah.

– En septembre.

– Fille ou garçon ?

– Nous préférons avoir la surprise.

– Si c'est une fille, j'ai une malle pleine de vêtements. Je vous les enverrai.

– Volontiers.

– Frank doit être aux anges. Dire que vous nous avez caché ça, c'est incroyable.

– Nous sommes superstitieux. Mais vous avez raison, Frank est sur un petit nuage.

– Je suis heureuse pour vous deux. Ce bébé aura une vie merveilleuse.

– Je l'espère, répondit Kiyanna, posant sur son ventre une main protectrice. Hannah… ce qui s'est passé avec votre fille… Frank y pense sans cesse, j'espère que vous n'avez aucun doute là-dessus.

– Frank est venu à notre secours. Je n'ai jamais remis cela en cause, pas un instant. Il a seulement voulu nous aider.

– Souvent, la nuit, je me réveille et je le vois assis au bord du lit, en sueur. Et si je lui demande ce qui ne va pas, c'est toujours Lisa.

Hannah soupira. Lisa… Elle ne pouvait songer à elle sans en avoir le cœur transpercé. Peut-être en serait-il toujours ainsi.

– Oui, Dieu sait que j'y pense, moi aussi. Et je me retrouve toujours face à cette réalité : elle a tiré sur son père. Elle m'a poussée sous une rame de métro. Quand je n'en peux plus, je me raccroche à ça. Je me remémore ce qui s'est passé, pour moins souffrir. Pour avoir moins mal. Mais la douleur est toujours là qui sommeille en moi.

– Bien sûr…, murmura gentiment Kiyanna.

Hannah et Adam avaient enterré Lisa et retrouvé leur maison de Nashville. Rayanne et Chet les avaient accueillis à bras ouverts, mais leurs retrouvailles furent teintées de chagrin : trop de drames s'étaient produits. Pamela était venue les voir – elle qui quittait si rarement La Véranda. Elle avait témoigné à Sydney une tendresse que Hannah n'avait jamais connue dans son enfance.

Le procureur de Nashville les avait mis en examen pour kidnapping. Margaret Fox, s'appuyant sur de nombreux témoins, dont Frank qui s'était déplacé spécialement de Philadelphie, avait réussi à faire modifier le chef d'accusation et à obtenir pour Hannah une condamnation avec sursis. Adam, à présent complètement remis de sa blessure à l'épaule, avait écopé de la peine minimum, soixante jours de prison. Le juge, au moment de prononcer la sentence, avait bien précisé que Sydney n'avait manqué de rien pendant qu'elle était avec ses grands-parents.

Adam était rentré à la maison, et Frank et Kiyanna, les jeunes mariés, venaient leur rendre visite, pour tourner la page et, si possible, prendre un nouveau départ.

Kiyanna observait Sydney qui jouait dans le jardin.

– Elle a l'air d'aller très bien.

– On nous l'a confiée, Dieu merci, grâce à notre avocate qui a convaincu le juge. Sydney va aussi bien que possible. Il lui arrive d'être triste. De faire des cauchemars.

– Comment en serait-il autrement ? Elle a subi en quatre ans plus de traumatismes que la plupart des gens dans toute une vie. Elle sait ce qui s'est passé ? Elle en a conscience ?

– Elle pose parfois des questions. Je l'emmene chez un pédopsychiatre, pour qu'elle se sente autorisée à parler.

– C'est une bonne idée. Car les questions viendront fatalement.

– Je sais…

– Est-ce qu'elle mentionne parfois…

– Lisa ? De temps à autre. Je lui dis ce qu'on dit habituellement : ta maman est au paradis.

Les deux amies restèrent un moment silencieuses, chacune espérant que ce fût vrai, chacune en doutant fort.

– Vous froncez les sourcils, fit remarquer Hannah.

– C'est tellement... sidérant. Dans mon métier, j'en ai vu, des gamins sur la mauvaise pente. Des parents qui n'auraient pas dû avoir d'enfants. Mais vous, quand Sydney était à la crèche, je vous ai vue à l'œuvre. Je sais que, tous les deux, vous avez été de bons parents et...

– Et vous vous demandez comment tout ça a pu arriver ? N'est-ce pas ?

– Kiyanna ! s'écria soudain Sydney. Regarde ce qu'il sait faire, Riley !

La fillette se mit à courir à travers le jardin, et le chiot la suivit en jappant de joie.

– Tu as un petit chien adorable.

Ravie du compliment, Sydney planta des baisers sur la tête du complaisant animal.

– Franchement, reprit Hannah, j'ignore comment c'est arrivé. J'ai conscience que ce n'est pas rassurant pour vous qui portez la vie en vous, mais...

– Vous ne vous etes doutée de rien, pour Lisa ? Jamais ?

– Oh, il y a eu des signaux d'alarme. Évidemment. Mais je mettais ça sur le compte de son intelligence exceptionnelle, sur le fait qu'elle était socialement en marge parce qu'elle n'arrêtait pas de sauter des classes. Je trouvais des justifications, même si je me sentais mal à l'aise. C'est difficile à expliquer. On aime tant ses enfants qu'on se répète qu'ils sont normaux. On ne les voit pas vraiment tels qu'ils sont.

– Mais comment sait-on si...

Hannah se pencha vers sa jeune amie, posa sa main blanche sur celle, gracieuse et brune, de Kiyanna.

– Votre enfant sera parfait. Vous devez en être convaincue. Il va naître, et vous devez nourrir tous les espoirs du monde. Et tout ira bien. C'est certain.

– Si vous pouvez y croire, alors…

Hannah regarda Sydney qui riait aux éclats et se roulait dans l'herbe avec son chien. Elle n'avait pas prévu d'élever sa petite-fille, elle n'en avait jamais eu l'intention. Mais puisque le destin en avait décidé autrement, elle essayait de voir cela comme une deuxième chance. Quel autre choix avait-elle ?

– Je dois y croire, dit-elle. J'y crois.

DU MÊME AUTEUR

Aux Éditions Albin Michel

UN ÉTRANGER DANS LA MAISON, 1985.
PETITE SŒUR, 1987.
SANS RETOUR, 1989.
LA DOUBLE MORT DE LINDA, 1994.
UNE FEMME SOUS SURVEILLANCE, 1995.
EXPIATION, 1996.
PERSONNES DISPARUES, 1997.
DERNIER REFUGE, 2001.
UN COUPABLE TROP PARFAIT, 2002.
ORIGINE SUSPECTE, 2003.
LA FILLE SANS VISAGE, 2005.
J'AI ÉPOUSÉ UN INCONNU 2006.
RAPT DE NUIT, 2008.
UNE MÈRE SOUS INFLUENCE, 2010.
UNE NUIT, SUR LA MER, 2011.
LE POIDS DES MENSONGES, 2012.
LA SŒUR DE L'OMBRE, 2013.

« SPÉCIAL SUSPENSE »

MATT ALEXANDER
Requiem pour les artistes

STEPHEN AMIDON
Sortie de route

RICHARD BACHMAN
La Peau sur les os
Chantier
Rage
Marche ou creve

CLIVE BARKER
Le Jeu de la damnation

INGRID BLACK
Sept jours pour mourir

GILES BLUNT
Le Témoin privilégié

GERALD A. BROWNE
19 Purchase Street
Stone 588
Adieu Sibérie

ROBERT BUCHARD
Parole d'homme
Meurtres à Missoula

JOHN CAMP
Trajectoire de fou

CAROLINE CARVER
Carrefour sanglant

JOHN CASE
Genesis

PATRICK CAUVIN
Le Sang des roses
Jardin fatal

MARCIA CLARK
Mauvaises fréquentations

JEAN-FRANÇOIS COATMEUR
La Nuit rouge
Yesterday
Narcose
La Danse des masques
Des feux sous la cendre
La Porte de l'enfer
Tous nos soleils sont morts
La Fille de Baal
Une écharde au cœur
L'Ouest barbare

CAROLINE B. COONEY
Une femme traquée

HUBERT CORBIN
Week-end sauvage
Nécropsie
Droit de traque

PHILIPPE COUSIN
Le Pacte Pretorius

DEBORAH CROMBIE
Le passé ne meurt jamais
Une affaire très personnelle
Chambre noire
Une eau froide comme la pierre
Les larmes de diamant
La Loi du sang
Mort sur la Tamise

VINCENT CROUZET
Rouge intense

JAMES CRUMLEY
La Danse de l'ours

JACK CURTIS
Le Parlement des corbeaux

ROBERT DALEY
La nuit tombe sur Manhattan

GARY DEVON
Désirs inavouables
Nuit de noces

WILLIAM DICKINSON
Des diamants pour Mrs Clark
Mrs Clark et les enfants du diable
De l'autre côté de la nuit

MARJORIE DORNER
Plan fixe

FRÉDÉRIC H. FAJARDIE
Le Loup d'écume

FROMENTAL/LANDON
Le Système de l'homme-mort

STEPHEN GALLAGHER
Mort sur catalogue

LISA GARDNER
Disparue
Sauver sa peau
La maison d'à côté
Derniers adieux
Les Morsures du passé
Preuves d'amour
Arrêtez-moi

CHRISTIAN GERNIGON
La Queue du Scorpion
Le Sommeil de l'ours
Berlinstrasse
Les Yeux du soupçon
Preuves d'amour

JOSHUA GILDER
Le Deuxième Visage

JOHN GILSTRAP
Nathan

MICHELE GIUTTARI
Souviens-toi que tu dois mourir
La Loge des innocents

JEAN-CHRISTOPHE GRANGÉ
Le Vol des cigognes
Les Rivières pourpres
Le Concile de pierre

SYLVIE GRANOTIER
Double Je
Le passé n'oublie jamais
Cette fille est dangereuse
Belle à tuer
Tuer n'est pas jouer
La Rigole du diable
La Place des morts
Personne n'en saura rien

AMY GUTMAN
Anniversaire fatal

JAMES W. HALL
En plein jour
Bleu Floride
Marée rouge
Court-circuit

JEAN-CLAUDE HÉBERLÉ
La Deuxième Vie de Ray Sullivan

CARL HIAASEN
Cousu main

JACK HIGGINS
Confessionnal

MARY HIGGINS CLARK
La Nuit du Renard
La Clinique du Docteur H.
Un cri dans la nuit
La Maison du guet
Le Démon du passé
Ne pleure pas, ma belle
Dors ma jolie
Le Fantôme de Lady Margaret
Recherche jeune femme aimant danser
Nous n'irons plus au bois
Un jour tu verras...
Souviens-toi
Ce que vivent les roses
La Maison du clair de lune
Ni vue ni connue
Tu m'appartiens
Et nous nous reverrons...
Avant de te dire adieu
Dans la rue où vit celle que j'aime
Toi que j'aimais tant
Le Billet gagnant
Une seconde chance
La nuit est mon royaume
Rien ne vaut la douceur du foyer
Deux petites filles en bleu
Cette chanson que je n'oublierai jamais
Où es-tu maintenant ?
Je t'ai donné mon cœur
L'ombre de ton sourire
Les Années perdues
Une chanson douce
Le Bleu de tes yeux

CHUCK HOGAN
Face à face

KAY HOOPER
Ombres volées

PHILIPPE HUET
La Nuit des docks

GWEN HUNTER
La Malédiction des bayous

PETER JAMES
Vérité

TOM KAKONIS
Chicane au Michigan
Double Mise

MICHAEL KIMBALL
Un cercueil pour les Caïmans

LAURIE R. KING
Un talent mortel

STEPHEN KING
Cujo
Charlie

JOSEPH KLEMPNER
Le Grand Chelem
Un hiver à Flat Lake
Mon nom est Jillian Gray
Préjudice irréparable

DEAN R. KOONTZ
Chasse à mort
Les Étrangers

AMANDA KYLE WILLIAMS
Celui que tu cherches

NOËLLE LORIOT
Le tueur est parmi nous
Le Domaine du Prince
L'Inculpé
Prière d'insérer
Meurtrière bourgeoisie

ANDREW LYONS
La Tentation des ténèbres

JULIETTE MANET
Le Disciple du Mal

PHILLIP M. MARGOLIN
La Rose noire
Les Heures noires
Le Dernier Homme innocent
Justice barbare
L'Avocat de Portland
Un lien très compromettant
Sleeping Beauty
Le Cadavre du lac

DAVID MARTIN
Un si beau mensonge

LISA MISCIONE
L'Ange de feu
La Peur de l'ombre

MIKAËL OLLIVIER
Trois souris aveugles
L'Inhumaine Nuit des nuits
Noces de glace
La Promesse du feu

ALAIN PARIS
Impact
Opération Gomorrhe

DAVID PASCOE
Fugitive

RICHARD NORTH PATTERSON
Projection privée

THOMAS PERRY
Une fille de rêve
Chien qui dort

STEPHEN PETERS
Central Park

JOHN PHILPIN/PATRICIA SIERRA
Plumes de sang
Tunnel de nuit

NICHOLAS PROFFITT
L'Exécuteur du Mékong

PETER ROBINSON
Qui sème la violence...
Saison sèche
Froid comme la tombe
Beau monstre
L'été qui ne s'achève jamais
Ne jouez pas avec le feu
Étrange affaire
Coup au cœur

L'Amie du diable
Toutes les couleurs des ténèbres
Bad Boy
Le Silence de Grace
Face à la nuit

DAVID ROSENFELT
Une affaire trop vite classée

FRANCIS RYCK
Le Nuage et la Foudre
Le Piège

RYCK EDO
Mauvais sort

LEONARD SANDERS
Dans la vallée des ombres

TOM SAVAGE
Le Meurtre de la Saint-Valentin

JOYCE ANNE SCHNEIDER
Baignade interdite

THIERRY SERFATY
Le Gène de la révolte

JENNY SILER
Argent facile

BROOKS STANWOOD
Jogging

VIVECA STEN
La Reine de la Baltique
Du sang sur la Baltique

WHITLEY STRIEBER
Billy

MAUD TABACHNIK
Le Cinquième Jour
Mauvais Frère
Douze heures pour mourir
J'ai regardé le diable en face
Le chien qui riait
Ne vous retournez pas
L'ordre et le chaos
Danser avec le diable

LAURA WILSON
Une mort absurde

THE ADAMS ROUND TABLE
PRÉSENTE
Meurtres en cavale
Meurtres entre amis
Meurtres en famille

Composition Nord compo
Impression CPI Bussière en mars 2015
Éditions Albin Michel
22, rue Huyghens, 75014 Paris
www.albin-michel.fr
ISBN : 978-2-226-31469-7
ISSN : 0290-3326
N° d'édition : 21270/02 – N° d'impression : 2015468
Dépôt légal : mars 2015
Imprimé en France